PALOMINO

Danielle Steel, jeune femme dont le charme n'a d'égal que l'élégance, est née à New York en 1949. Elle a vécu une grande partie de son enfance en France et reçu une éducation à la française. Puis elle est retournée à New York achever ses études. Elle a suivi des cours à l'université et dans une grande école new-yorkaise de stylisme de mode. C'est finalement vers l'écriture qu'elle se tournera. Trente-sept best-sellers publiés en France... Trois cent vingt millions de livres vendus dans quatre-vingts pays et traduits en cinquante langues... Trois livres simultanément sur les listes des best-sellers du *New York Times*. Elle y est restée trois cent quatre-vingt-dix semaines consécutives, ce qui lui a valu d'être citée dans *Le Livre Guiness des records* ! À la renommée et au succès de Danielle Steel se sont ajoutés les honneurs et les hommages. En 1981, elle a été élue l'une des « dix femmes les plus influentes du monde » par les étudiants d'une université. Ses romans ont occupé quatre places prestigieuses parmi les dix premières des « meilleures ventes » 1984 du *New York Times*. Mais Danielle Steel ne se contente pas d'être écrivain. Très active sur le plan social, elle est présidente de l'American Library Association (Association américaine des bibliothèques) et porte-parole du Comité national de prévention contre l'enfant maltraité. Elle a également toujours fait passer sa vie de famille avant son œuvre d'écrivain. John Traina, son mari, est l'un des administrateurs les plus en vue de Californie, et les Traina aiment rester chez eux, avec leurs neuf enfants, dans leur domaine de Californie.

Paru dans Le Livre de Poche :

LA FIN DE L'ÉTÉ
IL ÉTAIT UNE FOIS L'AMOUR...
ALBUM DE FAMILLE
AU NOM DU CŒUR
LA MAISON DES JOURS HEUREUX
SECRETS
UNE AUTRE VIE
LA RONDE DES SOUVENIRS
TRAVERSÉES
AUDREY, LA VAGABONDE
LOVING
LA BELLE VIE
UN PARFAIT INCONNU
ZOYA
KALÉIDOSCOPE
STAR
CHER DADDY
SOUVENIRS DU VIETNAM

DANIELLE STEEL

Palomino

ROMAN TRADUIT DE L'ANGLAIS PAR VASSOULA GALANGAU

PRESSES DE LA CITÉ

Titre original :
PALOMINO

À Thaddeus,
tendrement,
D. S.

Chevaucher
vers les collines
au crépuscule,
avec un rêve en tête,
en quête d'amour,
c'est le but de toute vie...
Et le trouver,
c'est l'accomplissement
de la vie.

1

Samantha se hâtait vers le porche d'un élégant petit immeuble de la 63e Rue Est. Elle clignait des yeux, à demi aveuglée par les rafales de vent et la pluie battante, à laquelle se mêlait un peu de neige fondue. Enfin arrivée à destination, elle laissa échapper un petit soupir, comme pour se donner du courage. Comme à l'accoutumée, sa clé refusait de tourner dans la serrure. Elle força un peu et, finalement, la porte céda. La chaleur du vestibule l'enveloppa immédiatement. Mais elle resta immobile un long moment, secouant son opulente chevelure d'une nuance rare, blond platine aux reflets d'argent. Durant son enfance, on l'avait surnommée « blondasse » et elle en avait cruellement souffert. Mais à l'adolescence, elle avait tiré une fierté bien méritée de l'extraordinaire beauté de ses cheveux. Maintenant, aux alentours de la trentaine, elle était habituée aux compliments, et lorsque John s'était un jour exclamé qu'elle ressemblait à une princesse de légende, elle lui avait répondu par un rire malicieux. Ses yeux bleus pétillaient, illuminant son visage mince, presque anguleux, très surprenant chez une femme aux formes aussi épanouies. Sa poitrine pleine, ses hanches en amphore formaient, elles aussi, un contraste étourdissant avec son corps de liane et ses jambes interminables. Tout en elle s'opposait, d'ailleurs : l'œil glacé et la bouche sensuelle, les épaules fines et les seins haut placés, sa voix douce et ses propos incisifs, nets, précis, ses gestes volontaires, pourtant teintés d'une secrète nonchalance... Oui. On imaginait sans peine Samantha Taylor lovée sur des coussins chamarrés vêtue d'un déshabillé affriolant bordé de marabout... Image trompeuse car, le plus souvent, des jeans serrés gainaient ses longues jambes fuselées, et elle était d'une énergie et d'une vitalité débordantes. Cette énergie, cette vitalité qu'elle semblait avoir perdues, depuis ce fameux soir d'août dernier...

Et ce soir, comme tous les autres soirs, elle se tenait immobile au cœur de la maison vide, les cheveux dégoulinants de pluie, à l'écoute de quelque chose. Mais de quoi, exactement ? Il n'y avait plus âme qui vive dans la vaste demeure de briques brunes. Les propriétaires de l'immeuble, partis pour Londres, avaient laissé leur duplex à un cousin, qui brillait par son absence. Correspondant de *Paris-Match*, il passait plus de temps à La Nouvelle-Orléans, Los Angeles et Chicago qu'à New York. Le dernier étage constituait le domaine de Samantha. Le royaume enchanté qu'elle avait partagé autrefois avec John. Tous deux l'avaient décoré avec tant de soin ! Chaque centimètre carré de ces lieux évoquait le passé... Le front de Samantha se plissa légèrement. Elle laissa son parapluie ruisselant dans le hall, avant de gravir lentement l'escalier. Comme elle détestait rentrer chez elle ! Tous les soirs elle s'efforçait de retarder l'heure fatidique. Aujourd'hui, il était presque neuf heures. Elle n'avait même pas faim. En fait, il y avait beau temps qu'elle n'avait plus faim. Depuis le jour où elle avait appris la nouvelle...

— Plaît-il ?

Elle l'avait fixé, consternée, par cette suffocante soirée d'août. Le système de climatisation venait de rendre l'âme, et une lourde chaleur régnait dans l'appartement. Elle l'avait accueilli sur le pas de la porte, vêtue seulement d'un slip blanc en dentelle et d'un petit soutien-gorge lilas.

— Est-ce que tu es devenu fou ?

— Absolument pas !

Il avait les traits tirés, un visage de marbre. Mais que se passait-il ? Ils avaient fait l'amour le matin même. Et pourtant, cet homme au visage hâlé, qu'elle aimait tant, paraissait tout à coup hors d'atteinte. Elle avait l'impression d'être face à un étranger.

— J'en ai assez de te mentir, Sam. Autant que tu le saches. Ça ne peut plus durer.

De nouveau elle le contempla, incrédule. Impossible. C'était impossible. Il plaisantait, très certainement. Sauf qu'il n'en avait pas l'air. De sa vie, il n'avait été aussi sérieux, cela se lisait sur son visage, qui reflétait un profond désarroi. Désemparée, elle s'élança vers lui, mais il s'écarta.

— Pas ça, je t'en prie...

Un frisson parcourut les larges épaules de John, suscitant chez Samantha une vague de pitié. De la pitié ! Mais pourquoi, au nom du ciel, fallait-il qu'elle compatisse aux malheurs de cet homme, après le coup bas qu'il venait de lui assener ?

— Est-ce que... tu l'aimes ?

Une nouvelle fois, les épaules de son amant tressaillirent, mais il garda le silence. La pitié de Samantha fondit comme neige au soleil. Et, d'un coup, la fureur l'embrasa.

— Réponds-moi ! *Mais réponds-moi donc !*

Elle se rapprocha vivement de lui, et secoua son épaule. Il se retourna enfin, pour plonger son regard dans le sien.

— Oui, je crois... Mais je ne sais plus très bien où j'en suis. Il vaut mieux que je parte. J'ai besoin de prendre des distances. De voir plus clair. De respirer.

Et qui l'empêchait de respirer ? Qu'est-ce qu'il était en train de raconter au juste ? Furieuse, Samantha s'écarta. En deux enjambées, elle fut à l'autre bout du magnifique tapis d'Aubusson qui s'étalait comme un parterre fleuri sous ses pieds nus. Mais elle ne voyait même plus les roses poudreuses et les violettes minuscules semées sur un charmant fouillis de fleurettes d'un rose fané et d'un mauve sourd rehaussé, çà et là, d'une éclatante touche rouge vif. Elle ne voyait plus, non plus, le vert émeraude des fauteuils, ni les lambris acajou des cloisons. Samantha avait mis deux ans pour terminer la décoration de l'appartement. Elle s'était acquittée de cette tâche avec enthousiasme. En compagnie de John, elle avait déniché les meubles Louis XV chez des antiquaires ou lors des ventes aux enchères chez Sotheby's. Les étoffes aux teintes douces, les vases où s'épanouissaient des gerbes savamment composées, les tableaux impressionnistes, tout conférait au décor un suave parfum de vieille Europe. Mais aujourd'hui, le dos tourné à son mari, Samantha se fichait éperdument des splendeurs de son intérieur. Comment avaient-ils pu en arriver là? Pourraient-ils oublier, un jour, ce qui se passait en ce moment même? Elle en doutait. C'était comme si la mort avait soudain frappé l'un d'eux, comme si un phénoménal ouragan avait à jamais dévasté leurs deux existences. Et il avait simplement suffi pour cela de quelques mots, acérés et perfides.

— Pourquoi ne m'as-tu rien dit?

Elle se retourna, l'air accusateur.

— Je... euh...

John laissa sa phrase en suspens, incapable de la terminer. À quoi bon? Rien ne pourrait plus cicatriser la blessure qu'il venait d'infliger à cette femme qu'il avait jadis aimée à la folie. Sept ans de mariage, c'est long. Assez long, en tout cas, pour souder deux êtres l'un à l'autre. Mais l'année dernière, lorsqu'il avait « couvert » la campagne électorale, il s'était tout doucement détaché d'elle. C'est vrai, il avait eu la ferme intention de rompre avec Liz à leur retour de

Washington, et il avait vraiment essayé de le faire. Mais bien sûr Liz s'y était opposée et ils s'étaient revus, encore et encore, jusqu'au jour où elle s'était retrouvée enceinte, et qu'elle avait catégoriquement refusé de se débarrasser du bébé.

— Je n'aurais pas su quoi te dire, Sam. Je croyais...

— Je me contrefiche de ce que tu croyais, fulmina-t-elle en fusillant du regard l'homme qui était son unique amour depuis onze ans.

Ils s'étaient connus à dix-neuf ans, alors qu'ils suivaient tous deux des études à Yale. À l'époque, le grand, blond et athlétique John était le héros de l'équipe de football, le dieu du campus. Samantha comptait parmi ses plus ferventes admiratrices, et il avait été son premier amant.

— En revanche, tu savais pertinemment ce que, moi, je croyais, espèce d'ordure ! Je croyais que tu m'étais fidèle, figure-toi. Je... (sa voix se fêla tout à coup)... croyais que tu m'aimais.

— Mais je t'aime, murmura-t-il.

Des larmes roulaient lentement le long des joues de John.

— Ah oui ? (Elle hurlait, à présent, taraudée par une douleur atroce, c'était comme si on lui avait arraché le cœur.) Alors pourquoi veux-tu déménager ? Pourquoi quand je t'ai dit : « Salut, chéri, as-tu passé une bonne journée », m'as-tu rétorqué : « Je m'envoie en l'air avec Liz Jones, je te quitte, ciao » ? (Une pointe d'hystérie perça dans sa voix et elle se rapprocha de lui à le toucher.) Est-ce que tu peux me l'expliquer ? Depuis quand couches-tu avec cette garce ? Je te hais, John Taylor... je te hais !

Folle de rage, elle se rua sur lui, les poings levés, prête à le frapper au visage. Il esquiva facilement le coup en lui saisissant les poignets, avant de la plaquer au sol, où il la tint étroitement enlacée.

— Oh, chérie. Je suis tellement désolé...

— Désolé ? hurla-t-elle dans un cri qui tenait à la fois du rire et du sanglot. Tu m'annonces que tu me laisses tomber pour une autre femme et tu es désolé ? Mon Dieu ! (Elle prit sa respiration puis, dans un mouvement brusque, elle tenta de s'arracher à son étreinte.) Lâche-moi !

Au bout d'un moment, la sentant plus calme, il desserra l'étau de ses doigts. Hors d'haleine, Samantha alla se réfugier sur le sofa vert foncé, et enfouit son visage dans ses mains. Puis, au bout de quelques minutes, elle leva sur John ses grands yeux emplis de larmes.

— Est-ce que tu l'aimes vraiment ?

D'une certaine manière, elle avait du mal à y croire.

— Je crois que oui. Mais le pire, c'est que je vous aime toutes les deux.

Elle le scruta d'un regard vide.

— Pourquoi ? Qu'est-ce qui n'allait pas entre nous ?

John s'assit pesamment. Il fallait qu'il lui dise. Elle avait le droit de savoir. Il avait eu tort de la laisser dans l'ignorance aussi longtemps.

— C'est arrivé l'année dernière, pendant les élections.

— L'année dernière ? s'étonna-t-elle, en ravalant ses pleurs. Dix mois, et je ne me suis doutée de rien ! (Elle s'interrompit un instant, pour l'interroger du regard.) Pourquoi est-ce que tu me l'annonces aujourd'hui ? Que diable veux-tu dire par « j'ai une liaison et je déménage » ? Tant d'années de vie commune ne signifient donc plus rien pour toi ?

Sa voix dérapait à nouveau dans les aigus. John Taylor tressaillit. Il détestait ce qu'il était en train de faire subir à sa femme. Mais il n'avait plus le choix. Chez Liz, il y avait quelque chose dont il ne pouvait plus se passer. Cette discrétion qui flattait tellement sa vanité masculine. Samantha lui ressemblait à trop d'égards — elle était belle, intelligente. Elle ne pourrait jamais, comme Liz, lui servir de faire-valoir... En fait, Liz avait fini par l'attraper dans les filets de sa modestie. Lors du bulletin d'information qu'ils présentaient ensemble, elle lui abandonnait volontiers le rôle de la star. Contrairement à Samantha, elle ne cherchait jamais la compétition — et c'était bien pour ça qu'ils formaient tous deux une équipe formidable. John se sentait rassuré en sa compagnie. Mais ce n'était pas tout. À présent, un atout supplémentaire pesait dans la balance en faveur de Liz. Celle-ci attendait un bébé, *son* bébé, l'enfant qu'il désirait de toutes ses forces. Un fils qu'il façonnerait à son image. Le cadeau que Samantha ne pourrait jamais lui offrir. Le diagnostic des médecins était tombé après trois ans d'examens approfondis. Il était formel. Son épouse était stérile. Elle n'aurait jamais d'enfants...

— Pourquoi aujourd'hui, John ?

La voix tourmentée de Samantha le ramena au présent. Lentement, il secoua la tête.

— Aujourd'hui ou demain, qu'importe ? Il n'y a pas de bon moment pour annoncer une rupture.

— Quelle rupture ? Avec moi ou avec elle ? As-tu l'intention de mettre fin à ta liaison ?

Elle refusait délibérément d'accepter la réalité. Tournant et retournant les mêmes questions dans son esprit. Qu'est-ce qui avait poussé John à s'éloigner d'elle ? Pourquoi, par cette soirée estivale, son mari était-il rentré de son travail pour lui signifier la fin de leur union ?

— Vas-tu cesser de la voir ?

— Écoute, Sam, je regrette...

— Mais *pourquoi* ? recommença-t-elle, aveuglée par un nouveau flot de larmes. Qu'a-t-elle de plus que moi ? Elle n'a aucun charme. Quand je pense que tu prétendais la trouver insipide, que tu... tu...

Elle se débattait pour trouver les mots adéquats. Ça en devenait pénible.

— Il faut que je parte, Sam, c'est indispensable.

— Mais *pourquoi* ? hurla-t-elle d'une voix perçante, pendant qu'il se dirigeait vers leur chambre, où elle le suivit en pleurant.

— Parce que. Restons-en là, veux-tu ? J'ai horreur de te voir souffrir ainsi.

— Reste, je t'en prie. Tout va s'arranger, tu verras. Ne t'en va pas, mon amour, je t'en supplie.

Elle s'était mise à arpenter la pièce, le visage ruisselant de larmes. En silence, John commença à rassembler ses vêtements. Il se sentait défaillir. Il fallait qu'il sorte de là au plus vite. Les sanglots de Samantha lui vrillaient les tympans. Brusquement, il se tourna vers elle.

— Arrête maintenant ! Arrête !

— Me calmer ? Après sept ans de vie commune, onze, si je compte les années de Yale, mon mari me laisse choir et je dois rester calme ? Afin de ne pas te culpabiliser, sans doute ? Mais qu'attends-tu de moi à la fin ? De la compréhension ? Tu voudrais que je t'aide à faire tes bagages, peut-être ? ou que je te souhaite bonne chance ? Tu gâches ma vie et tu oses réclamer ma compréhension ? Ne compte pas là-dessus, mon vieux. Tu ne l'auras pas. Tu n'auras que mes larmes. Reste, John. Reste, je t'en supplie...

Elle se laissa tomber sur une bergère, secouée de sanglots incoercibles. D'un geste sec, John rabattit le couvercle de la valise dans laquelle il avait jeté pêle-mêle quelques chemises, une paire de tennis, deux paires de mocassins et un léger costume d'été. Il saisit une poignée de cravates qu'il garda à la main. Il était parfaitement inutile de prolonger cette scène épouvantable.

— Je repasserai chercher le reste lundi, quand tu seras au bureau.

— Je n'irai pas au bureau.

— Pourquoi donc ?

Son air hagard arracha un pâle sourire à Samantha.

— Parce que mon mari vient de me larguer ! Je ne pense pas être en forme lundi. Compris ?

Hélas, son méchant trait d'humour ne le dérida pas. Il ne sourit pas, ne se radoucit pas. Il ne fléchit pas. Après lui avoir lancé un regard bizarre, il sortit en claquant la porte, laissant tomber deux cravates derrière lui. Samantha les ramassa et les serra contre elle en sanglotant de plus belle...

Depuis le mois d'août, elle avait versé toutes les larmes de son corps, mais cela n'avait pas fait revenir John. En octobre, il s'était rendu en république Dominicaine pour obtenir le divorce. Cinq jours plus tard, il avait épousé Liz. Samantha avait appris que la nouvelle Mme Taylor était enceinte. Cette dernière l'avait annoncé un soir pendant l'émission, et Sam avait fixé le petit écran interloquée, bouche bée, bras ballants. Son corps s'était raidi comme sous l'effet d'un coup de poignard. Tout ça pour un bébé... le fils qu'elle, Samantha, n'aurait jamais pu lui donner.

Par la suite, elle réalisa que la grossesse de Liz n'était pas la seule cause de leur rupture. Elle s'était caché trop longtemps la vérité. Sa propre réussite terrifiait John. Il craignait la rivalité. Pourtant, il passait pour l'un des animateurs les plus populaires, ne pouvait se déplacer sans qu'une nuée de fans ne vienne lui demander des autographes. Mais la certitude que son succès n'était qu'un phénomène éphémère l'avait peu à peu gagné. Après tout, combien de vedettes de la télévision sont remplacées du jour au lendemain, victimes de l'audimat ?

— Les taux d'écoute sont sans pitié, avait-il l'habitude de déclarer...

Tout autre était la situation de Sam. Assistante du patron d'une des plus grosses agences de publicité des États-Unis, elle avait atteint le sommet de sa carrière à la force du poignet. Certes, son métier était soumis, lui aussi, à des aléas de toute sorte. Mais Sam, lauréate d'un nombre impressionnant de prix destinés à récompenser ses campagnes publicitaires, n'avait, en principe, rien à craindre de l'avenir. C'était du moins ce que John avait conclu. Et durant cet interminable automne solitaire, alors qu'elle se remémorait leur vie passée, des lambeaux de conversations, des bribes de phrases qu'il avait prononcées lui revinrent en mémoire.

— Nom d'une pipe, Sam, quelle chance tu as ! Tu réussis tout ce que tu entreprends. À trente ans, tu n'as plus aucun souci à te faire pour le lendemain... Avec tes prix, tu gagnes plus d'argent que moi !

À l'époque, cela l'avait gênée. Mais comment donc aurait-elle dû se comporter ? Aurait-il fallu qu'elle donne sa démission ? Alors qu'elle ne pouvait avoir d'enfant, et que John n'avait jamais voulu entendre parler d'adoption ? Quand Samantha abordait ce sujet, tous ses arguments butaient contre un mur de mauvaise foi. John désirait son propre enfant. La chair de sa chair...

Samantha avait tenté de le convaincre à plusieurs reprises. En vain. Elle avait fini par baisser les bras... Eh bien, d'ici trois mois, il l'aurait, son enfant ! Le sien... le *sien* ! À cette pensée, Samantha sentait le sang affluer à ses joues. Comme sous l'effet d'une gifle...

Elle s'efforça de ne plus y songer, tandis qu'elle débouchait sur le palier du dernier étage et ouvrait la porte de son appartement. L'odeur de renfermé qui semblait s'y être installée depuis le départ de John la frappa de plein fouet. Les plantes vertes s'étiolaient dans leurs pots de grès, mais elle n'avait pas eu la force de les jeter, pas plus que de les arroser. Une chambre d'hôtel aurait sûrement dégagé plus de chaleur humaine que ce foyer abandonné dont les fenêtres étaient toujours closes. La cuisine ne servait plus que pour préparer le café. Samantha prenait ses repas de midi avec des clients ou des collègues de Crane, Harper et Laub. Elle se passait de dîner ou achetait un sandwich sur le chemin. Elle le mangeait sans le retirer complètement de son papier crissant, en regardant les informations. Parfois, une ligne de démarcation tranche une existence en deux parties bien distinctes. Sa vie à elle s'était arrêtée net l'été dernier. Trouverait-elle un jour le courage de tout recommencer? Rien n'était moins sûr. Pour le moment, une seule et unique question l'obsédait. Pourquoi l'avait-il quittée? Elle ne pouvait que revivre leur séparation et ressentir la même peine immense: celle de l'avoir perdu.

Après le choc brutal des premiers jours, sa fureur s'était muée en douleur, puis des regrets étaient venus la hanter. Le chagrin l'avait épuisée à tel point qu'elle avait sombré dans une sorte d'engourdissement singulier, proche de l'indifférence. Vers Thanksgiving elle s'aperçut, horrifiée, qu'elle était en train de rater la campagne publicitaire la plus importante de sa carrière. La dépression la guettait. Deux semaines auparavant, à l'agence, elle avait dû s'enfermer à clé dans son bureau, où elle avait fondu en larmes. Sa solitude lui était intolérable. Et dans le vide terrifiant qu'était devenu son quotidien, elle n'avait personne vers qui se tourner. Son père était mort alors qu'elle était encore étudiante. Sa mère était devenue une étrangère depuis qu'elle vivait avec un médecin d'Atlanta, un affreux bonhomme pompeux et imbu de lui-même. Elle ignorait tout de son divorce jusqu'à cette pluvieuse matinée de novembre, quand elle l'avait appelée par hasard et l'avait surprise en pleurs. Elle s'était montrée gentille, bien sûr, mais n'avait pas réussi à réconforter Sam. De toute façon, il était trop tard. Le lien entre elles était brisé. Et puis, ce n'était pas d'une mère dont elle avait besoin, mais d'un mari. Son mari, l'homme qu'elle avait chéri tendrement pendant onze ans, auprès duquel elle s'était tant de fois endormie, avec lequel elle avait tant ri, pendant si longtemps, et qui l'avait rendue si heureuse…

Dorénavant, le néant avait pris la place du bonheur mais, bizarrement, ce soir, elle n'éprouvait rien qu'une sorte de froid intérieur. Avec des gestes lents, elle ôta son manteau et le mit à sécher dans la salle de bains, avant de défaire son catogan pour passer une brosse dans ses cheveux. Elle ne prêta aucune attention au reflet que lui renvoyait le miroir. C'était le visage d'une inconnue, au teint brouillé, aux yeux éteints, auréolé par le halo pâle de la chevelure...

Machinalement, elle fit glisser sa jupe de cachemire noir, puis enleva son chemisier noir et blanc assorti au foulard quadrillé de chez Hermès, et aux perles d'onyx vissées à ses oreilles. Ensuite, elle retira ses bottes Céline. Même lorsqu'elle était malheureuse, Samantha Taylor restait belle : « Une femme superbe », disait le patron de l'agence. Elle fit couler de l'eau fumante dans la baignoire vert émeraude. Agrémentée en été de plantes grimpantes et de géraniums éclatants, la salle de bains évoquait un jardin suspendu, impression encore accentuée par le papier mural imprimé d'entrelacs de violettes. Aujourd'hui, pourtant, la pièce carrelée de faïence de Limoges paraissait fanée. Comme le reste de l'appartement... la femme de ménage, qui venait trois fois par semaine, se contentait d'épousseter les meubles et de passer l'aspirateur. Et à la longue, les lieux avaient perdu ce lustre inimitable, ce merveilleux éclat que donne l'amour aux objets inanimés...

Samantha se laissa glisser dans l'eau où elle resta allongée, immobile, les paupières closes. L'espace d'un instant le temps fut aboli. Elle se sentit flotter en apesanteur, détachée du passé, du présent et de l'avenir. Mais peu à peu, la réalité reprit possession d'elle. Elle rouvrit les yeux. La campagne qu'elle avait entreprise dernièrement risquait de tourner au désastre. Il s'agissait de renouveler l'image de marque d'un vieux client de l'agence, un constructeur automobile. Samantha avait conçu plusieurs projets autour d'un thème équestre : le film, tourné en extérieur, mettrait en évidence un personnage central, homme ou femme, une superbe créature un peu sauvage, susceptible de gagner le cœur du public... Seulement voilà, elle n'y arrivait pas. Cela ne pouvait s'éterniser. Il fallait qu'elle se reprenne. Combien de temps serait-elle entravée par sa blessure ? Elle se traînait lamentablement comme si sa tête, ses mains, ses pieds étaient de plomb.

Les cheveux négligemment noués au sommet de sa tête en un chignon soyeux, elle émergea du bain, s'emmitoufla dans une ample serviette lilas, puis, les pieds nus, gagna sa chambre. Ici aussi, des rideaux du vaste lit à baldaquin, incrustés de guipures, à la courtepointe à motif de tournesols, en passant par les tentures murales bouton-d'or, le décor s'inspirait des paysages champêtres mais cette chambre, autrefois si lumineuse, s'était métamorphosée en un antre sombre et froid qu'elle détestait. Et dans lequel elle passait d'interminables nuits blanches...

Bien sûr, elle aurait pu sortir. Les invitations ne lui manquaient pas. Mais elle les déclinait toutes, paralysée par cet engourdissement du corps et de l'esprit qui allait chaque jour en s'accentuant... Elle ne désirait aucun homme, ne s'intéressait plus à personne. Assise sur le bord du lit, elle étouffa un bâillement. De toute la journée, elle n'avait avalé qu'un sandwich œufs-salade, se rappela-t-elle obscurément, quand la sonnerie intempestive de l'interphone la fit sursauter. Au début, elle hésita à répondre. Mais au second carillon, elle abandonna sa serviette, enfila une robe de chambre en satin bleu pâle, et se précipita.

— Oui ?

— Jack l'Éventreur ! Puis-je monter ?

L'espace d'une seconde, elle ne reconnut pas la voix, dénaturée par le grésillement de l'appareil, puis soudain elle éclata de rire. Une petite flamme s'alluma au fond de ses prunelles d'azur, son visage s'illumina. Elle était de nouveau elle-même. Et avec ses pommettes rosies par la chaleur du bain, elle paraissait plus jeune que jamais.

— Charlie ! Que fais-tu là ? s'exclama-t-elle, ravie.

— Je suis gelé, merci, gémit la voix. Tu me laisses entrer, oui ou non ?

En riant, elle appuya sur le bouton. L'instant suivant, elle l'entendait monter l'escalier quatre à quatre.

Charles Peterson n'avait rien d'un publicitaire. Avec sa haute silhouette et sa barbe saupoudrée de gouttelettes de pluie, il ressemblait plutôt à un bûcheron. Il avait trente-sept ans mais on lui en donnait facilement dix de moins. Son abondante tignasse brune encadrait un visage plein et expressif où riaient de malicieux yeux noisette.

— Tu n'as pas une serviette ? demanda-t-il en tentant de reprendre son souffle.

Elle alla chercher une épaisse serviette éponge dans la salle de bains, la lui donna, et il entreprit de s'essuyer les cheveux et la barbe. L'eau glacée qui s'était accumulée dans son chapeau de cuir avait formé une petite mare sombre sur le tapis d'Aubusson.

— As-tu fini de jouer les arroseurs ?

— À ton service ! Tu sais, je prendrais volontiers une bonne tasse de café.

— D'accord...

Samantha lui lança un regard à la dérobée. Quelque chose ne tournait pas rond. Charlie était déjà venu la voir une fois ou deux, et toujours pour une question de première importance.

— Il y a un problème avec la nouvelle pub ? s'enquit-elle en l'observant d'un air inquiet, tandis qu'il la rejoignait dans la cuisine.

— Non, rien à craindre de ce côté-là. Ta campagne s'annonce fabuleuse, Sam.

Elle sourit en mettant le café en route.

— C'est aussi mon avis.

Charlie lui rendit son sourire. Leur amitié avait grandi au fil de leurs batailles communes. Voilà près de cinq ans qu'ils travaillaient d'arrache-pied ensemble, parfois jusqu'à quatre heures du matin, améliorant sans cesse le projet qu'ils devaient présenter le lendemain à un client. Leurs collègues les considéraient comme les poulains de Harvey Maxwell, le directeur de la création. Ce dernier les avait engagés alors que chacun d'eux travaillait dans des agences différentes. Il leur avait donné carte blanche, et il avait vu juste.

Dès le premier instant, ils s'étaient entendus à merveille, formant un tandem extrêmement dynamique. Harvey estimait qu'il avait eu de la chance. Il comptait prendre sa retraite l'année suivante. Samantha serait amenée à le remplacer. Accéder au poste directorial à trente et un ans, ce n'était pas si mal, en fin de compte.

— Quoi de neuf depuis ce matin? demanda-t-elle. Où en est l'affaire Wurtzheimer?

Charlie leva les bras au ciel, en un geste mélodramatique.

— Bah! que veux-tu faire avec un grand magasin de Saint Louis, qui a plein de sous et pas une once de goût?

— Et l'idée du cygne que nous leur avons proposée la semaine dernière?

— Refusée, naturellement. Ces messieurs voudraient quelque chose de flamboyant. D'après eux le cygne manquerait... comment dire... de «punch».

Ils s'assirent l'un en face de l'autre à la large table de bois clair. Charlie cala son grand corps dégingandé sur une chaise de cuisine. Bizarrement, Samantha n'avait jamais été attirée par Charlie Peterson, malgré leur complicité et les longues heures qu'ils avaient passées ensemble à discutailler, à plaisanter ou à dormir dans des vols de nuit, alors qu'ils sillonnaient les États-Unis.

Elle le tenait pour son frère, son alter ego, son copain; et considérait sa femme, Mélinda, comme une amie très chère. Elle appréciait l'atmosphère chaleureuse de leur loft de la 81e Rue Est, rempli de tapisseries multicolores, de paniers d'osier, de fauteuils de cuir fauve, et d'un tas de colifichets ravissants, minuscules trésors allant du coquillage ramassé sur une plage tahitienne à la bille d'agate empruntée par Mélinda à ses fils. Les Peterson avaient trois enfants — trois garçons qui ressemblaient tous à leur père —, un gros chien mal élevé appelé Rag, et une jeep familiale jaune, vieille d'une dizaine d'années. Mélinda, une artiste-peintre, n'avait sacrifié à aucune mode, ce qui ne l'avait pas empêchée d'exposer deux ou trois fois avec succès. Mélinda et Samantha ! On aurait difficilement pu imaginer femmes plus dissemblables. Mais elles avaient des traits de caractère communs. Une bonté sans limite, une générosité spontanée, une douceur que l'on devinait sous leur prétendue insolence. C'était ce que Charlie chérissait en elles. Le comportement de John l'avait profondément choqué, sans l'étonner, toutefois, car il avait toujours estimé que l'époux de Samantha n'était qu'un égoïste. À juste titre, finalement, s'il en jugeait par la façon cavalière dont John avait abandonné Sam pour convoler avec Liz. Mélinda avait vainement plaidé en sa faveur — Charlie était resté sur ses positions. John Taylor ne trouverait jamais grâce à ses yeux. Il se faisait un sang d'encre pour Samantha, qui n'était guère en forme. La jeune femme dépérissait. Elle avait la mine grise, les joues creuses. Et son travail était moins bon...

— J'espère que je ne te dérange pas, à cette heure tardive ?

— Oh non, sourit-elle tout en lui versant une tasse de café. Je me demande simplement ce que tu viens faire ici. Tu as voulu t'assurer que j'allais bien ?

— Peut-être, répliqua-t-il avec un regard affectueux. Tu ne m'en veux pas, au moins ?

Elle le considéra si tristement qu'il se retint pour ne pas la prendre dans ses bras.

— Comment pourrais-je t'en vouloir ? C'est bon de savoir que quelqu'un s'intéresse à vous.

— Tu sais que je t'aime beaucoup, Sam. Et que Mellie t'aime aussi.

— Chère Mellie... comment va-t-elle ?

Au bureau, ils n'avaient guère le temps d'échanger ce genre de propos anodins.

— Elle se porte comme un charme.

Préoccupé, Charlie se tut, ne sachant trop comment aborder le sujet épineux qui lui trottait dans la tête. Ça n'allait pas être facile. Elle risquait de mal le prendre.

— Eh bien, que se passe-t-il ? demanda Samantha, une lueur d'amusement dans les yeux.

Il arbora une expression innocente et, en riant, elle tira sur sa barbe.

— Allez, avoue ! Qu'est-ce qui te tracasse ?

— Comment as-tu deviné que quelque chose me tracasse ?

— Il pleut à torrents. Il fait froid. De plus, nous sommes vendredi soir. À l'évidence, tu aurais été beaucoup mieux chez toi, auprès de ton adorable petite femme et de vos gentils enfants ! J'ai peine à croire que tu as quasiment traversé la ville pour boire une tasse de café en compagnie de ta vieille collègue...

— Ne te déprécie pas. Tu es mille fois plus charmante que mes trois petits... Mais c'est vrai. J'ai quelque chose à te dire.

Il était de plus en plus mal à l'aise. Comment allait-il s'y prendre pour la convaincre ? Il réalisa tout à coup qu'elle allait forcément se rebiffer.

— Je suis toute ouïe.

De nouveau, la lueur espiègle qu'il n'avait pas vue depuis si longtemps étincelait dans les prunelles claires de la jeune femme. Il inspira profondément.

— L'autre jour, nous bavardions, avec Harvey...

— Vous parliez de moi ?

Instantanément, Samantha sentit chaque muscle de son corps se tétaniser. Elle détestait que les gens parlent dans son dos. Que pouvaient-ils bien évoquer, en dehors de ses déboires conjugaux ?

— Exactement, admit-il en esquissant de la tête un signe affirmatif.

— À quel propos ? Le client de Detroit ? Je ne suis pas certaine que Harvey ait compris le fond de ma pensée. J'ai dû mal m'expliquer. Néanmoins...

— Sam, il ne s'agit pas du client de Detroit, mais de *toi*.

— Ah, oui ? (Elle s'était persuadée que c'était fini, qu'ils ne s'inquiéteraient plus pour elle. Du reste, il n'y avait plus à s'inquiéter. Elle avait survécu au divorce.) Je vais tout à fait bien maintenant.

— Tu m'étonnes ! objecta-t-il d'un ton affectueux, avec un regain de ressentiment à l'égard de John. À ta place, je me sentirais plutôt mal.

— Je suis plus forte que toi, apparemment.

— Sans doute... mais peut-être moins forte que tu ne le crois. Pourquoi ne prends-tu pas des vacances ?

— Qu'est-ce que tu proposes ? Que j'aille m'écrouler sur une plage de Miami ?

— Et pourquoi pas ?

Elle le scruta, médusée, alors qu'il esquissait un sourire forcé.

— Qu'essaies-tu d'insinuer au juste ? bredouilla-t-elle, tout à coup paniquée. Harvey me licencie ? T'a-t-il chargé de m'annoncer la mauvaise nouvelle ? Viens-tu en messager, Charlie ? Mais bien sûr ! Comme je ne suis plus aussi drôle qu'avant, on veut se débarrasser de moi, c'est ça ? (Tandis qu'elle posait les questions, elle sentit les larmes lui piquer les yeux.) Bon sang, qu'est-ce que vous croyez ? J'ai traversé une sale période, c'est vrai. C'était horrible... (Les larmes roulèrent sur ses joues. Les essuyant rageusement, elle bondit sur ses jambes.) Mais je vais bien, à présent, je te le jure !

Charlie lui saisit le bras et la fit gentiment rasseoir.

— Allons, du calme.

— Je suis licenciée, hein ? hoqueta-t-elle.

Elle le savait, ses pires craintes venaient de se réaliser.

— Non, Sam. Bien sûr que non.

— Alors quoi ?

— Alors, rien. Il veut que tu partes te reposer. Ton projet pour Detroit est bien avancé. Harvey pourra s'y atteler. Ça ne fera pas de mal à un vieux monsieur de se servir un peu de sa matière grise. On se débrouillera sans toi...

— Vous n'êtes pas obligés. C'est idiot, Charlie.

Il la regarda droit dans les yeux.

— Ce qui serait idiot, c'est que tu continues. Tu ne tiendras pas longtemps à ce rythme. Jusqu'à quand suivras-tu l'émission de ton ex-mari tous les soirs en regardant grossir le ventre de la femme pour laquelle il t'a quittée ? Combien de temps pourras-tu endurer ce supplice ? Avec tout le stress auquel tu es soumise au bureau ? Tu finiras par craquer, tôt ou tard. Cesse donc de te torturer, Sam. C'est en ami que je suis venu te parler. Ce salaud t'a fait du mal. Tu devrais tout simplement prendre un peu de recul. Aller quelque part, pleurer un bon coup, te remettre d'aplomb, et revenir ensuite. Nous avons besoin d'une Sam rayonnante, pas d'une loque. Ce que tu deviendras tôt ou tard, si tu ne décompresses pas.

— Ah, tout s'explique. Vous pensez que je fais une dépression nerveuse, articula-t-elle laborieusement.

— Pas du tout, rétorqua Charlie en hochant négativement la tête. Mais c'est ce qui va t'arriver si tu ne réagis pas. Ne laisse pas la souffrance te démolir un peu plus chaque jour. Sinon, elle sera si profondément ancrée en toi que tu ne pourras plus t'en défaire.

— Voilà plusieurs mois que je vis avec.

— Et cela te tue à petit feu, admets-le.

Il avait raison, naturellement.

— Qu'a dit Harvey exactement ?

Samantha s'était tassée sur sa chaise, écrasée par un terrible sentiment d'échec. Si elle avait mieux dissimulé le chagrin qui la rongeait, si elle avait été plus fière, moins impulsive, elle n'en serait pas là, songea-t-elle amèrement.

— Il aimerait que tu partes un peu, répéta Charlie.

— Où ça ? interrogea-t-elle en essuyant une larme au coin de sa paupière.

— Où tu veux.

— Pour combien de temps ?

Il hésita une seconde, avant de répondre.

— Je ne sais pas... trois... quatre mois.

Trois ou quatre mois. Le temps que John et Liz aient leur bébé, et fêtent sa naissance sur la chaîne nationale. Charlie savait quelle humiliation ce serait pour Samantha. Il en avait longuement parlé à Harvey et ils étaient tombés d'accord. Il valait mieux que Sam parte. Mais Charlie devait à présent affronter la réaction de la jeune femme. Celle-ci leva vers lui un regard empreint de détresse.

— *Quatre mois ?* Êtes-vous fous ? Et les clients ? Et mon travail ? Seigneur, rien ne me sera donc épargné ? Est-ce que tu brigues mon poste ?

Elle se leva d'un bond, se dirigea vers la porte. Mais Charlie la rattrapa, et la força à le regarder en face.

— N'aie crainte, tu ne perdras pas ton travail. Enfin, Sam, sois raisonnable. Tu es à bout de forces. Il faut que tu partes loin de cet appartement, loin de New York. Écoute-moi, je t'en conjure. Pourquoi ne te rendrais-tu pas chez cette femme que tu aimes tant, et qui vit en Californie ?

— Quelle femme ? fit-elle d'une voix blanche.

— Celle dont tu m'as parlé il y a des années... la vieille dame qui possède un ranch... Carol... Karen... je ne sais plus... la tante de ta colocataire à l'université, ta meilleure amie de l'époque, t'en souviens-tu ?

Barbie. Oui, elles avaient été les meilleures amies du monde. Hélas, Barbie avait trouvé la mort dans un accident d'avion au-dessus de Detroit, quinze jours après la remise des diplômes. Un sourire nostalgique éclaira le visage de Samantha.

— Caroline Lord, la tante de Barbara. Une femme formidable. Mais pour quelle raison irais-je là-bas ?

— Tu aimes monter à cheval, n'est-ce pas ? (Elle acquiesça, et il reprit :) C'est l'endroit idéal pour cela, que je sache. Et puis, c'est aux antipodes de Madison Avenue. Allez ! tu n'as plus qu'à glisser ton corps voluptueux dans un bon vieux jean et à partir à la chasse au cow-boy. Au moins pour quelque temps...

— Très drôle ! C'est tout à fait ce dont je rêve en ce moment !

Mais la suggestion de Charlie la tentait. Voilà de longues années qu'elle n'avait pas revu Caroline. John et elle s'étaient arrêtés une fois chez elle dans son ranch, à trois heures de route de Los Angeles. John avait détesté l'endroit. Il n'aimait guère les chevaux et n'avait cessé de tout critiquer : le ranch était inconfortable, Caroline et son contremaître pas assez sophistiqués à son goût. En revanche, Samantha s'était sentie tout à fait à son aise. Depuis sa plus tendre enfance, c'était une excellente cavalière. Ce jour-là, au grand étonnement de Caroline, elle avait monté un cheval à moitié sauvage et s'en était parfaitement bien tirée en dépit d'une demi-douzaine de chutes. Sa performance avait ébahi tout le monde, y compris John. Elle se souvenait de ce court séjour comme d'une des périodes les plus heureuses de sa vie, si proche et si lointaine à la fois...

— Encore faut-il que Caroline m'invite, soupira-t-elle. Bon Dieu, Charlie, ça ne tient pas debout. Pourquoi ne me laissez-vous pas tranquille ?

— Parce que nous t'aimons tous énormément. Du train où tu vas, tu tomberas bientôt malade.

— Pas du tout, insista-t-elle, avec un sourire courageux.

— De toute façon, la décision de Harvey est prise.

— C'est-à-dire ?

— Tu pars en vacances.

— C'est son dernier mot ?

Il hocha la tête.

— Absolument. À partir de maintenant, tu peux te reposer. Deux, trois mois... davantage si tu en as envie.

Ils s'étaient renseignés sur la date à laquelle Liz était censée accoucher et avaient ajouté deux semaines supplémentaires, pour plus de sécurité.

— Et... je ne perdrai pas mon travail ?

— Non.

Il extirpa une enveloppe de sa poche et la lui tendit. Samantha en tira une lettre signée « Harvey Maxwell ». Son patron s'engageait à lui rendre son emploi après trois mois d'absence. Cela n'entrait guère dans les coutumes de la profession. Mais selon les propres termes de Harvey, Samantha Taylor était elle aussi « une fille qui sortait de l'ordinaire »...

— Cela signifie que je n'irai plus au bureau à compter d'aujourd'hui ? murmura Sam, les lèvres tremblantes.

— Exactement. Et considère que c'est une chance...

Les genoux de la jeune femme fléchirent. Elle se laissa tomber dans un fauteuil et passa une main sur son front moite.

— Oh, Seigneur, que vais-je faire ?

Charlie lui tapota gentiment l'épaule.

— Mais ce que je t'ai dit. Téléphone à ton amie.

Après le départ de Charlie, Samantha alla se coucher, en état de choc. Elle n'avait plus de travail, nulle part où aller, personne à qui rendre visite, personne avec qui partir en voyage. Pour la première fois de sa vie, elle n'avait plus aucun projet. Demain matin, elle se rendrait au bureau, afin de mettre Harvey au courant des dossiers. Après quoi... après quoi, elle serait libre pendant les trois mois à venir. *Libre !* songea-t-elle, terrifiée, alors qu'elle était allongée sur son lit. Puis, elle pouffa de rire. Quelle farce ! Il lui fallait trouver à s'occuper jusqu'au 1er avril ! Son hilarité redoubla. Poisson d'avril ! Voyons, où aller ? En Europe ? En Australie ? À Atlanta, chez sa mère ? De toute sa vie elle n'avait éprouvé une telle sensation de liberté. Elle n'avait jamais vécu vraiment seule, puisqu'elle avait quitté l'université pour vivre avec John. John, qui était parti maintenant. Après tout, la suggestion de Charlie avait du bon. Sans réfléchir davantage, elle chercha son carnet d'adresses à tâtons, dans le noir, alluma la lampe de chevet, ouvrit le petit répertoire relié de cuir à la lettre L. En Californie, il devait être neuf heures et demie... Pas trop tard pour appeler, du moins l'espérait-elle.

On décrocha à la deuxième sonnerie, et elle entendit la voix un peu voilée de Caroline. Samantha se lança dans un long monologue que son interlocutrice écouta, attentive et silencieuse. La tirade se termina dans les sanglots. Et Samantha donna libre cours à son désespoir. Elle avait enfin trouvé une confidente. Une présence bienveillante, douce et réconfortante. Qui sut trouver les mots justes lorsque, à son tour, elle prit la parole...

Au bout d'une demi-heure, Samantha raccrocha enfin et resta un long moment étendue sur le dos, les yeux rivés sur le ciel de lit, à se demander si elle n'avait pas tout simplement perdu la tête. Elle venait de promettre que, dès demain après-midi, elle prendrait l'avion pour la Californie.

2

La matinée s'écoula dans une sorte de frénésie. Samantha boucla ses bagages, téléphona à l'aéroport pour réserver un billet d'avion, laissa un mot accompagné d'un chèque à la femme de ménage, sauta enfin dans un taxi et se fit déposer en bas des locaux de l'agence. Elle y pénétra, essoufflée, une valise dans chaque main. Après avoir confié le double de ses clés à Charlie et lui avoir promis d'envoyer des cadeaux de Noël à ses garçons, elle entra dans le luxueux bureau de Harvey. Pendant les deux heures qui suivirent, elle dressa, avec sa précision coutumière, le tableau des affaires en cours. Mais alors que l'entretien s'achevait, son regard chercha fébrilement celui de son patron.

— Harvey, vous n'auriez pas dû faire ça pour moi, murmura-t-elle. Ce n'est pas ce que je veux.

— C'est, cependant, ce dont vous avez besoin, lui répondit tranquillement son vis-à-vis, assis derrière le grand plan de travail tout en chrome et en verre. Vous allez quitter la ville, j'espère ?

Grand, sec, les cheveux poivre et sel taillés en brosse comme les Marines, Harvey fumait la pipe et affectionnait les chemises de chez Brooks Brothers et les costumes rayés, ce qui lui donnait un faux air de banquier. Son regard gris acier, parfois de glace, dissimulait un esprit inventif, une intelligence caustique et un cœur d'or. En un sens, il avait toujours été comme un père pour Samantha. Et finalement elle ne trouvait plus guère étonnant qu'il l'expédie loin de New York.

— Oui, je vais à la campagne, répondit-elle. (Elle sourit, se remémorant tout à coup le trac qui l'avait paralysée lorsqu'elle était entrée dans ce bureau pour la première fois. Que de chemin parcouru, depuis...) En fait, mon avion décolle dans deux heures.

— Alors pour quelle raison traînez-vous encore ici ? Allez ! Dehors !

Il enfourna sa pipe dans sa bouche avant de se pencher sur des documents, signifiant par ce geste la fin de leur entrevue. Mais Samantha resta rivée à sa chaise.

— Harvey, êtes-vous certain que je vais récupérer mon emploi ?

— Vous avez ma parole... et ma lettre, non ? Vous pourriez me faire un procès, si je ne tiens pas ma promesse.

— Je ne veux pas de procès. Je veux mon emploi.

— Vous l'aurez, et probablement le mien avec.

— Je pourrais bien être rentrée d'ici deux semaines, vous savez, bredouilla-t-elle, hésitante.

Le sourire débonnaire de Harvey s'effaça.

— Ça non ! N'y songez pas. Pas avant le 1er avril.

— Mais pourquoi cette date ?

Il était naturellement impossible de lui dire la vérité. Pour se tirer d'affaire, Harvey eut recours à la diplomatie.

— Parce que je l'ai choisie, voilà tout! Ne vous inquiétez pas. Je vous tiendrai au courant de tout ce qui se passe ici et vous avez le droit de m'appeler quand bon vous semble. À propos, avez-vous laissé vos coordonnées à ma secrétaire?

— Je le ferai en sortant.

— En ce cas... (Il s'extirpa de son fauteuil pivotant, contourna le bureau, et la prit dans ses bras, avant de déposer un baiser paternel sur son front.) Au revoir, mon petit. Prenez soin de vous. Vous nous manquerez.

Sa voix était légèrement éraillée...

Émue aux larmes Samantha s'arracha à son étreinte, et se dirigea vers la porte. L'espace d'un instant, elle eut la sensation d'être à jamais bannie de chez elle. Un flot de panique l'inonda. Elle faillit rebrousser chemin, s'agenouiller, et implorer Harvey de la garder. Elle n'en fit rien, toutefois, et lorsqu'elle ressortit dans le couloir, le cœur battant, Charlie l'attendait derrière la porte. La voyant toute pâle, il lui enlaça les épaules d'un bras protecteur, et la secoua légèrement.

— Prête pour le grand départ?

— N... non... balbutia-t-elle à travers ses larmes, en se serrant contre lui.

— Il te faudra bien partir, pourtant!

Bras dessus, bras dessous, ils prirent la direction du bureau de Samantha, qui contempla avec désespoir ce décor qu'elle n'avait nulle envie d'abandonner.

— Ne sois pas si sûr de toi. Si tu voyais mon agenda cette semaine! J'ai des dizaines de rendez-vous, de réunions, des déjeuners d'affaires, et j'en passe... Ce n'est vraiment pas le moment de tout laisser en plan, Charlie. Ça n'a pas de sens.

— D'ici deux heures, je te mets dans ton avion.

Point final, grommela-t-il en jetant un coup d'œil à sa montre.

Elle lui fit face, les mains sur les hanches, le menton haut, et son air agressif arracha un rire affectueux à Charlie : la colère la faisait ressembler à une jolie gamine capricieuse.

— Et si je refusais d'obéir ? Si je restais, malgré tout ?

— Alors là, je te drogue et je t'emmène moi-même.

— Voilà qui enchanterait Mélinda.

— Elle sautera de joie à la simple idée de ne plus m'avoir sur le dos pendant quelque temps !

Samantha ne put s'empêcher de rire.

— Si j'ai bien compris, tu ne changeras pas d'avis.

— Tu as bien compris. Harvey et moi sommes du même avis. Nous n'en pouvons plus de te voir dépérir. Tu t'en vas pour ton propre bien, Sam. Pour t'éclaircir les idées. N'en as-tu pas assez de regarder le couple de l'année sur ton petit écran ? Ne crains-tu pas de tomber carrément un jour nez à nez avec eux ?

Samantha baissa la tête. Ces questions éveillaient un douloureux écho dans son esprit, et elle réprima un tressaillement.

— Bah, que je sois là ou ailleurs qu'est-ce que ça change ? Les programmes des chaînes nationales sont également diffusés en Californie, au cas où tu l'aurais oublié. Ils seront toujours devant mes yeux, quand j'appuierai sur le bouton, ajouta-t-elle tristement, en songeant à ces deux visages qui, chaque soir, l'attiraient comme des aimants. Ils sont... euh... ils vont si bien ensemble, tu ne trouves pas ? On n'a jamais été comme ça, nous. Je veux dire, John et moi.

Sa voix se brisa. Charlie la serra dans ses bras.

— Ça va aller, Sam. Ça va aller.

Elle versa un torrent de larmes silencieuses au creux de son épaule. Négligeant les regards curieux des secrétaires qui passaient auprès d'eux dans le hall, il souleva le rideau de cheveux blonds qui lui cachait les yeux de Samantha et lui sourit avec toute la tendresse dont il était capable.

— Tu vois bien qu'il te faut des vacances. Tu es surmenée...

Elle protesta faiblement, au milieu de ses sanglots. Puis, s'écartant de son collègue, elle déclara d'un ton plus ferme :

— C'est peut-être vrai que je suis à bout. Mais c'est vous qui m'avez surmenée !

— Et nous avons bien l'intention de recommencer dès que tu rentreras. Alors, profite de ta liberté, ma belle !

Sentant quelqu'un s'approcher, ils se retournèrent simultanément. C'était Harvey, la pipe vissée au coin des lèvres, les paupières plissées.

— Vous êtes encore là, vous ? Vous n'aviez pas un avion à prendre ?

— Affirmatif ! lança Charlie avec une grimace comique à l'adresse de Samantha.

— Pour l'amour du ciel, veillez à ce qu'elle ne le rate pas ! Conduisez-la donc à l'aéroport et revenez vite, Peterson. On a du pain sur la planche.

Harvey, bougon, disparut à l'autre bout du couloir.

— Charlie, tu n'es pas obligé de m'accompagner.

Le regard de Samantha se tournait vers son cher bureau, comme si elle le voyait pour la dernière fois.

Charlie s'empara résolument de ses valises.

— Je ne serai tranquille que lorsque je t'aurai vue monter à bord. Dépêche-toi.

— J'arrive...

À contrecœur, elle lui emboîta le pas en direction de la sortie. Sur le seuil, Samantha jeta un ultime regard par-dessus son épaule. Ensuite, elle laissa le battant vitré se refermer tout doucement dans son dos.

3

Le vol se déroula sans incident. Sous l'avion, le paysage étirait à l'infini ses prés et ses collines. On aurait dit une couverture en patchwork. Le brun clair des prairies hivernales fit peu à peu place au blanc éclatant des pics enneigés, puis, lorsque la côte Ouest fut en vue, le vert satiné des forêts semé, çà et là, du saphir brillant des lacs émergea des vallées creusées d'ombre. Enfin, dans les feux du soleil couchant, l'appareil se posa à Los Angeles.

Samantha étira ses longues jambes, puis ses bras. Elle avait somnolé pendant la plus grande partie du trajet et maintenant, les yeux fixés sur le hublot embué, elle se demandait ce qu'elle faisait là. Pourquoi s'était-elle précipitée en Californie ? Qu'avait-elle espéré trouver ici ? Rien, sans aucun doute. Machinalement, elle rejeta la masse épaisse de sa chevelure en arrière. Certaine d'avoir commis une erreur. Elle n'avait plus vingt ans. En fait, elle avait largement dépassé l'âge de jouer les cow-girls. Elle était adulte, avait une carrière à mener, et devait assumer une cohorte de responsabilités. Sa vie tout entière gravitait autour de New York. Même si, là-bas, plus rien ne la retenait vraiment...

En poussant un soupir, elle se glissa dans la longue file des passagers qui se déplaçaient lentement vers la passerelle. Elle boutonna son manteau de daim chocolat égayé d'un foulard de soie amarante. Dessous, elle portait un pull léger, un jean moulant, des bottes assorties au manteau. Elle avait passé à son épaule la lanière d'un énorme fourre-tout de cuir, chocolat également.

Malgré la fatigue du voyage, sa beauté n'en était pas moins étourdissante et, tandis qu'elle sortait du

Boeing, tous les regards masculins la suivirent. Durant les six heures de vol, elle ne s'était pas fait remarquer, car elle n'avait quitté sa place qu'une seule fois, pour aller se laver les mains et passer de l'eau sur son visage, avant le lunch tardif servi à bord. Le reste du temps, elle l'avait passé pelotonnée à sa place, à moitié assoupie.

— Nous vous souhaitons un excellent séjour et espérons vous revoir sur nos lignes... murmura dans le haut-parleur la voix suave de l'hôtesse.

Un peu plus tard, perdue au milieu du terminal, Samantha lança autour d'elle un regard anxieux : et si personne ne l'attendait ? Caroline lui avait dit que Bill King, son contremaître, viendrait sûrement l'accueillir. Si cela lui était impossible, il chargerait l'un des employés du ranch de le faire à sa place...

— Ouvrez l'œil et le bon, avait-elle déclaré. Vous ne pourrez pas le manquer.

Les deux femmes s'étaient esclaffées de concert. Évidemment, dans cette mer de Vuitton, de Gucci, d'escarpins dorés, de visons, de chinchillas, de jupettes à volants et de petits boléros ajustés, il était difficile de ne pas reconnaître un cow-boy vêtu de vieux jeans, de bottes, et portant chapeau de cuir. Et même sans cet uniforme, difficile de ne pas remarquer un homme différent de ces citadins, pressés et superficiels. Samantha savait que les cow-boys étaient des êtres voués à un dur labeur, mais attachés à leur terre nourricière par des liens singuliers, presque mystiques... Une race à part, en quelque sorte. En y songeant, elle se sentit tout à coup presque contente d'être venue. Après tout, c'était peut-être une plongée dans cet univers inconnu qu'il lui fallait...

Tandis qu'elle cherchait l'endroit où retirer ses bagages, une main se posa sur son bras. Surprise, elle se retourna. C'était bien lui. Le vieux cow-boy qu'elle avait rencontré une dizaine d'années auparavant. Grand, les épaules carrées, vêtu de cuir. Bill

King. Il se tenait là tranquillement, la dominant de toute sa stature de géant, la scrutant de ses yeux perçants d'un bleu aussi lumineux que celui d'un ciel d'été. Exactement comme dans les souvenirs de Samantha, un large sourire chaleureux fendait son visage sillonné de rides. Son index effleura le bord de son chapeau en guise de bienvenue, puis il lui donna une chaleureuse accolade.

Bill King avait passé la moitié de sa vie au ranch. Il était là depuis que Caroline s'y était installée, trois décennies plus tôt. À soixante ans passés, il n'était pas ce qu'on pouvait appeler un homme instruit mais il avait accumulé une somme incroyable de connaissances si bien que Barbara, tout comme Samantha d'ailleurs, l'avait toujours considéré comme une sorte d'oncle plein de sagesse. Il était venu avec Caroline aux obsèques de Barbie mais s'était discrètement tenu à l'écart de la famille durant la cérémonie. Son visage, elle s'en souvenait, était ravagé par la tristesse. Mais aujourd'hui, alors qu'il la tenait serrée contre lui, il était tout sourire.

— Quelle joie de vous revoir, Sam ! s'exclama-t-il. Ça fait si longtemps... cinq... six ans ?

— Plutôt six ou sept, rétorqua-t-elle avec un sourire rayonnant.

Elle était heureuse de le revoir, heureuse, tout à coup, d'être là. « Ce bon vieux Charlie n'avait pas tort », se dit-elle, submergée par l'étrange sensation d'être enfin rentrée à la maison.

— On y va ?

Elle acquiesça. Ensemble, ils s'en furent au sous-sol à la recherche des bagages, qui tournoyaient paresseusement sur le tapis roulant.

— C'est tout ? questionna-t-il, étonné, en empoignant les deux valises noires bordées du galon rouge et vert de Gucci.

— Oui, Bill.

— Alors vous ne comptez pas rester longtemps. La dernière fois que vous êtes venue avec votre mari, vous aviez à vous deux sept grosses malles. Si mes souvenirs sont exacts...

Ils l'étaient. John avait emporté pratiquement toute sa garde-robe.

— Elles lui appartenaient presque toutes. Nous revenions de Palm Springs, expliqua-t-elle.

Il hocha la tête sans mot dire, avant de la précéder en direction du parking. Bill King parlait peu mais comprenait beaucoup. Elle avait eu l'occasion de le constater lors de son précédent séjour au ranch. Il s'arrêta devant une camionnette d'un rouge flamboyant, cala les valises à l'arrière, sur le plateau découvert. Quelques minutes plus tard, le véhicule s'éloignait de l'aéroport. Une étrange ivresse s'empara de Samantha. Elle se sentit soudain transportée de joie à l'idée qu'elle était libre. Libre de traverser ces espaces sauvages, entre ciel et terre, libre de redécouvrir les arbres, les montagnes, les animaux, la vie au grand air qu'elle avait oubliée. Pour la première fois depuis son départ de New York, elle se sentit bien. Et un sourire radieux illumina ses traits.

— On dirait que ça va mieux, remarqua Bill, sans quitter des yeux le ruban poussiéreux de l'autoroute.

— Oui, murmura-t-elle. Oui...

Déjà, elle s'était replongée dans ses souvenirs. Elle et John. Les belles années du début. Leurs voyages. Leur dernière visite chez Caroline Lord, au cours de laquelle John n'avait cessé de maugréer. L'espace d'un instant elle perdit la notion du temps. Et le passé et le présent ne firent plus qu'un. Lorsque le vieux cow-boy lui tapota la main, elle sursauta. Alentour, le paysage avait radicalement changé. Ils avaient dépassé la morne banlieue de Los Angeles et roulaient à travers une immense étendue de terres fertiles bordées, çà et là, de vastes fermes. Samantha baissa la vitre de sa portière pour humer l'air vif, plein de senteurs entêtantes.

— Mmmm, quel parfum !

— Ça doit vous changer de la ville, sourit son

compagnon, qui ajouta : Caroline se réjouit tellement à l'idée de vous revoir ! Depuis la mort de Barbara, elle se sent très seule, vous savez. Elle parle souvent de vous. Je me suis demandé si vous reviendriez jamais, surtout après votre dernière visite.

Ils étaient repartis plus tôt que prévu. John ne s'était pas gêné pour laisser entendre qu'il s'était ennuyé à périr.

— J'y ai souvent songé, moi aussi, mais je n'avais pas le temps. Mon travail passait avant tout.

— Et maintenant ? Vous avez démissionné ?

Bill ne savait pas très bien ce que Samantha faisait. D'après Caroline, c'était une battante, une femme d'affaires qui s'épanouissait dans son travail, et c'était tout ce qui comptait, finalement. Il avait déjà vu son mari, à la télévision bien sûr. John Taylor, le célèbre présentateur... King ne l'avait jamais porté dans son cœur. Mais à partir du moment où Samantha était heureuse avec lui, il n'y avait rien à redire.

— Non, Bill, dit-elle, je suis en congé.

— En congé maladie ? s'inquiéta-t-il.

Elle hésita une fraction de seconde.

— Pas vraiment. J'aurais plutôt besoin d'une cure de repos. Je... (Elle s'interrompit, décidée à ne pas aller plus loin, puis se ravisa.) John et moi, nous nous sommes séparés.

Il haussa un sourcil, sans mot dire, et elle reprit :

— Il y a un bout de temps, déjà. Trois, quatre mois. (Cent deux jours, très exactement. Elle avait compté chacun d'entre eux.) À l'agence, ils ont pensé que je devais me reposer un peu.

Ses mots résonnèrent comme un glas à ses propres oreilles. De nouveau, l'angoisse et le doute l'assaillirent, aussi puissants qu'au matin, lorsqu'elle se trouvait dans le bureau de Harvey. Et si en réalité ils avaient décidé de se débarrasser d'elle ? S'ils avaient simplement voulu mettre les formes, afin de l'habituer lentement à cette idée ? Peut-être se disaient-ils que le stress avait eu raison de ses nerfs trop fragiles.

Peut-être même avaient-ils conclu qu'elle n'était plus bonne à rien. Peut-être allaient-ils le lui dire bientôt... Affolée, elle regarda Bill, qui hochait la tête. Il avait l'air d'avoir parfaitement saisi la situation.

— Ils ont bien agi, observa-t-il d'une voix rassurante. C'est drôlement dur de continuer, quand on a été blessé par la vie... Croyez-en ma propre expérience. Quand ma femme est morte, il y a des années, je me suis cru fort, au point de poursuivre mon job à l'exploitation agricole où je travaillais à l'époque. Comme si de rien n'était. Une semaine après, mon patron est venu me voir en disant : « Bill, mon gars, voilà un mois de paie. Rentre chez tes parents et ne reviens pas avant d'avoir dépensé tout cet argent. » Sur le moment, j'ai été furieux ! Comment ose-t-il me débiter de telles âneries, me suis-je dit. Par la suite, j'ai compris qu'il avait raison. Je suis resté chez ma sœur, à Phoenix, pendant un mois et demi. Quand je suis revenu à la ferme, j'étais de nouveau moi-même... Parfois, il faut s'arrêter, vous savez, prendre du recul, comme on dit.

Il omit d'ajouter que, bien des années plus tard, alors qu'il travaillait au ranch Lord, il avait pris un congé de trois mois, quand son fils avait été tué au Vietnam. Sa douleur l'avait privé de l'usage de la parole, et il avait cru perdre la raison. C'était Caroline qui l'avait tiré de ce mauvais pas. Caroline, qui lui avait prêté une oreille attentive, et qui l'avait comblé d'attentions. Caroline encore, qui l'avait arraché à l'emprise de la boisson. Elle était même venue le chercher dans un bar mal famé de Tucson pour le ramener de force au ranch. C'est assez, avait-elle décrété. Il est grand temps de te remettre au travail. Et c'est ce qu'il avait fait jusqu'au jour où, mort de fatigue, il s'était rebellé. Caroline avait hurlé et tempêté, tant et si bien qu'ils en étaient venus aux mains. Cela s'était passé dans le pâturage du sud. Tous deux étaient descendus de cheval, puis la dispute avait éclaté. Caroline avait tenté de le frapper mais Bill l'avait repoussée et elle s'était retrouvée par terre, sur les fesses. Soudain, elle avait éclaté d'un rire inextinguible. Il avait ri à son tour, puis s'était agenouillé auprès d'elle pour l'aider à se relever, et c'est alors qu'il l'avait embrassée pour la première fois.

Cela faisait dix-huit ans et il n'avait jamais aimé une autre femme depuis. Caroline était tout à la fois sa compagne et sa maîtresse, sa sœur, son amie et sa confidente. Ils nourrissaient les mêmes rêves, riaient des mêmes choses, se passionnaient pour l'élevage des chevaux. Il la respectait plus qu'aucun homme à cent lieues à la ronde. C'était une femme hors du commun, Caroline ! Brillante, amusante, spirituelle, pleine de gentillesse et de compassion. Et si belle, en même temps, si féminine. Il n'avait jamais compris pourquoi elle s'était donnée à un simple contremaître. Elle semblait, pourtant, ne pas regretter sa décision. Voilà près de vingt ans que leur liaison perdurait. Elle avait voulu l'épouser, mais Bill s'y était toujours opposé. Pour rien au monde il n'aurait voulu la compromettre aux yeux de ses employés. Elle était la patronne du ranch, et ça, c'était plus important que tout le reste. Certes, d'aucuns subodoraient qu'ils étaient amants. Mais ils n'en avaient aucune preuve concrète. Même Samantha et Barbie s'en étaient tenues à cette version des choses, bien qu'elles se soient doutées de la vraie nature de leurs relations.

— Comment va Caroline ? demanda Samantha, qui surprit l'éclair de tendresse passant dans les yeux de Bill.

— Elle est plus solide que jamais. Bien plus coriace que tous les gars du ranch réunis.

Et plus âgée, aussi. Elle était de trois ans son aînée. À vingt ans, elle comptait parmi les beautés les plus en vue de Hollywood. Elle avait épousé un réalisateur célèbre. Leurs réceptions étaient entrées dans la légende et leur villa, érigée sur les collines surplombant la capitale du cinéma, attirait encore des centaines de touristes. Relique d'une époque dorée, révolue à jamais. C'était un édifice en tous points remarquable, transformé en musée par le maire de la ville. À trente-deux ans Caroline avait perdu son mari et elle s'était rendu compte que son existence à Hollywood ne serait plus jamais la même. Elle était restée encore un an ou deux là-bas, puis avait mystérieusement disparu. On disait qu'elle était partie pour l'Europe un an, puis qu'elle avait passé six mois à New York, incapable de se fixer. Il lui avait fallu une année supplémentaire avant de prendre une décision définitive. Un jour qu'elle roulait sans but à bord de sa rutilante Lincoln Continental blanche, elle sut ce qu'elle désirait le plus au monde : vivre au milieu de la nature, loin des bulles de champagne et des conversations futiles qui, depuis le décès de son mari, avaient perdu tous leurs attraits. Elle s'était sentie prête à se jeter dans une nouvelle aventure. Au cours de ce printemps-là, après des recherches intensives dans les environs de Los Angeles, elle avait fait l'acquisition du ranch.

Cela lui avait coûté une fortune. Elle avait engagé un gérant, ainsi que les meilleurs ouvriers agricoles de la région. Elle les avait rémunérés généreusement, et fait bâtir à leur intention des logements confortables. En échange de quoi elle exigea une discipline de fer. Elle comptait tout apprendre et diriger un jour elle-même le ranch. Dès la première année, Bill King — arrivé au ranch Lord par le plus grand des hasards — prit les choses en main. Il communiqua à Caroline tout son savoir sans se faire prier. Il appartenait à cette catégorie de contremaîtres que tous les fermiers du voisinage convoitaient. Tout ce que Samantha connaissait de l'histoire de Bill King se résumait en fait à peu de choses : il avait largement contribué à la prospérité du ranch de Caroline.

L'exploitation rapportait des profits substantiels. On y élevait du bétail et des chevaux, ce qui est plutôt rare en Californie où la plupart des fermes servent de résidences secondaires à de riches bourgeois, agents de change, avocats ou vedettes de cinéma, qui s'offrent des propriétés à seule fin d'en déduire les frais d'achat de leurs impôts. C'était une sorte de jeu auquel Caroline ne s'était jamais prêtée. Au ranch Lord, on ne chômait pas. Secondée par Bill, elle avait instauré une règle immuable : toute peine méritait salaire, à moins que ce ne fût le contraire.

Samantha savait que ses vacances ne seraient pas totalement oisives. Lors de leur entretien téléphonique, Caroline lui avait confié qu'elle manquait de garçons de ferme. Sam serait donc amenée à donner un coup de main aux écuries, ce qu'elle avait accepté avec plaisir. Elle se réjouissait à la pensée qu'elle monterait à nouveau à cheval. L'équitation avait été sa grande passion, autrefois. Cavalière émérite à cinq ans, participant à des parades équestres à sept, lauréate de concours hippiques à douze, elle avait souvent rêvé de remporter la médaille d'or aux jeux Olympiques, alors qu'elle chevauchait des heures durant sa monture. Plus tard, les horaires contraignants de l'université avaient mis fin à ses ambitions. Elle n'avait plus guère eu le temps de monter, sauf en de rares occasions, ou lors de ses passages au ranch en compagnie de Barbie. Elle aurait certainement du mal à se faire accepter par les cow-boys, à moins que Caroline intercède en sa faveur, songea-t-elle, anxieuse.

— Êtes-vous montée, récemment ? s'enquit Bill, comme s'il avait lu dans ses pensées.

— Oh, non, répondit-elle en secouant la tête, je n'ai pas vu un cheval depuis deux ans.

— Demain à la même heure, vous ne pourrez plus vous asseoir.

— Tant mieux, sourit-elle. C'est ce que j'appelle des douleurs saines.

Mieux valait être brisée par la fatigue que par l'angoisse.

— Nous avons quelques nouveaux palominos[1], un cheval pie, une bande de morgans[2]... Sans oublier que Caroline a absolument tenu à acheter cet étalon... (Bill fit une grimace.) Ne me demandez pas pourquoi. Ça lui rappelle sans doute les films pleins de strass et de paillettes de son mari. (Il lança à sa passagère un regard où se lisait la plus profonde désapprobation.) Madame s'est payé un pur-sang! Une bête magnifique, naturellement. Mais dans une ferme, qui peut bien avoir besoin d'un cheval de course, je vous le demande! Un de ces quatre, elle va se briser le cou. Je n'arrête pas de le lui répéter.

Un sourire étira les lèvres de Samantha. Elle imaginait parfaitement Caroline lancée au grand galop sur son pur-sang, aussi resplendissante qu'une jeune amazone. Comme ce serait bon de la revoir! Inondée d'un chaleureux sentiment de reconnaissance, elle regarda longuement Bill, tandis que la camionnette avalait les derniers kilomètres les séparant du ranch. Une fois de plus, elle se surprit à se demander quels étaient ses véritables rapports avec Caroline. À soixante-trois ans, il était encore séduisant, avec son visage sillonné de rides profondes, ses longues jambes musclées sanglées dans la rude étoffe du jean, ses larges épaules et ses mains carrées. Il irradiait cette force à la fois douce et virile que l'on trouve souvent chez les hommes de son espèce. Il semblait inconcevable qu'il puisse se vêtir autrement qu'en blue-jean et on eût dit que le chapeau de cow-boy avait été inventé spécialement pour lui...

Lorsqu'ils atteignirent la grille monumentale qui portait l'inscription RANCH LORD dont le L s'incurvait élégamment, Samantha poussa un drôle de soupir, empli de soulagement, de souffrance, mais

1. Cheval à la robe beige dont la crinière et la queue sont presque blanches. *(N.d.T.)*

2. Race nord-américaine de petits chevaux de selle assez râblés. *(N.d.T.)*

aussi d'autres sensations indistinctes. La nuit était tombée. Brûlant d'impatience, la jeune femme retint son souffle, s'attendant à voir surgir la maison à chaque tournant. Il lui fallut attendre pour cela dix bonnes minutes de plus. Et puis, elle fut là. Une grande demeure blanche de style colonial, aux persiennes bleu foncé et au porche imposant, flanquée d'une large volée de marches et coiffée d'une cheminée de brique. Des plates-bandes de fleurs — en été, leurs couleurs étaient éclatantes — ceignaient la bâtisse et, plus loin, s'élevait le mur vert sombre des arbres centenaires. En contrebas, les feuillages se reflétaient dans une mare partiellement couverte de nénuphars, et envahie par toute une colonie de grenouilles. Alentour s'éparpillaient les écuries, les dépendances et les pavillons réservés aux employés. Aux yeux de Samantha, le ranch représentait le paradis terrestre.

— Eh bien, jeune fille, quel effet cela vous fait-il ? demanda Bill d'une voix pleine de fierté. (Il avait arrêté la camionnette pour jeter lui aussi un regard émerveillé sur le décor, comme s'il venait seulement de le découvrir.) Trouvez-vous la maison changée ?

— Absolument pas.

La lune était haute dans le ciel, les fenêtres de la demeure éclairées, ainsi que celles des pavillons et du bâtiment où les hommes se réunissaient pour prendre leurs repas ou pour jouer aux cartes. Tout était absolument identique à son souvenir.

— On a apporté quelques petites améliorations, mais vous ne pouvez vous en rendre compte à première vue.

— Tant mieux. Je suis contente que rien n'ait changé.

Bill klaxonna à deux reprises. La porte d'entrée s'ouvrit. Une femme aux cheveux blancs, grande et mince, apparut sur le seuil. Elle décerna un sourire à Bill, puis à Samantha, après quoi elle dégringola les marches, bras ouverts.

— Ah vous voilà, enfin! Bienvenue, ma chère enfant!

Lorsqu'elle reconnut le parfum de rose familier, Samantha eut l'impression d'être rentrée chez elle. Des larmes lui piquèrent les yeux. Les deux femmes s'enlacèrent. Ensuite, Caroline fit un pas en arrière, afin de mieux détailler son invitée.

— Mon Dieu, Sam, que vous êtes belle. Plus belle encore que la dernière fois.

— Vous aussi, Caroline.

C'était la pure vérité. Svelte et élancée, son hôtesse avait, à soixante-six ans, conservé sa ligne de jeune fille. Depuis sept ans que Sam ne l'avait pas vue, elle n'avait pas changé et respirait toujours la même joie de vivre. Elle avait, aussi, gardé le même style vestimentaire: pantalon et chemise d'homme en coton qu'agrémentait un foulard turquoise négligemment noué autour du cou. Une ceinture indienne serrait sa taille de guêpe. Et alors que la maîtresse de maison la précédait en direction de la véranda, Samantha remarqua les ravissantes bottes de cuir vert jade qui chaussaient ses pieds fins.

— Oh, Caroline, elles sont magnifiques, ne put-elle s'empêcher de la complimenter.

— N'est-ce pas? sourit son amie, qui avait immédiatement compris à quoi elle avait fait allusion. (Elle s'était arrêtée net pour jeter un coup d'œil enchanté à ses bottes.) Je les ai fait faire sur mesure. Cela peut paraître extravagant, compte tenu de mon âge, mais après tout, c'est la dernière fois!

Quelque peu choquée, mais s'abstenant de tout commentaire, Samantha emboîta le pas à son hôtesse, suivie par Bill, qui portait ses bagages. Le vestibule s'offrit à sa vue, tel qu'elle l'avait connu dans le passé, avec sa jolie table de style surmontée d'un lustre de cuivre, et son épais tapis de laine. Dans la pièce adjacente — le salon — un feu crépitait dans l'âtre. Devant la cheminée, il y avait quelques fauteuils d'un bleu profond s'alliant parfaitement avec le tapis ancien à grosses fleurs éclatantes, vertes, bleues, et rouges. À l'image de la maîtresse de maison, la pièce respirait la joie de vivre. Les meubles rustiques étaient élégamment sculptés, et vivement éclairés par les lustres et les appliques en bronze. Les flammes mettaient des reflets dansants sur la surface lisse du bois et des cuivres accrochés aux murs. Une bibliothèque remplie d'ouvrages reliés de cuir recouvrait la cloison du fond. C'était une pièce délicieusement désuète, d'une rare élégance, qui semblait sortir tout droit d'une revue de décoration. Des magazines comme *Maisons et Jardins* auraient sans aucun doute rêvé de publier dans leurs pages glacées les images de ces trésors. Mais, pour rien au monde, Caroline n'aurait accepté que l'on vienne s'immiscer dans son intimité. Elle avait longtemps sacrifié aux mondanités hollywoodiennes, mais n'était pas prête à recommencer...

— Besoin de quelques bûches supplémentaires ? s'enquit Bill du haut de son mètre quatre-vingt-dix.

Il ôta son chapeau, dévoilant une tignasse d'un blanc cotonneux.

— Non, merci, Bill, répondit Caroline. Nous en avons suffisamment pour le reste de la nuit.

— En ce cas, mesdames, bonne soirée et à demain.

Il sourit avec chaleur à Sam, salua respectueusement Caroline d'un signe de tête, avant de tourner les talons pour quitter la pièce. Elles entendirent la porte d'entrée se refermer doucement, et Samantha se demanda une fois de plus, comme au temps où Barbie et elle passaient leurs vacances au ranch, si elle ne commettait pas une grave erreur en supposant que Caroline et Bill étaient amants. Rien dans leur comportement ne laissait transparaître la moindre familiarité. Ils venaient de se souhaiter bonne nuit comme l'auraient fait deux vieux amis. Et pourtant il y avait autre chose. Un lien invisible, une secrète connivence, quelque chose d'impalpable, mais qui leur donnait l'apparence d'un vieux couple.

Pendant que Samantha s'abîmait dans ses réflexions, Caroline avait posé un plateau sur la table basse près du feu, découvert un plat de sandwiches, rempli deux tasses de chocolat chaud.

— Venez vous asseoir et servez-vous, dit-elle. Faites comme chez vous.

Pour la seconde fois, les yeux de Samantha s'emplirent de larmes. Sa main s'avança pour prendre celle de l'autre femme.

— Je ne vous remercierai jamais assez de m'avoir accueillie.

— Ne dites pas ça, répondit Caroline en lui tendant une tasse de chocolat. Je suis ravie que vous m'ayez appelée. Je vous aime beaucoup, presque autant que j'aimais Barbara. (Son regard se fit un instant lointain.) Quand elle est morte, j'ai eu l'impression de perdre ma propre fille. J'ai peine à croire que ça fait déjà dix ans. Il me semble que c'était hier. Je suis contente de ne pas vous avoir perdue, vous aussi. Vos lettres m'ont réchauffé le cœur. Lorsque vous avez cessé d'écrire, je me suis demandé si j'allais jamais vous revoir.

— J'ai souvent songé à revenir. Mais j'étais tellement prise...

— Voulez-vous m'en parler ou êtes-vous trop fatiguée ?

Il n'y aurait rien eu d'étonnant à cela. Entre l'avion et la voiture elle avait voyagé près de neuf heures. Et le décalage horaire n'arrangeait rien. Il était à peine huit heures et demie du soir en Californie mais pour Samantha, soumise encore à l'heure new-yorkaise, il était dix heures et demie.

— Oh, non, je ne suis pas fatiguée, objecta pourtant la jeune femme, prête à se confier à sa vieille amie. Seulement je ne sais pas par où commencer.

— Commencez donc par le chocolat et les sandwiches, l'encouragea son interlocutrice en lui serrant la main. Vous me raconterez vos mésaventures ensuite... Ah, comme c'est bon de vous revoir !

— Pas aussi bon que d'être à nouveau ici, répliqua

Samantha en mordant à belles dents dans un sandwich au pâté. Bill m'a dit que vous avez acheté un pur-sang. Est-il beau ?

— Magnifique. Il est encore plus somptueux que... tenez, que mes bottes vertes ! s'exclama Caroline, une lueur amusée dans le regard. C'est un étalon si fougueux que c'est à peine si j'arrive à me tenir en selle. Le pauvre Bill est terrifié. Il craint que je me brise l'échine. Je ne sais pas ce qui m'a pris, mais dès que j'ai vu ce superbe animal j'ai décidé qu'il serait à moi. Le fils d'un des propriétaires des environs l'avait acheté dans le Kentucky. Comme il avait un besoin urgent de renflouer ses finances, il a consenti à me le vendre. C'est presque un péché de le monter rien que pour le plaisir, mais je ne peux pas m'en empêcher. Et je me fiche éperdument de ce que l'on doit penser d'une vieille femme percluse de rhumatismes, qui a la prétention de dresser un pur-sang. Ce cheval est le cheval de ma vie. Je le monterai jusqu'à mon dernier jour.

Cette nouvelle allusion à la vieillesse et à la mort laissa Samantha perplexe. Certes, Caroline avait largement dépassé la soixantaine, et il était normal que de tels problèmes la préoccupent. D'un autre côté, il était impossible de la qualifier de « vieille ». Elle paraissait au contraire tellement jeune et belle, active et pleine d'entrain...

— Comment s'appelle-t-il ?

Avec un rire, Caroline alla se camper devant l'âtre, les paumes tournées vers les flammes.

— Black Beauty. Évidemment !

Elle se retourna pour regarder Samantha, et la lueur rougeâtre du feu cisela un peu plus encore ses traits fins. Elle ressemblait à un camée...

— Vous êtes toujours très belle, tante Caro.

Samantha s'était servie du tendre surnom que lui donnait autrefois Barbie. Des larmes embuèrent les yeux de Caroline.

— Chère Sam ! Toujours aussi aveugle !

— Peut-être, admit-elle en grignotant son sandwich, et en buvant une onctueuse gorgée de chocolat. Je suppose que vous avez envie de savoir ce qui s'est passé entre John et moi. (Son ton devint tout à coup morose.) Eh bien, ce monsieur avait une maîtresse. Il l'a mise enceinte, il m'a quittée et ils se sont mariés. À présent, ils attendent la naissance de leur premier enfant.

— Voilà qui est brièvement résumé...

— Je le déteste, parfois. Mais la plupart du temps, il me manque, et je me demande si elle s'occupe bien de lui. Si elle sait qu'il est allergique aux chaussettes en laine. Ou si elle connaît sa marque de café préférée... Est-il heureux ou malade ? Se rappelle-t-il qu'il doit prendre son médicament contre le rhume des foins lorsqu'il part en voyage ? Éprouve-t-il des regrets ? C'est idiot, n'est-ce pas ? soupira-t-elle en scrutant Caroline, toujours debout devant la cheminée. Ce type m'a laissée tomber du jour au lendemain et je continue à me faire du souci pour lui. Faut-il que je sois gourde ! s'exclama-t-elle, luttant contre les larmes.

Dans le silence qui suivit, elle appuya sa tête contre le dossier du fauteuil, et ferma les yeux, comme pour chasser les images qui la hantaient depuis des mois.

— Mon Dieu, Caro, ç'a été épouvantable, reprit-elle. (Elle rouvrit les yeux.) Tous les journaux en ont parlé. Vous n'avez pas lu les articles ?

— Si, une fois. Je n'en ai pas cru un mot. Je me suis dit qu'il devait s'agir d'une sorte de publicité pour le rendre plus intéressant aux yeux de ses admirateurs. Les reporters racontent souvent n'importe quoi.

— Pas cette fois-ci, malheureusement. Les avez-vous vus à la télévision, tous les deux ?

— Je ne regarde jamais cette émission.

— En général, moi non plus. Mais maintenant, c'est plus fort que moi, admit Samantha, d'un ton lugubre.

— Vous devriez cesser.

— Oui, je le sais. Il y a un tas de choses que je

devrais cesser de faire, des tas de choses auxquelles je devrais cesser de penser... C'est pour ça que je suis venue ici.

— Et votre travail ?

— Je pense que j'ai réussi à le garder, j'ignore par quel miracle, du reste. Mais je ne sais même pas si, au fond, ils n'ont pas voulu me mettre sur la touche en douceur. Je me rendais tous les jours au bureau, comme un zombie. Peut-être valait-il mieux que je parte...

Elle enfouit son visage dans ses mains. L'instant d'après, elle sentait la main de Caroline sur son épaule.

— J'en suis convaincue. Le ranch vous aidera à guérir, à redevenir vous-même. Vous avez eu un choc affreux. Je comprends ce que vous avez dû ressentir. J'ai éprouvé la même chose à la mort d'Arthur. J'ai bien cru que je ne tarderais pas à le suivre dans la tombe. Ce n'est pas exactement la même souffrance mais, voyez-vous, la mort aussi est une sorte d'abandon, expliqua-t-elle, le visage sombre. (Puis, de nouveau souriante, elle poursuivit :) Mais la vie ne s'arrête pas là, Samantha. Au contraire, peut-être ne fait-elle que commencer. Quel âge avez-vous ?

— Trente ans, grommela Samantha, et c'était comme si elle venait de dire quatre-vingts.

Caroline laissa échapper un rire cristallin, semblable à une musique aérienne.

— Et vous croyez m'impressionner ?

— C'est gentil de compatir, souffla Sam avec une grimace.

— À mon âge, ma chérie, il ne faut pas trop m'en demander. Je suis affreusement jalouse de votre jeunesse. Trente ans, chuchota-t-elle, rêveuse. Que ne ferais-je pas pour avoir à nouveau trente ans...

— Et moi, que ne ferais-je pas pour vous ressembler, Caro.

— Flatteries ! railla la maîtresse de maison, enchantée malgré tout. Mais, depuis, vous n'êtes sortie avec personne ? (Et comme Samantha répondait non de la tête :) Pourquoi ?

— Pour deux bonnes raisons. Primo, personne ne m'a vraiment plu. Secundo, dans mon cœur je suis toujours Mme Taylor. Si je sortais avec un autre homme, j'aurais l'impression de tromper John. Conclusion, je ne suis pas prête… et je crains de ne jamais l'être ! Je n'ai plus aucun désir. Comme si une partie de moi était morte lorsque John m'a quittée. Je ne veux être aimée par personne d'autre que lui.

— Voilà une situation à laquelle il va falloir remédier, répondit Caroline, sans cacher une légère désapprobation. Regardez donc les choses en face, ma petite. Rien ne sert d'errer comme une âme en peine. Il faut prendre la vie à bras le corps. C'est ce qu'on m'avait conseillé. C'est facile à dire, j'en conviens. Ça fait combien de temps maintenant ?

— Trois mois et demi.

— Donnez-vous-en encore six, déclara Caroline. Si vous n'êtes toujours pas tombée amoureuse, nous prendrons des mesures radicales.

— Quoi par exemple ? La lobotomie ? s'enquit Samantha, pince-sans-rire, tout en sirotant son chocolat.

— Nous trouverons bien quelque chose. Mais à mon avis ce ne sera pas nécessaire.

— Heureusement, d'ici là, je serai à nouveau sur Madison Avenue, en train de me tuer au travail.

— Si c'est ce que vous souhaitez…

— Je le souhaitais, avant. Maintenant que John n'est plus là, je me demande si je n'étais pas tout simplement en rivalité avec lui. Il n'empêche que j'ai une bonne chance de devenir la directrice de création, ce qui n'est pas pour me déplaire.

— Aimez-vous votre métier ?

— Je l'adore… sourit Samantha, avant d'ajouter timidement : Il fut un temps, pourtant, où j'aurais franchement préféré votre genre de vie. (Ensuite, elle demanda à brûle-pourpoint :) Caro, puis-je monter Black Beauty demain ?

— Non, ma chère, pas encore. Il faut vous remettre en selle avant ! Depuis quand n'êtes-vous pas montée à cheval ?

— Environ deux ans.

— Et vous voulez commencer par Black Beauty ?

— Pourquoi pas ?

— Parce qu'il vous flanquera par terre avant que vous ayez franchi la clôture du corral. Il n'est pas commode, Sam. Même si vous êtes une très bonne cavalière...

Caroline connaissait bien son étalon. C'était un animal surprenant. Elle-même avait du mal à le chevaucher, et il avait réussi à terrifier tous les garçons de ferme, y compris le contremaître.

— Quand vous vous sentirez prête, je vous permettrai de le monter, promit-elle, sachant que cela ne serait pas long. En attendant, exercez-vous sur les autres. Depuis trois semaines, Bill et moi sommes plongés dans la paperasserie. Nous avons mille choses à régler avant la fin de l'année. De surcroît, comme je vous l'ai déjà dit au téléphone, il nous manque deux hommes. Nous avons dû embaucher un extra. Alors, si une place de cow-boy vous tente, elle est à vous...

— C'est sérieux ? M'autoriserez-vous à monter avec les hommes ?

— Vous me rendriez un grand service. Vous êtes aussi qualifiée qu'eux ou, du moins, vous le serez dans un jour ou deux. Croyez-vous pouvoir survivre à une journée entière de selle ?

— Absolument ! s'exclama Samantha avec enthousiasme.

Caroline lui sourit affectueusement.

— Alors, au lit ! Lever à quatre heures du matin. Comme j'étais à peu près sûre que vous seriez d'accord, j'ai prévenu Tate Jordan de votre arrivée. C'est lui qui s'occupera de vous, car Bill et moi irons en ville, demain. (Elle baissa les yeux sur sa montre, un cadeau de Bill, qui n'avait rien à voir avec les modèles de chez Cartier incrustés de diamants ayant jadis orné son poignet, puis enveloppa Samantha d'un regard chaleureux.) Bienvenue à la maison, ma chérie.

— Merci, tante Caro.

Après s'être embrassées, les deux femmes se dirigèrent vers le vestibule. Le feu pétillait toujours dans la cheminée, et Caroline avait laissé le plateau sur la table basse, à l'intention de la femme de ménage mexicaine, qui viendrait nettoyer la maison le lendemain matin. Elle accompagna Samantha à sa chambre. Il ne s'agissait pas de celle qu'elle avait partagée durant tant d'étés avec Barbie, et que Caroline avait transformée en bureau après la mort de sa nièce. Ici, le blanc immaculé dominait, du lit à baldaquin aux coussins à volants, en passant par la paire de fauteuils, qui faisaient face à la cheminée. Seules taches colorées, un plaid aux teintes lumineuses, magnifique composition géométrique où chantaient les bleus cobalt, les rouges rubis et les jaunes topaze, et un énorme bouquet multicolore. Les fenêtres donnaient sur les collines. C'était une pièce dans laquelle on aurait voulu passer des heures, voire des jours et des mois. Caroline l'avait décorée avec ce goût sans faille qui avait été le sien pendant sa période hollywoodienne, trente ans plus tôt.

— Ça n'a rien d'une chambre de cow-boy, remarqua Samantha, assise sur le bord du lit.

— C'est exact. Si vous préférez coucher dans l'un des pavillons, votre présence illuminera, j'en suis sûre, les nuits de tous ces pauvres garçons esseulés.

Elles échangèrent un regard complice, avant d'éclater de rire, puis Caroline sortit de la pièce. Samantha entendit décroître le bruit de ses bottes sur le parquet de chêne, jusqu'à l'autre bout du couloir où se trouvaient ses appartements : une chambre, une salle de bains, un boudoir et un salon tendu de soie pêche, abritant sa collection d'œuvres d'art, vestiges de son ancienne vie. Il y avait notamment un magnifique tableau impressionniste et quelques objets précieux achetés en Europe en compagnie de son mari. Autant de trésors qui lui rappelaient le passé.

L'esprit préoccupé, Samantha défit ses bagages. Elle avait l'impression d'avoir été catapultée dans un autre monde, une sorte d'univers parallèle. Comme si, le matin même, une autre personne qu'elle avait discuté avec Harvey Maxwell, dans les bureaux de Crane, Harper et Laub. Pouvait-on se retrouver aussi loin en si peu de temps ? Oui, si elle en jugeait par les doux hennissements qui montaient dans le lointain, et par le vent glacial qui lui balaya le visage lorsqu'elle ouvrit la fenêtre. Au-dehors, les collines s'étendaient à perte de vue sous le clair de lune. Dans le ciel, des milliers d'étoiles scintillaient. « Ici, je vais me retrouver », sut-elle soudain, assaillie d'une absolue conviction, alors qu'elle contemplait le panorama nocturne.

Elle se détourna de la fenêtre. Quelque part dans la maison, le claquement feutré d'une porte la fit sursauter. Le bruit provenait des appartements de Caroline. Et elle se demanda, comme Barbie et elle l'avaient si souvent fait jadis, si ça n'était pas Bill King.

4

À quatre heures du matin, une sonnerie stridente tira brutalement Samantha d'un sommeil de plomb. Un gémissement lui échappa, sa main jaillit de l'édredon à la recherche du réveil qu'elle parvint à éteindre tant bien que mal. Un courant d'air glacial sur ses doigts lui fit comprendre qu'elle n'était plus dans son lit douillet. Tout à fait réveillée à présent, elle ouvrit un œil. C'était bien cela, réalisa-t-elle en promenant un regard confus alentour, elle n'était plus chez elle... et pas à New York. Affolée, elle tourna les yeux dans tous les sens. Soudain, la mémoire lui revint : elle se trouvait au ranch de Caroline Lord, en pleine campagne californienne, et ce matin elle était censée sillonner les plaines à cheval, en compagnie d'une bande d'inconnus. À cette pensée, une pointe d'anxiété nuança son enthousiasme de la veille. La perspective de se lever et de prendre une douche, avant de sortir de la maison sans même avaler un bol de café, ne l'enchanta plus guère. Le paradis se transformait en enfer... Et quant à la suite : se gaver d'œufs aux saucisses, et courir aux écuries, dans les brumes du petit matin, elle était franchement déprimante. Une grasse matinée la tentait infiniment plus. Mais elle n'était pas venue dans l'Ouest pour s'adonner au farniente. Si elle voulait se faire accepter par le personnel de la ferme, elle avait intérêt, au contraire, à déployer toute son énergie dès aujourd'hui. Le travail que lui avait confié Caroline était une marque de confiance dont elle devait se montrer digne, faute de quoi personne ne la prendrait plus jamais au sérieux.

Ayant courageusement bondi hors du lit, elle se doucha rapidement. Emmitouflée dans la serviette de bain, elle poussa les volets en claquant des dents ; ce qui se présenta à sa vue ne fit que confirmer ses craintes. Un fin voile de pluie brouillait les collines. Sans se laisser décourager, elle passa de vieux jeans, un col roulé noir, de grosses chaussettes de laine, et enfila ses jolies bottes d'équitation de chez Miller —, une acquisition récente peu appropriée à la rude journée qui l'attendait. Qu'à cela ne tienne, elle irait en ville s'acheter une solide paire de cuissardes en caoutchouc, se dit-elle, tout en rassemblant ses longs cheveux soyeux en un chignon lâche noué bas sur la nuque. Elle s'aspergea une dernière fois la figure d'eau froide, puis enfila sa parka fourrée et ses gants de cuir brun. Adieu les ravissants modèles des jolies boutiques de New York. Ici, l'élégance passait après le confort. Enfin prête, elle sortit de sa chambre. Un rai de lumière festonnait la porte de Caroline, au bout du couloir. Pendant une fraction de seconde, elle ralentit l'allure dans l'intention d'aller saluer son hôtesse. Mais elle se ravisa — l'heure était trop matinale. Samantha longea le corridor sur la pointe des pieds. Une fois dehors, elle rabattit la capuche de la parka sur sa tête, afin de se protéger de la pluie, et s'engagea sur le chemin tout scintillant de flaques d'eau menant à la salle commune, une pièce immense, meublée de bancs et de tables de merisier installés devant une monumentale cheminée de brique rouge...

Tandis que Sam traversait la cour, une nouvelle crainte l'assaillit : n'allait-on pas la considérer comme une intruse ? Aurait-elle l'audace de pénétrer dans ce sanctuaire masculin où les hommes se réunissaient pour manger, bavarder, jouer aux cartes ou au billard, regarder la télévision ou écouter de la musique ? Sam sentit ses genoux se mettre à trembler.

À peine avait-elle effleuré la poignée de la porte d'entrée qu'une voix enrouée marmonna dans son dos :

— Avance, mon vieux, on gèle.

Elle fit volte-face, tombant nez à nez avec un cow-boy d'une trentaine d'années, de taille moyenne, aux cheveux et aux yeux bruns. En la voyant, il eut l'air aussi étonné qu'elle, puis, la première surprise passée, il dissimula un large sourire derrière sa main gantée.

— Oh, pardon ! Vous devez être l'amie de miss Caroline. Ouvrez quand même cette porte, il fait un froid de canard.

— Ah... Caro vous a parlé de moi ? demanda Samantha en poussant le battant.

— Oui, bien sûr… Bienvenue au ranch, mademoiselle.

Sur ce, il disparut du côté de la cuisine où il salua le cuisinier, et s'empara au passage d'une tasse de café et d'un pot de lait crémeux. Figée sur le seuil, paralysée par la timidité, Samantha embrassa d'un regard gêné la vaste pièce emplie d'hommes vêtus de blousons de cuir éraflés, lustrés aux coudes, de jeans élimés et de lourds chandails. Ils allaient et venaient de la cuisine aux tables, dans un remue-ménage incessant accompagné du bruit de leurs bottes sur le plancher de bois. Ils étaient une bonne vingtaine, assis par petits groupes devant un copieux petit déjeuner : café au lait, œufs au bacon, toasts, céréales. Se sentant complètement déplacée, l'arrivante s'empressa de se ruer vers la cuisine, afin de dissimuler la rougeur de ses joues. De retour, une tasse fumante à la main, elle prit place à l'écart.

À première vue, elle ne reconnut personne. La plupart de ses compagnons étaient trop jeunes pour avoir été là lors de son dernier passage. Parmi les plus âgés, il n'y avait que des inconnus. L'un d'eux lui lança un coup d'œil goguenard, puis se pencha à l'oreille de son voisin, et tous deux s'esclaffèrent, ce qui ne fit qu'accroître son malaise. Elle eut beau se traiter de paranoïaque, la sensation perdura. Certes, on ne se moquait pas d'elle ouvertement mais on n'en pensait pas moins. L'angoisse lui dessécha la gorge et elle baissa le nez dans sa tasse. Que faisait-elle au milieu de cette bande d'individus mal fagotés, barbus et chevelus, qui la regardaient narquoisement ? Autrefois, les garçons de ferme accueillaient gentiment Sam et Barbie, parce qu'elles n'étaient encore que des enfants et que c'était amusant de les regarder jouer avec les chevaux. Maintenant, c'était différent. Samantha avait la prétention d'être traitée en égale. Rien de moins sûr au demeurant. Ces malotrus s'appliqueraient à la mater — si toutefois ils daignaient s'apercevoir de sa présence.

— Vous ne mangez rien ? s'enquit quelqu'un à côté d'elle.

La voix était gentille bien qu'éraillée, et elle se retourna pour se trouver face à un homme d'une soixantaine d'années, qui l'observait d'un air avenant. Elle le connaissait !

— Josh ? C'est moi, Sam !

Il était là chaque été, du temps où elle venait avec Barbie. C'était lui qui avait enseigné à celle-ci les rudiments de l'équitation. Il avait, alors, une femme et des enfants, que Samantha n'avait jamais vus, car ils habitaient loin du ranch. À l'instar de ses collègues, Josh menait une existence de solitaire parmi d'autres solitaires, dans une société fruste, exclusivement masculine. À présent, il la scrutait d'un air désemparé. Mais un sourire de reconnaissance finit par poindre sur son visage. Et, sans hésiter une seconde de plus, il la prit dans ses bras, lui plaqua un baiser sonore sur chaque joue, et elle fut heureuse de sentir le contact rugueux de sa barbe contre sa peau délicate.

— Sam ! Ce n'est pas vrai ! jubila-t-il. J'aurais dû m'en douter quand miss Caroline nous a annoncé l'arrivée d'une « amie ». Toujours aussi belle...

Elle n'en crut pas un mot. Engoncée dans ses vieux vêtements, les paupières gonflées de sommeil, elle ne se trouvait pas au mieux de sa forme.

— Merci, Josh. Comment va la famille ?

— Grâce à Dieu, les oiseaux se sont envolés du nid. À part le petit dernier et ma femme, bien sûr... Ils sont au ranch maintenant, ajouta-t-il à mi-voix, comme s'il se fût agi d'un secret d'État. Miss Caroline a décrété un beau matin que ce n'était pas normal que les familles vivent séparées.

— Eh bien, c'est formidable !

En guise de réponse, il roula des yeux comme pour dire « ça dépend » et tous deux se mirent à rire.

— Grignotez donc un morceau, mademoiselle. Miss Caroline nous a dit qu'une « vieille connaissance » viendrait nous donner un coup de main. Vous auriez dû voir leur tête quand ils ont su qu'il s'agissait d'une femme !

— Ils vont voir ce dont je suis capable, lança-t-elle, sarcastique, alors qu'ils se frayaient un chemin en direction de la cuisine, guidés par le fumet appétissant du bacon et des saucisses grillées.

Rassurée par la présence de Josh, Samantha se sentit une faim de loup. Et pendant qu'elle s'octroyait un grand bol de céréales au lait et au miel, Josh se pencha vers elle, l'œil conspirateur.

— Que faites-vous dans ce bled ? Et votre mari ?

— Je n'en ai plus.

Il hocha simplement la tête, et elle se dispensa d'autres commentaires. Ensemble, ils gagnèrent une des petites tables dans un coin de la salle. Pendant un long moment, personne ne vint les rejoindre. Puis la curiosité fut la plus forte. Deux, trois, quatre hommes passèrent leur dire bonjour. Josh fit les présentations. Ils étaient tous jeunes — plus jeunes que Samantha — mais paraissaient déjà usés. Il est vrai qu'ils exerçaient un métier dur, surtout en cette saison. Au fil du temps, les vents violents et les pluies cinglantes sculpteraient leurs visages à l'instar de ceux de Bill et de Josh, ravinés de rides profondes.

— Comme vous pouvez le constater, ils sont presque tous nouveaux, dit Josh avant de repartir chercher du café.

Elle resta seule à table. Sur le manteau de la cheminée, une horloge indiquait six heures moins le quart. Dans quinze minutes, tout le monde se rendrait aux écuries pour une nouvelle journée de travail au grand air. Qui donc était chargé, déjà, de lui assigner un cheval ? Caroline avait bien prononcé un nom, la veille au soir, mais lequel ? De nouveau, l'anxiété refit surface et elle chercha fébrilement Josh du regard. Il avait disparu. Les autres continuaient tranquillement à bavarder et à part un rare coup d'œil lancé dans sa direction, ils se comportaient comme si elle n'existait pas. C'était une attitude mesquine, sûrement délibérée, remarqua-t-elle, soudain affolée. Elle réprima une furieuse envie de grimper sur la table et de leur dire qu'elle était désolée d'avoir fait intrusion dans leur précieux univers de mâles, histoire de leur signaler qu'elle n'était ni muette ni invisible... S'ils voulaient la voir déguerpir sur-le-champ, elle était prête à le faire plutôt que de subir davantage cette espèce d'indifférence blessante.

— Mademoiselle Taylor ?

Elle se retourna brusquement. Une chemise de laine à carreaux bleus et verts boucha son champ de vision.

— Oui ?

Elle leva la tête. Il avait un torse musclé, un visage tanné, aux pommettes saillantes, et des yeux d'une couleur incroyable : vert vif, presque émeraude, pailleté de pépites d'or... La chevelure était aile-de-corbeau, les tempes striées d'argent, les traits taillés à la serpe. Il était très grand, plus grand que tous les autres, y compris Bill King.

— Je suis l'assistant du contremaître, dit-il d'une voix sèche et froide.

Ni nom, ni prénom, rien qu'une fonction, songea-t-elle. Et un physique plutôt effrayant. Elle n'aurait pas aimé rencontrer cet homme au coin d'une allée sombre...

— Enchantée, dit-elle pourtant.

Sa formule de politesse tomba à plat, naturellement.

— Êtes-vous prête ?

Elle ébaucha un signe de tête affirmatif, écrasée par son autorité, tout autant que par sa stature. Autour d'eux, les conversations avaient cessé, laissant place à un silence pesant. Visiblement, chacun tendait l'oreille. Et ils avaient tous noté la façon abrupte dont il lui avait parlé.

Elle mourait d'envie de prendre un autre café,

mais elle se leva et le suivit sans un mot, attrapant au passage sa parka accrochée à un portemanteau, au milieu des chapeaux de cuir. Elle l'enfila en se débattant avec les manches. Toute menue derrière lui, elle ressemblait à une petite fille prise en faute. L'idée de chevaucher auprès d'une représentante du sexe faible l'irritait sans doute au plus haut point à en juger par son attitude glaciale. Ils traversèrent la cour sous la pluie, sans un mot. Dans l'écurie, il arracha une liste à un tableau de liège fixé sur la cloison. C'étaient les noms des cow-boys, et des chevaux qui leur étaient échus. Il l'examina longuement puis, les sourcils froncés, il se dirigea vers la stalle la plus proche, ornée d'un panneau annonçant LADY. Samantha se sentit instantanément bouillir de colère. Ainsi, parce qu'elle était une femme, on lui attribuait une jument nommée Lady ?

— Vous montez bien, paraît-il ?

Une fois de plus, elle se contenta d'un signe de la tête, redoutant de provoquer un esclandre si elle ouvrait la bouche. Il se serait froissé si elle lui avait rétorqué qu'elle montait probablement mieux que n'importe lequel des hommes du ranch. De toute façon, il n'allait pas tarder à s'en rendre compte. S'il se donnait la peine de l'observer, évidemment. Comme il inclinait la tête, elle se surprit à admirer la ligne pure de son cou. Il émanait quelque chose de terriblement sensuel de cet homme d'une quarantaine d'années. Une sombre aura où la force se mêlait à une détermination absolue, et qui, au fond, effrayait Samantha.

— Non, ça n'ira pas, décréta-t-il de ce ton hautain qu'elle commençait à détester. Trop dure pour vous. Vous monterez Rusty. Il est à l'autre bout des écuries. Les selles sont dans la remise, prenez-en une. Nous partons dans dix minutes. Pensez-vous être prête ?

Il lui jeta un regard ennuyé, que Samantha soutint, le menton haut.

— Dans cinq, si vous voulez.

Il tourna les talons sans autre forme de procès, remit la liste à sa place, puis sella son propre cheval qu'il amena lentement jusqu'à la sortie. Quelques minutes plus tard, l'écurie était emplie d'éclats de rire, d'interjections et de hennissements. Les chevaux accueillaient en piaffant leurs cavaliers habituels. Et, après un bref embouteillage à la porte, tout le monde se retrouva sous la bruine dans une cour détrempée.

Presque tous avaient endossé des imperméables par-dessus leurs blousons, et Josh, miraculeusement réapparu, en avait tendu un à Samantha, pendant que celle-ci forçait sa monture à avancer. C'était un cheval bai sans aucun caractère, somnolent, lourdeau, presque amorphe. Le genre d'animal à s'égarer sur la route, à faire une halte imprévisible au bord d'un ruisseau, à croquer du chiendent ou du chardon, ou à reprendre intempestivement le chemin de l'écurie. Une longue journée de frustration commençait. Samantha regretta son mouvement d'humeur à propos de Lady. Mais que faire, sinon essayer de prouver qu'elle méritait beaucoup mieux que cette rosse? Black Beauty, par exemple. Elle brûlait de le monter. Mais pour y parvenir, il fallait d'abord gagner la confiance de ce macho aux cheveux noirs. Pourtant, son honnêteté naturelle la poussait à admettre qu'il n'avait pas agi à la légère. Que savait-il d'elle, en vérité, à part qu'elle venait de New York? Ne connaissant rien de ses aptitudes de cavalière, il lui avait donné un cheval paisible, qu'il avait jugé sans risque.

Calés sur leurs étriers, les hommes attendaient les instructions sous la pluie fine. Les vingt-huit cow-boys n'opéraient jamais ensemble mais se répartissaient en groupes de quatre ou cinq, pour effectuer des tâches précises à travers les terres du domaine. Chaque matin, Bill King ou son assistant leur donnaient des ordres qu'ils devaient suivre à la lettre. L'homme aux cheveux noirs envoya Josh et quatre autres vers le sud de la propriété, à la recherche de quelques brebis perdues. Deux autres groupes reçurent pour mission d'aller vérifier l'état de plusieurs barrières que le mauvais temps avait endommagées. Il chargea un quatrième groupe de ramener au bercail deux vaches malades. Lui-même, en compagnie de quatre hommes et de Samantha, irait vers le nord en quête d'une demi-douzaine de vaches sur le point de vêler qui avaient quitté le troupeau et erraient dans les champs. Au pas lent de son cheval, Samantha suivit ses compagnons hors de la cour principale, en priant pour que la pluie s'arrête enfin. Sur la large selle de cuir, typique de l'Ouest américain, il était impossible de lancer sa monture au trot, se rappela-t-elle. Elle était habituée aux selles anglaises, plus étroites et plus légères, mieux adaptées aux courses d'obstacles auxquelles elle avait jadis participé à Madison Square Garden. Mais ça, c'était de l'histoire ancienne... Par chance, au bout d'un moment, ils se mirent au galop.

Ses pensées vagabondaient. Comment se débrouillaient-ils sans elle, au bureau ? Elle crut voir Charlie, débordé, se penchant sur une pile de documents. Un sourire involontaire s'épanouit sur ses lèvres. Deux jours plus tôt, elle présidait un déjeuner d'affaires avec un nouveau client, vêtue d'un tailleur bleu marine signé Dior. Et aujourd'hui, elle chevauchait à travers champs, trempée jusqu'aux os, à la recherche de vaches perdues. La vie était absurde, parfois...

Une vague clarté grisâtre perçait les nuages. Le groupe s'était engagé sur une pente rocailleuse. À plusieurs reprises, Samantha avait surpris le regard de l'homme aux cheveux noirs posé sur elle, probablement pour vérifier son assiette. Visiblement, il la sous-estimait. De surcroît, comme elle l'avait prévu, Rusty donna libre cours à sa gourmandise. Tous les cinquante mètres, il s'arrêtait net pour enfouir son nez dans l'herbe. De guerre lasse, Samantha le laissa faire, se disant qu'une fois sa faim assouvie, il serait plus facile à diriger. Évidemment, le « tyran » — c'est ainsi qu'elle avait surnommé le second du ranch — choisit l'un de ces arrêts forcés pour lui crier de ne pas laisser flotter ses rênes. Comme si elle ne le savait pas ! Décidément, elle ne valait pas grand-chose à ses yeux et il ne ratait pas une occasion de le montrer. Elle eut envie de rétorquer : « Je l'ai fait exprès », mais n'en eut même pas le temps, car il s'éloigna aussitôt, au grand galop. Son autorité sur ses lieutenants ne faisait aucun doute. Il était respecté au même titre que Bill King. On ne discutait pas ses ordres, mais on y répondait par des phrases brèves, ou de courts hochements de tête. Il ne riait jamais, souriait rarement, n'échangeait aucune plaisanterie avec ses hommes. Pour Samantha, chacun de ses gestes, chacun de ses regards hautains était un défi.

— Alors, bonne promenade ? lui demanda-t-il un peu plus tard.

— Très ! confirma-t-elle entre ses dents. Surtout par ce temps magnifique, ajouta-t-elle en lui souriant.

Il éperonna son pinto[1] noir et blanc et s'éloigna dans la prairie. « Et en plus, il n'a aucun sens de l'humour ! » se dit Samantha en le suivant d'un regard navré.

À mesure que la journée avançait, le corps de Samantha se liquéfiait. Elle avait les jambes lourdes, les pieds glacés, les fesses douloureuses. Le frottement du jean sur ses genoux tenait du supplice. Ces hommes-là ne se reposaient-ils donc jamais ? Enfin, ils firent halte dans une cabane prévue à cet effet, située dans la partie nord de la propriété. Il était temps. Un quart d'heure de plus, et Samantha serait tombée de son cheval. Ils s'engouffrèrent dans la cabane en rondins, enfin au sec. Le mobilier se réduisait au strict nécessaire : une table et quelques

1. Grand cheval à la robe pie. *(N.d.T.)*

chaises. Il y avait un réchaud et l'eau courante. Le chef du groupe distribua des provisions qu'il tira d'une musette accrochée à sa selle, et chacun eut droit à un gros sandwich au jambon et à la dinde. Deux thermos, l'une remplie de soupe et l'autre de café, furent rapidement vidées par les cow-boys affamés.

Comme les autres, Samantha s'attaqua à son repas de bon appétit. Elle était en train de siroter avec délice une gorgée de café noir et corsé, lorsque le « tyran » lui adressa de nouveau la parole.

— On tient le coup, mademoiselle Taylor ?

Si le ton de sa voix demeurait ironique, son regard semblait s'être radouci.

— Très bien, merci. Et vous... monsieur... pardonnez-moi, votre nom m'échappe, fit-elle avec un sourire désarmant.

Cette fois-ci, il lui rendit son sourire. Cette fille-là avait du cran, il l'avait senti tout de suite. Et aussi un toupet d'enfer et de la persévérance. La moue qui avait plissé ses lèvres pleines lorsqu'il avait prononcé le nom de Lady ne lui avait pas échappé. Pas plus que l'étincelle qui, l'espace d'une seconde, avait traversé ses prunelles claires. Mais elle n'aurait pas le genre de cheval qu'elle désirait, ça non ! Il avait décidé de lui attribuer la plus docile des bêtes. Il n'avait pas besoin qu'une petite écervelée venue de New York se brise les vertèbres à l'aube, dans le secteur nord. Même si, autant qu'il ait pu en juger, elle s'en était finalement sortie à merveille. Ce devait être une sacrée cavalière pour s'imposer, comme elle l'avait fait, à ce bourrin paresseux de Rusty.

— Je m'appelle Tate Jordan, dit-il en lui tendant une main qu'elle saisit machinalement en se demandant s'il ne s'agissait pas d'une nouvelle raillerie de sa part. Contente de votre séjour ?

— Fabuleux ! répondit-elle, angélique. Un temps superbe. Un cheval de première classe. Des gens charmants.

— Oui ? fit-il en haussant un sourcil. Vous avez omis de critiquer la cuisine.

— Je le ferai en temps et en heure, n'ayez crainte.

— Oh, je vous fais confiance. Je m'étonne que vous ayez voulu commencer aujourd'hui. Vous auriez pu choisir un meilleur jour.

— Pourquoi ? Est-ce que vous choisissez vos jours, vous ?

— Non, mais ce n'est pas la même chose, assena-t-il d'une voix cassante.

— Les volontaires, comme leur nom l'indique, ont de la volonté à revendre, monsieur Jordan.

— Excusez-moi. Je n'en vois pas beaucoup par ici. Êtes-vous déjà venue au ranch ?

Pour la première fois, une sorte d'intérêt se peignait sur ses traits.

— Oui, il y a longtemps.

— Caroline vous a autorisée à monter avec ses employés ?

— De temps à autre. Juste pour m'amuser.

— Et cette fois-ci ?

— Probablement aussi pour m'amuser.

Elle aurait préféré mourir plutôt que d'avouer qu'il s'agissait d'une thérapie. Déterminée à garder son secret, elle tenta une diversion.

— Merci de votre accueil, monsieur Jordan. Je sais combien c'est agaçant d'avoir quelqu'un de nouveau dans les rangs.

Elle n'irait pas jusqu'à s'excuser d'être une femme, tout de même !

— D'ailleurs, si je peux vous être utile...

— On verra, trancha-t-il, avant de lui tourner le dos.

Il ne lui adressa plus la parole de tout l'après-midi. Et ils ne réussirent pas à repérer le bétail égaré. Vers deux heures, ils rencontrèrent les cow-boys chargés de la réparation des barrières, et Jordan décida de leur venir en aide. Samantha ne participa guère aux travaux. Ses courbatures lui interdisaient le moindre mouvement. Pis, elle sentait une somnolence insidieuse la gagner. Vers trois heures, vaincue par la fatigue, elle faillit s'endormir sous la pluie qui tombait maintenant à verse. À quatre heures, soudée à sa selle, encore droite mais prête à s'effondrer, elle incarnait la statue vivante du désespoir. Et à cinq heures et demie, lorsqu'ils regagnèrent les écuries, elle se dit que jamais elle n'arriverait à mettre pied à terre. Après onze heures et demie à dos de cheval, elle avait mal partout. Lorsqu'elle voulut descendre elle chancela et serait tombée, si les mains secourables de Josh ne l'avaient pas soutenue.

— Remettez-vous, Sam. Vous y êtes allée un peu fort pour le premier jour. Pourquoi n'êtes-vous pas rentrée plus tôt ?

— Pour me couvrir de ridicule ? Pas question ! Si tante Caro peut le faire, pourquoi pas moi ?

Elle adressa à son vieil ami un clin d'œil espiègle, mais il secoua la tête.

— Sans vouloir vous vexer, miss Caroline monte à cheval tous les jours depuis des années. Regardez-vous. Demain vous pourrez à peine bouger tellement vous aurez mal !

— Ça, c'est déjà le cas ! gémit-elle.

Ils parlaient à voix basse devant le box de Rusty, qui se régalait de paille croustillante.

— Pouvez-vous marcher ?

— Non, mais je pourrais peut-être ramper.

— Voulez-vous que je vous porte ?

Elle lui sourit.

— J'aurais adoré. Mais mieux vaut souffrir le martyre que s'exposer aux sarcasmes de nos amis.

Ils rirent de bon cœur, puis les yeux de Samantha, plus pétillants que jamais, se fixèrent sur la face burinée de son compagnon. La lueur cuivrée d'une plaque, à l'entrée d'une des stalles, avait attiré son attention.

— Josh, chuchota-t-elle d'une voix tremblante. C'est lui, Black Beauty ?

— Oui, mademoiselle. Vous voulez le voir ?

— Quelle question ! J'irais pieds nus sur des tessons de bouteille s'il le fallait, s'exclama-t-elle en passant son bras sous celui du cow-boy. Allons-y.

Il obtempéra. Après le départ des autres, un calme inattendu régnait dans l'écurie. Samantha retint son souffle. Au début, elle crut que la stalle était vide. Et soudain, elle l'aperçut. Le plus bel étalon qu'elle avait jamais vu... Avec une grâce royale, il s'approcha, puis inclina son long cou moiré sur la main tendue de Samantha, pour lui effleurer les doigts de ses naseaux. Son nom lui seyait à merveille. Sa robe semblait faite d'une matière veloutée, marquée seulement par une étoile blanche au front. Altier et racé, il s'ébroua, faisant flotter sa crinière d'encre, bien campé sur des jambes fines et nerveuses...

— Mon Dieu, Josh, j'ai peine à y croire.

— Belle bête, hein ?

— Mieux que cela. C'est le plus beau spécimen que j'aie jamais vu. Et si grand... quelle est sa taille ?

— Un mètre quatre-vingt-cinq, presque quatre-vingt-dix, déclara Josh d'un ton empreint de fierté.

Elle émit un sifflement admiratif.

— Je paierais cher pour le chevaucher, murmura-t-elle, fascinée.

— Croyez-vous que miss Caroline vous le permettra ? M. King est furieux quand elle le monte. Il faut dire qu'il a un tempérament imprévisible. Il a bien failli la désarçonner plus d'une fois. Bon sang, je n'ai jamais vu ça.

— Elle m'a promis de me le prêter. Je parie qu'avec moi, il sera doux comme un agneau !

— À votre place je ne m'y risquerais pas, mademoiselle Taylor.

La voix un peu enrouée qui avait retenti dans son dos était profonde et douce mais dépourvue de toute chaleur. Elle se retourna lentement et aperçut Tate Jordan.

— Ah non ? répliqua Samantha, dont les yeux brillaient de colère. À votre avis Rusty serait plus mon genre ?

— Je n'en sais rien encore. Ce dont je suis certain, c'est qu'un monde sépare ces deux chevaux et qu'aucune femme ne monte aussi bien que miss Caroline. Si elle a des problèmes avec Black Beauty, il n'y a pas de raison que vous, vous n'en ayez pas.

Ils se faisaient face, à présent. Josh les regardait. Gêné.

— Comme c'est intéressant, monsieur Jordan ! Ainsi, selon vous, aucune *femme* ne monte aussi bien que miss Caroline. Que faites-vous des hommes ? Mais peut-être allez-vous me rétorquer qu'un monde sépare les femmes des hommes...

— Ils n'ont pas la même façon d'aborder l'équitation.

— Pas toujours. Je parie que je monterais cet étalon mieux que vous.

Une lueur de rage, qui s'éteignit presque aussitôt, fit flamber les prunelles vertes de Tate Jordan.

— Qu'est-ce qui vous fait dire ça ?

— J'ai monté des pur-sang pendant des années.

Elle avait pris un ton pointu, dû à l'épuisement plutôt qu'à l'orgueil, mais son interlocuteur ne parut pas s'en apercevoir.

— Il y en a qui ont de la chance. Nous autres, nous nous contentons des bêtes qu'on nous donne.

Il la salua brièvement en portant la main à son chapeau, sans un coup d'œil vers le cow-boy qui avait assisté à leur querelle, impuissant et mal à l'aise, puis s'éclipsa sans un mot de plus.

Dans le silence qui suivit, Samantha, s'efforçant de prendre un air détaché, flatta l'encolure de Black Beauty.

— Ce qu'il peut être agaçant, ce type, maugréa-t-elle à l'adresse de Josh. Il est toujours aussi désagréable ?

— Plus ou moins. Surtout avec les femmes. La sienne l'a quitté il y a des années. Elle s'est enfuie avec le fils du propriétaire du ranch pour lequel Tate travaillait à l'époque. Par la suite, ils se sont mariés, et il a adopté le fils de Tate. Cette situation a duré jusqu'à leur mort : l'ex-femme de Tate et son nouveau mari se sont tués dans un accident de la route. Tate a récupéré son garçon, qui porte toujours le nom de son père adoptif... Il adore son gosse mais vous ne le ferez pas prononcer le nom de celle qui l'a trahi. Selon moi, il a gardé une rancune tenace à l'encontre des femmes. À ce qu'on dit, il ne fréquente que des... vous voyez ce que je veux dire... des filles faciles, quoi. Il n'a jamais aimé personne d'autre depuis... près de vingt ans, puisque son fils a vingt-deux ans maintenant.

— Vous le connaissez ?

— Non, répondit Josh en haussant les épaules. Il parait que Tate lui a trouvé un emploi dans la région l'année dernière, mais comme il est plutôt du genre réservé, je n'en sais pas plus. Sauf qu'il lui rend visite une fois par semaine. Au Bar Three, où le jeune homme est palefrenier.

Encore un solitaire, songea-t-elle. Comme tous les cow-boys, en fin de compte. Mais pourtant, quelque chose en lui l'intriguait. Son côté distant, sans doute, et son esprit incisif. Ce que venait de lui raconter Josh n'avait fait qu'attiser sa curiosité. Oui. Elle était désireuse de percer le mystère dont Tate Jordan s'entourait.

— Ne vous laissez pas impressionner, poursuivit Josh, qui avait retrouvé le sourire. Il n'est pas aussi méchant qu'il en a l'air. Sous sa carapace il cache un cœur d'or. Il faut le voir jouer avec les gosses du ranch... Il a dû être un bon père pour son fils. Et il a de l'éducation. Son père, qui était fermier, l'a envoyé à l'université où il a eu un diplôme de je ne sais plus quoi. Malheureusement, son père est mort trop tôt et ils ont dû vendre la ferme. Tate s'est fait embaucher dans un ranch voisin, et vous connaissez la suite : sa femme est partie avec le fils du patron. Je crois qu'il ne s'en est jamais remis... Je dirais même que ça l'a brisé. Il s'est jeté à corps perdu dans le travail, afin de subvenir aux besoins de son fils. Je ne comprends pas pourquoi il s'est contenté d'une place de subalterne. N'empêche qu'un jour il sera contremaître, ici ou ailleurs.

Samantha restait cantonnée dans un silence songeur.

— Alors, prête à regagner le château ? la taquina Josh, en regardant ses vêtements trempés et son joli minois ravagé par la fatigue. Vous sentez-vous d'attaque ?

— Posez-moi encore une fois cette question, Josh, et je vous décoche un bon coup de pied dans le tibia, répliqua-t-elle, d'un ton faussement indigné.

— Vous ne seriez même pas fichue de lever la jambe assez haut pour flanquer un coup de pied à un basset...

Il pouffa, ravi de sa plaisanterie, et ils se dirigèrent vers la maison. Il était six heures passées quand Caroline leur ouvrit la porte. Josh leur souhaita une bonne soirée et repartit. Caroline, riant sous cape, suivit sa jeune amie, qui se traînait vers le salon en titubant, après avoir laissé sa parka mouillée dans le vestibule. Arrivée à destination, elle s'effondra sur le sofa avec un soupir à fendre l'âme.

— Ma pauvre chérie, vous avez pataugé dans cette gadoue toute la journée ? Mais pourquoi n'êtes-vous pas rentrée plus tôt ?

— Pour ne pas avoir l'air d'une mauviette, grommela-t-elle en réprimant un tressaillement de douleur, qui arracha un rire amusé à Caroline.

— Oh, Sam, quelle idiote vous faites ! Demain vous ne pourrez plus bouger le petit doigt.

— Demain, je serai à nouveau d'attaque, répliqua la jeune femme, avec une grimace.

— Quel cheval vous a-t-on donné ?

— Une vieille bourrique du nom de Rusty, grogna Samantha en regardant son hôtesse d'un air dégoûté.

Cette dernière éclata de rire.

— Ça alors ! Mais qui vous a fait ça ? Je leur ai pourtant signalé que vous étiez une cavalière chevronnée.

— Apparemment, ils ne vous ont pas crue. Pas votre fameux Tate Jordan, en tout cas. Il a failli me donner Lady, après quoi il a changé d'avis, j'ignore pour quelle raison.

— Demain, demandez-lui Navajo. C'est un superbe appaloosa[1]. Personne n'a le droit de le monter, à part Bill et moi.

— Les autres pourraient m'en vouloir.

— Est-ce qu'ils vous en ont voulu aujourd'hui ?

— Ils n'ont pas desserré les dents.

— Ils ne sont pas très bavards. En tout cas, vous leur avez donné une preuve d'endurance éclatante... Seigneur, onze heures d'affilée à cheval ! Et dès le premier jour !

— N'en auriez-vous pas fait autant ?

Caroline hocha la tête avec un sourire de connivence.

— À propos, j'ai vu Black Beauty, enchaîna Samantha.

— Et alors ? Qu'en avez-vous pensé ?

— Oh, j'ai eu envie de vous le voler... Je me contenterai de le monter. Seulement, *môssieur* Jordan n'est pas de cet avis, ajouta-t-elle, furieuse. *Môssieur* Jordan a décrété que l'étalon ne convenait pas à une femme.

— Vraiment ? Pas même à moi ? s'enquit Caroline, amusée.

— Oh, vous, c'est différent. À son avis, aucune femme ne peut se comparer à vous. Aucune *femme* ! Autrement dit, vous êtes la meilleure parmi les plus

1. Race de cheval originaire d'Amérique du Nord, à la robe mouchetée. *(N.d.T.)*

faibles. À ses yeux, les hommes constituent sans aucun doute une race supérieure !

— Oui, sûrement, s'esclaffa Caroline.

— Et ça vous fait rire ?

— J'ai l'habitude. Bill King pense la même chose.

— Bravo ! À ce que je vois, les féministes pullulent, ici, grommela Samantha en tentant de se lever sans trop tirer sur ses muscles fourbus. Si demain j'arrive à extorquer un meilleur cheval à votre terreur, ce sera une grande victoire pour le MLF... Rappelez-moi le nom de l'appaloosa ?

— Navajo. Dites bien à Tate Jordan que c'est moi qui l'ai demandé.

— Je n'y manquerai pas.

Samantha quitta le salon d'un pas aussi ferme que possible. Et peu après, en se préparant pour le dîner dans sa chambre, elle réalisa que, pour la première fois depuis des mois, elle ne s'était pas précipitée devant un poste de télévision pour regarder le bulletin d'information de John et de Liz. Comme si, en quittant New York, elle y avait laissé ses obsessions. Comme si elle avait été parachutée dans un autre temps, un autre univers. Une planète inconnue peuplée de rosses comme Rusty et d'étalons. Ici, son problème consistait à prouver à un cow-boy tyrannique qu'elle était capable de dominer un pur-sang comme Black Beauty...

En se couchant, ce soir-là, et en se remémorant brièvement cette journée si extraordinaire dans sa simplicité, elle se sentit envahie par un bien-être étrange. Tandis qu'elle sombrait doucement dans un sommeil paisible, des pas feutrés retentirent, puis il y eut un rire étouffé, suivi du claquement familier de la porte située au bout du couloir obscur...

5

Le réveil fut un calvaire. Samantha mit un pied hors du lit en gémissant. Elle tituba, chancelante, jusque sous la douche où, pendant un bon quart d'heure, elle laissa le jet chaud ruisseler sur ses membres perclus de courbatures. Ses genoux étaient à vif. En s'habillant, elle prit soin d'entourer ses cuisses de bandes de gaze, avant d'enfiler son jean avec mille précautions... La pluie s'était arrêtée, constata-t-elle, en guise de consolation. À travers la vitre, les dernières étoiles clignotaient au firmament, dans la nuit pâlissante. Ce fut d'un pas beaucoup plus décidé, quoique douloureux, qu'elle fit son entrée dans la salle commune. Son premier geste fut d'accrocher d'un air assuré sa veste à une patère. Sans la moindre hésitation, elle se dirigea vers la machine à café, dans la cuisine. Une tasse pleine à la main, elle regagna la salle bien remplie. Josh avait pris place à l'une des tables. Elle lui adressa un signe amical.

— En forme ? sourit-il.

— Heureusement que nous montons à cheval aujourd'hui, chuchota-t-elle, malicieuse, en s'asseyant près de lui.

— Ah... pourquoi donc ?

— Parce que je serais bien incapable de marcher.

Josh et ses deux voisins de table pouffèrent, après quoi ils se répandirent en compliments.

— Vous êtes bonne cavalière, mademoiselle Taylor.

Et ils n'avaient encore rien vu !

— Je l'étais autrefois.

— Et vous le restez, assura Josh. Quand on a une bonne assiette, c'est pour la vie. Allez-vous à nouveau monter Rusty ?

— On verra. À vrai dire, je ne crois pas.

Josh non plus ne le croyait pas. Sam ne chevaucherait pas longtemps cette vieille rosse. Pas après avoir contemplé Black Beauty. La flamme qui s'était mise à danser à cet instant au fond de ses prunelles en disait long sur ses intentions.

— Eh bien, comment avez-vous trouvé notre vedette ?

— Black Beauty ? (Rien que de prononcer ce nom, elle se sentit pousser des ailes.) C'est le plus bel étalon que j'aie jamais vu.

— Pensez-vous que miss Caroline vous laissera le monter ?

— J'ai bon espoir de la convaincre. En tout cas, j'essaierai, faites-moi confiance.

Sur ce, elle se leva pour chercher un plateau de petit déjeuner. Lorsqu'elle revint, avec des saucisses, des céréales et des œufs au plat, les deux hommes avaient disparu et Josh avait remis son chapeau.

— Vous sortez déjà, Josh ?

— J'ai promis à Tate de lui donner un coup de main à l'écurie.

Vingt minutes plus tard, en arrivant à l'écurie, Sam n'en menait pas large. À présent, elle allait devoir annoncer au « tyran » qu'elle avait reçu l'autorisation de troquer Rusty contre un appaloosa. En tout cas, une chose était certaine : si Caroline consentait à lui prêter Navajo, c'est que celui-ci allait lui plaire...

Deux palefreniers la saluèrent avec un respect inattendu. C'était nouveau, ça... On aurait dit qu'ils lui étaient moins hostiles. Un soupir de soulagement gonfla sa poitrine. Sans doute, sa performance de la veille l'avait-elle rendue plus sympathique à leurs yeux. Si cela continuait, elle parviendrait peut-être à s'intégrer à leur groupe. Si elle devait passer les trois mois à venir au ranch, c'était important... oui. La chance tournait... Hier, elle avait déjà attiré le regard admiratif d'un jeune cow-boy quand, au terme de l'interminable chevauchée sous la pluie, elle avait défait son catogan et secoué sa luxuriante chevelure platinée...

— Bonjour, mademoiselle Taylor.

La voix sèche de Tate Jordan la tira de sa rêverie. Dès qu'elle le vit, elle sut qu'elle tiendrait bon. Qu'elle ne se laisserait pas intimider, au point d'accepter de monter une bourrique sous prétexte que c'était lui qui commandait. Non, rien, aucun propos hautain, aucune attitude désagréable, ne l'empêcherait de parler.

— Fatiguée ?

— Non.

Avouer que chacun de ses muscles protestait était hors de question. D'ailleurs pour qui se prenait-il, le brillant second du ranch Lord ? À sa façon de la toiser, on le devinait arrogant, imbu de son pouvoir, bourré de préjugés. En un mot, détestable ! Et dire qu'un jour il prendrait la place de Bill King, se dit-elle, écœurée. Il n'en avait certainement pas l'envergure. Ni l'intelligence, la gentillesse et la générosité.

— Dites, monsieur Jordan...

— Oui ? fit-il en chargeant une selle sur son épaule carrée.

— Toute réflexion faite, je crois que j'essaierai un autre cheval aujourd'hui.

— Lequel ?

Si elle s'était écoutée elle aurait lancé : « Black Beauty », uniquement pour voir la tête qu'il ferait. Mais mieux valait ne pas tenter le diable.

— Caroline m'a recommandé Navajo.

Il eut l'air agacé. Pendant une fraction de seconde, il parut sur le point de refuser, puis il tourna les talons en lui faisant part, d'un signe, de son consentement. Elle le regarda s'éloigner, en proie à une rage froide. Au nom du ciel, pourquoi avait-elle besoin de sa permission ? Son irritation fut de courte durée. Devant Navajo, son cœur se mit à battre la chamade. C'était un cheval fin, à la robe chocolat mouchetée de taches blanches, qui se montra docile pendant que sa cavalière le harnachait et le sanglait. Mais, une fois en selle, elle comprit qu'elle aurait fort à faire. Navajo n'était pas Rusty. C'était une bête nerveuse et sensible à l'excès. Elle dut tirer sur la bride pour le retenir, alors qu'il se cabrait. Il lui fallut près de cinq minutes pour l'amener hors de l'écurie.

Aujourd'hui encore, elle faisait partie du même groupe. Alors qu'ils galopaient vers les collines, elle croisa le regard désapprobateur de Tate Jordan.

— Vous y arrivez, mademoiselle Taylor ?

Il se mit à sa hauteur, en observant de près chacune de ses manœuvres, et Samantha refoula une furieuse envie de le frapper.

— Je me débrouille, monsieur Jordan.

— Vous seriez mieux sur Lady.

Elle serra les dents, sans répondre.

Une demi-heure plus tard, ils étaient en rase campagne, à la recherche des vaches égarées, vérifiant au passage l'état des barrières. Ils découvrirent une génisse malade qu'il fallut attraper au lasso, avant que deux des hommes la reconduisent au ranch. Au moment du déjeuner, ils avaient déjà abattu six heures de dur labeur. Ils firent halte au milieu d'une clairière où ils s'assirent en rond, après avoir attaché leurs montures aux arbres les plus proches. Jordan procéda à la rituelle distribution des sandwiches et des thermos de soupe et de café. Peu de propos furent échangés, mais l'atmosphère paraissait plus détendue. Reconnaissante de ce moment de répit, paupières closes, le visage levé vers le pâle soleil hivernal, Samantha se laissa aller à ses rêveries habituelles.

— Vous devez être épuisée.

Encore cette voix, désormais familière. Elle rouvrit les yeux.

— Eh non ! Je profite simplement du soleil. Ça vous ennuie ?

— Mais pas du tout, fit-il avec un sourire nonchalant. Est-ce que Navajo vous plaît ?

— Énormément... pas autant que Black Beauty cependant, répondit-elle, cédant à une brusque envie de le narguer.

Évidemment, il tomba dans le piège.

— Je vous conseille d'éviter de le monter. Je n'ai aucune envie de vous voir mordre la poussière, ce serait bien dommage. Cet étalon est vicieux. Peu de personnes de ma connaissance sont capables d'en venir à bout. Même miss Lord doit faire attention... En tout cas, il ne convient guère à quelqu'un qui monte irrégulièrement, comme vous.

Il avait adopté un ton paternel. Elle le regarda froidement.

— Et vous, au fait, l'avez-vous chevauché ? demanda-t-elle sans chercher à dissimuler son agacement.

— Une seule fois.

— Comment l'avez-vous trouvé ?

— C'est une bête magnifique, il n'y a aucun doute là-dessus, dit-il, et une lueur amusée illumina un instant ses yeux verts. Rien à voir avec Navajo, ajouta-t-il, avec l'air d'insinuer qu'elle ne méritait pas mieux. Il vous a donné du fil à retordre au début, n'est-ce pas ?

Elle haussa un sourcil, faussement surprise.

— Et vous avez eu peur que je ne m'en sorte pas ?

— Je me suis inquiété pour vous, c'est vrai. Après tout, vous êtes sous ma responsabilité.

— Rassurez-vous, cela m'étonnerait que miss Lord vous rende responsable de ce qui pourrait m'arriver à cheval. Elle me connaît trop bien.

— Que voulez-vous dire ?

— Que je n'ai pas l'habitude de monter de vieilles rosses comme Rusty.

— Mais des pur-sang comme Black Beauty, probablement.

Cette jolie blonde frimait, il en était sûr. Ni Caroline ni Bill ne la laisseraient jamais enfourcher le pur-sang. C'était une entreprise trop périlleuse. Lui-même ne leur avait arraché leur consentement qu'une seule fois... Il la vit acquiescer avec ferveur.

— Oui. Et j'y arriverai, j'en ai la conviction, affirma-t-elle d'une voix étrangement calme.

Il parut presque amusé.

— Vraiment? Qu'est-ce qui vous rend si sûre de vous?

— Je sais ce que je vaux sur un cheval. Je sais ce que je fais et quels risques je peux prendre. Je monte depuis l'âge de cinq ans.

— Tous les jours? questionna-t-il perfidement. À New York aussi?

— Non, bien sûr. Pas à New York.

Il lui suffirait de convaincre Caroline. Elle s'y appliquerait. À son ardent désir d'enfourcher le pur-sang se mêlait dorénavant l'envie de clouer le bec à cet impertinent. Pour l'instant, il semblait croire qu'il avait eu le dernier mot. Comme à son habitude, il mit fin à leur entretien en la plantant là, subitement, sous prétexte de donner le signal du départ. Ils reprirent la route. Le reste de l'après-midi s'écoula en tâches diverses: inspecter d'autres barrières, ramener au bercail un troupeau de génisses qui s'étaient aventurées jusqu'aux confins de la propriété. Le crépuscule embrasait le ciel lorsqu'ils rentrèrent. De nouveau, Samantha se demanda si elle réussirait à mettre pied à terre. Comme la veille, Josh l'attendait devant la porte de l'écurie. Il lui tendit un bras secourable. Un gémissement lui échappa, alors qu'elle balançait la jambe par-dessus sa monture.

— Allez-vous pouvoir marcher?

— J'en doute.

Il l'aida à descendre de cheval, l'accompagna jusqu'à la stalle, puis resta là à l'observer, alors qu'elle rangeait péniblement la selle et bouchonnait Navajo.

— Comment ça s'est passé?

— Pas trop mal.

Sans même s'en rendre compte elle commençait à adopter le langage laconique des cow-boys. Seul Jordan s'exprimait autrement et encore, seulement lorsqu'il s'adressait à elle. « Il a de l'éducation », avait dit Josh. Elle s'en était aperçue lors de leurs brefs échanges. En fait, Tate se comportait, vis-à-vis d'elle, comme Bill King vis-à-vis de Caroline. Cette constatation incongrue fit monter le rouge à son front. Quelle idée ! Bill King et Tate Jordan étaient aussi éloignés l'un de l'autre que le jour et la nuit.

— New York est loin, pas vrai, Sam ?

Elle se tourna vers son vieux copain, qui grimaçait gentiment.

— C'est sûr ! Mais c'est bien pour ça que je suis venue ici...

Josh hocha la tête en signe d'assentiment. Il ne savait pas quelle raison l'avait poussée à venir. Mais ce dont il était sûr, c'est qu'il n'y avait rien de tel qu'un ranch pour échapper aux idées noires... L'exercice physique et l'air pur vous guérissaient de tous vos tracas. Ici, après une journée éreintante, on n'était pas tourmenté par l'insomnie. Car, au ranch, les soucis se résumaient à peu de choses : savoir si votre cheval avait besoin d'être ferré ou si ses sabots étaient bien graissés, faire entrer les vaches et les chèvres dans les étables, aller tous les matins jeter un coup d'œil aux clôtures. Le reste allait de soi. On respirait au rythme de la nature. Les jours se succédaient paisiblement. La vie était simple et pourtant chargée de sens. C'était une bonne vie, la seule que Josh connaissait et il n'en voulait pas d'autre. Il avait déjà vu certains de ses compagnons partir tenter leur chance ailleurs. Ils étaient toujours revenus. À son avis, Samantha avait agi pour le mieux. Peu importait ce qu'elle fuyait, elle avait choisi le meilleur refuge. À preuve les cernes qu'il avait remarqués sous ses yeux hier semblaient moins marqués aujourd'hui...

En sortant, ils passèrent devant le box de Black Beauty. Samantha ne put s'empêcher de s'arrêter. Du plat de la main, elle flatta la robe de velours noir de l'étalon.

— Salut, toi, murmura-t-elle d'une voix douce.

En guise de réponse, comme s'il la reconnaissait, le pur-sang émit un petit hennissement joyeux. Elle le contempla longuement, avec l'impression de le voir pour la première fois. Ensorcelée par sa beauté. Lorsqu'elle laissa Josh à la barrière, une drôle de petite lueur brillait dans ses yeux. D'un pas que ses courbatures rendaient incertain, elle rentra à la maison, où Bill et Caroline étaient en grande conversation. En la voyant, ils s'interrompirent.

— Oh, pardon... Je vous dérange ?

Tous deux secouèrent la tête.

— Bien sûr que non, ma chérie, dit Caroline en l'embrassant.

Bill King ramassa son chapeau et se leva.

— Mesdames, à demain.

Il sortit rapidement. Avec un soupir, Samantha se laissa tomber sur le canapé, près de Caroline.

— Dure journée ? s'enquit celle-ci. Pas trop fatiguée ?

Elle-même n'avait pas monté depuis une semaine. Et elle n'était pas près de pouvoir le faire. La comptabilité l'accaparait totalement. Elle et Bill avaient encore une montagne de papiers à trier. Black Beauty lui manquait cruellement, mais elle allait devoir patienter au moins une quinzaine de jours.

— Fatiguée ? s'exclama Samantha. Vous voulez rire ! Après des années entières assise sur une chaise de bureau ? Je ne suis pas fatiguée, je suis *morte* ! Une chance que Josh soit là pour m'aider à descendre de mon cheval, sinon je dormirais dans l'écurie.

— C'est à ce point ?

— Pire encore !

La domestique mexicaine mit fin à leur hilarité en annonçant que le dîner était servi.

— Mmm, qu'est-ce que c'est ? demanda Samantha, sur le chemin de la cuisine alors que ses narines étaient agréablement chatouillées par un fumet exotique.

— Un menu mexicain : *enchiladas, chiles rellenos, tamales*... Mes plats préférés. J'espère que vous apprécierez.

— N'ayez crainte, après une journée pareille, je pourrais avaler n'importe quoi. Pourvu qu'un lit douillet et un bain chaud m'attendent à la fin du repas.

— Comme je vous comprends. Mais à part cela, comment cela s'est-il passé ? Tout le monde s'est montré aimable, j'espère.

— Tout à fait.

Une infime hésitation dans sa voix alerta Caroline.

— Excepté ?

— Personne. Je ne crois pas que Tate Jordan deviendra mon meilleur ami, mais il est parfaitement poli... À ceci près qu'il n'a pas l'air de porter une grande estime aux « cavaliers d'occasion », comme il dit...

— Cela ne me surprend pas. Tate est un curieux personnage. D'une certaine manière, il se conduit comme un propriétaire de ranch, tout en étant absolument satisfait de son emploi de simple cow-boy... de vrai cow-boy, comme il n'y en a plus beaucoup... Il prendra certainement la place de Bill un jour. S'il reste.

— Pourquoi ne resterait-il pas ? Ici, il a la belle vie. Vous avez toujours été d'une grande générosité vis-à-vis de vos employés, Caroline.

— C'est vrai. Mais je ne suis pas sûre que cela compte beaucoup à leurs yeux. Ce sont de drôles d'oiseaux. La fierté et l'honneur passent avant tout. Ils sont capables de rester à votre service, parce qu'ils se sentent redevables de quelque chose ou parce qu'ils vous admirent pour une raison qui vous échappe. Et ils peuvent vous quitter du jour au lendemain pour des raisons tout aussi obscures. Ils sont imprévisibles. Tous. Même Bill.

— Ça doit être dur de diriger un ranch dans ces conditions.

— C'est intéressant, sourit Caroline. Passionnant, même... Sam, quelque chose ne va pas ?

La jeune femme leva les yeux du bracelet-montre qu'elle était en train de consulter fébrilement.

— Comment ? Non, tout va bien. Il est six heures, c'est tout.

— L'heure des informations... Est-ce que vous les regardez tous les soirs ?

Les traits fins de Samantha se crispèrent de chagrin.

— J'essaie de résister. Mais je n'y arrive pas.

— Voulez-vous les regarder maintenant ?

— Non, absolument pas.

— Je pourrais demander à Lucia-Maria d'apporter le poste de télévision ici. Rien de plus simple.

— Non, sans façon. Il faudra bien que j'arrête un jour. Même si, pour le moment, je ressemble à une droguée en manque !

— Désirez-vous quelque chose pour vous aider à combler le manque ? Un apéritif ? Une émission sur une autre chaîne ? Des bonbons ? Quelques kleenex à mettre en pièces ?

Samantha éclata de rire.

— Non, merci. Rien de tout ça. Pourtant, il y a bien quelque chose...

Elle se tut. Dans la douce lumière orangée, son visage encadré de la somptueuse chevelure platine sembla tout à coup plus jeune. Elle ressemblait à une adolescente sur le point de supplier sa mère de lui prêter son manteau de vison pour la soirée. Son regard implorant chercha celui de son hôtesse.

— En fait, balbutia-t-elle, j'ai une faveur à vous demander.

— Laquelle ? Je ne vois pas ce que je pourrais vous refuser.

— Moi si.

— Quoi par exemple ?

Dans un souffle, Samantha chuchota le nom magique.

— Black Beauty.

L'expression songeuse de Caroline se transforma en une moue amusée.

— C'était donc ça !

— Tante Caro, dites oui, je vous en prie.

— Oui à quoi ?

Caroline s'enfonça dans son siège, l'air taquin.

Mais quand Samantha avait quelque chose en tête, elle ne renonçait pas facilement.

— Laissez-moi le monter.

Pendant un instant, son hôtesse garda le silence. Visiblement, elle était en proie à un combat intérieur. Enfin, elle fixa sa protégée.

— Ne vous précipitez pas, Sam. Vous sentez-vous prête ?

« Lorsqu'on a une bonne assiette, c'est pour la vie », avait décrété Josh.

— Je suis prête.

Caroline acquiesça de la tête. Elle et Bill avaient observé Samantha par la baie vitrée du salon. Et tous deux l'avaient trouvée époustouflante. Elle avait les chevaux dans le sang. Elle montait tout naturellement, comme d'autres marchent... Oubliant complètement le dîner qui refroidissait devant elles, la maîtresse du ranch pencha la tête sur le côté.

— Pourquoi voulez-vous le monter ?

Le regard de Samantha devint lointain. Elle ne songeait plus à son ex-mari, pas plus qu'à sa nouvelle épouse, pas loin d'accoucher. Tout ce qu'elle voulait, c'était sentir l'impétueux étalon noir, le sentir onduler sous elle, pendant que, soudés l'un à l'autre, ils galoperaient contre le vent, dans la lumière diaprée. Lorsqu'elle prit enfin la parole, sa voix était tremblante d'émotion.

— Je ne sais pas exactement. Mais c'est plus fort que moi...

Son regard se planta, honnête et droit, dans celui de Caroline, et un sourire illumina son visage.

— Il *faut* que je le monte. Ce cheval a quelque chose... quelque chose de...

Elle s'interrompit, incapable d'en dire plus.

— De fascinant, conclut Caroline à sa place. Je le sais. J'ai ressenti la même chose. J'ai fait des pieds et des mains pour l'avoir. Même si c'est une pure folie pour une femme de mon âge.

Un long regard les unit. Une fois de plus, Samantha se sentit parfaitement comprise. Le lien inaltérable qui s'était forgé entre elles des années auparavant était intact.

— Alors ? demanda-t-elle d'une voix pleine d'espoir.

— Allez-y, sourit Caroline. Montez-le.

Samantha en perdit le souffle.

— Quand ? parvint-elle à articuler.

— Demain, si vous voulez.

6

Les courbatures la réveillèrent avant l'aube. Pendant un instant, elle ne sentit que le tiraillement de ses muscles, puis, comme un éblouissement, le souvenir de sa conversation avec Caroline balaya la douleur. Oubliant sa souffrance Samantha bondit vers la salle de bains. Aujourd'hui, elle se passerait de petit déjeuner. Une bonne tasse de café préparé à la hâte dans la cuisine de Caroline suffirait amplement, après quoi elle se précipiterait aux écuries. Cette seule pensée la fit tressaillir. L'image radieuse de l'étalon noir jaillit dans son esprit.

Ses yeux brillaient d'un éclat particulier lorsque, peu après, elle traversa la cour à grandes enjambées. Elle ne courait pas, elle volait.

À part deux garçons d'écurie qui bavardaient dans

un coin, il n'y avait personne. Il était trop tôt encore. Les autres devaient se régaler de bacon et de saucisses grillées dans la vaste salle commune, en évoquant tranquillement les rares nouvelles locales. Doucement, presque furtivement, elle saisit la selle de Black Beauty et s'avança vers son box. Les deux jeunes gens s'étaient tus brusquement et la suivaient d'un regard stupéfait. De la tête, elle leur adressa une salutation muette, avant de se glisser dans la stalle. À son approche, l'étalon s'agita nerveusement et bougea les oreilles, signe indéniable d'inquiétude. Elle se mit à lui parler à mi-voix tout en laissant ses mains courir le long de son encolure et de ses flancs puissants. Il fit un écart, recula en grattant le sol d'un de ses sabots, puis dressa la tête pour humer l'odeur de l'intruse. Quelques minutes plus tard, se sentant enfin adoptée, elle lui passa la bride et le tira doucement hors du box. Alors qu'elle s'apprêtait à le seller, l'un des garçons d'écurie — un ami de Josh, si sa mémoire était bonne — l'aborda.

— Excusez-moi...

— Oui ? Qu'y a-t-il ?

— Est-ce que vous... euh... c'est-à-dire...

Il butait sur les mots et triturait son chapeau entre ses doigts gourds. Trop embarrassé pour oser lui dire que personne n'avait le droit de toucher à ce cheval. Samantha lui adressa son sourire le plus enjôleur, ce qui acheva de le troubler. Elle était ravissante, aujourd'hui, avec ses cheveux flottant dans le dos, ses yeux fiévreux, son visage rosi par le froid de décembre. Auprès de l'étalon noir, délicate et menue, elle faisait penser à un palomino.

— Tout va bien, déclara-t-elle, devançant l'objection. J'ai la permission de miss Lord.

— Et Tate Jordan ? Est-il au courant ?

— Non, rétorqua-t-elle fermement, la tête haute. Non, il ne l'est pas. Et pourquoi le serait-il ? Black Beauty n'appartient-il pas à miss Caroline ?

L'homme ne put qu'incliner la tête.

— Vous voyez ? Il n'y a pas de problème.

Encore hésitant, son vis-à-vis fronça les sourcils.

— Puisque vous le dites... Mais... vous n'avez pas peur ? Cet animal est drôlement fougueux !

— Je l'espère bien.

Elle regarda les jambes nerveuses de sa monture avec un plaisir anticipé. D'un geste ferme et précis, elle cala la selle sur le dos de l'étalon, qui fit aussitôt un écart. Pourtant, comparée aux énormes selles qu'on utilisait au ranch, la selle anglaise, spécialement achetée par Caroline pour Black Beauty, était légère comme une plume. Tandis qu'elle descendait la sangle, Samantha effleura le cuir satiné du quartier. Elle avait grand plaisir à retrouver ce genre de selle. Et Black Beauty était bien le plus beau pur-sang qu'elle avait jamais vu. L'un de ces chevaux qu'un cavalier ne rencontre qu'une seule fois dans sa vie... Elle avait tellement hâte de le chevaucher...

Elle sut pourtant faire taire son impatience et plusieurs minutes s'écoulèrent avant qu'elle resserre la sangle. Alors, l'un des deux cow-boys s'approcha pour l'aider à mettre le pied à l'étrier. Sous le poids de sa cavalière, Black Beauty se mit à ruer, mais elle ajusta les rênes, le forçant à se diriger vers la sortie. Ayant salué brièvement les deux palefreniers d'un signe de tête, elle franchit la porte de l'écurie. En traversant la cour principale, elle eut toutes les peines du monde à retenir sa monture, qui faisait écart sur écart. Mais une fois le portail passé, elle lui permit de prendre le trot, lequel se mua peu après en galop, tandis qu'ils se lançaient à travers champs.

L'aube striait le ciel de ses premières lueurs. Alentour, le paysage baignait dans une clarté laiteuse, qui virait tout doucement à l'or fondu. Une belle journée s'annonçait. En chevauchant ce cheval magnifique, Samantha se sentit inondée par un bien-être indicible. L'étalon fendait littéralement l'air cristallin. Ils ne formaient plus qu'un seul et même être, qui semblait survoler la prairie ondoyante. Une véritable ivresse s'empara de Samantha. Elle ressentait une sensation de plénitude fabuleuse. De sa vie, elle n'avait été aussi libre, aussi heureuse...

Plusieurs minutes s'écoulèrent avant que la réalité s'impose de nouveau à elle. Elle devait rentrer au ranch, retrouver les cow-boys, prendre sa part des corvées du jour. À contrecœur, elle ralentit l'allure et tourna la bride pour changer de direction. Mais arrivée à cinq cents mètres du portail elle ne put résister à la tentation de faire sauter le splendide étalon par-dessus l'eau bouillonnante d'un ruisseau. Il s'exécuta avec une légèreté qui contrastait d'une manière surprenante avec sa taille gigantesque. Elle se félicitait mentalement de sa performance lorsqu'elle l'aperçut. Monté sur son beau pinto noir et blanc, Tate Jordan la fixait intensément. Elle tira sur les rênes.

— Bonjour ! cria-t-elle de loin. Avez-vous envie de vous joindre à nous ?

Elle jubilait comme une enfant à qui l'on vient d'offrir son cadeau de Noël. Leurs regards se croisèrent, telles deux épées bien effilées.

— Que diable faites-vous sur ce cheval ?

— Caroline m'a donné l'autorisation de le monter.

Elle se rappelait chacune des phrases qu'il avait prononcées la veille et se délectait de sa victoire. Tate Jordan se renfrogna. À coups d'éperon, il lança sa monture vers celle de Samantha.

— Où vous croyez-vous ? Dans un cirque ? Les cailloux sont glissants sur la berge. Il aurait pu faire un faux pas en sautant, et se casser une jambe.

Sa voix forte résonnait dans le silence de la prairie. Samantha lui lança un coup d'œil irrité.

— Je sais ce que je fais, Jordan.

— Permettez-moi d'en douter, fulmina-t-il, les lèvres pincées à en être blanches. En fait, tout ce que vous savez faire, c'est vous donner en spectacle. Au risque de provoquer la mort d'un cheval. Et la vôtre, par la même occasion.

Elle retint un cri de colère.
— Vous feriez mieux, vous, peut-être ?
— Moi, j'aurais eu la sagesse de ne pas essayer. La place d'un cheval comme celui-ci est sur un champ de courses. Pas dans un ranch. Il ne devrait pas être monté par vous, ni par moi, ni par miss Caroline, d'ailleurs, mais par des gens dont c'est le métier.
— Je vous répète que je sais ce que je fais ! hurla-t-elle d'une voix qui dérapa dans les aigus.
Sans prévenir, il saisit la bride de Black Beauty. Et, presque aussitôt, leurs deux chevaux s'immobilisèrent.
— Et moi, je vous répète que vous n'avez pas à monter ce cheval. Vous allez le blesser et vous rompre le cou, par-dessus le marché.
— Ah oui ? Jusqu'ici, rien de tout cela n'est arrivé !
— Eh bien, c'est pour la prochaine fois !
Elle le fusilla du regard.
— Avouez plutôt que vous ne pouvez pas supporter qu'une femme monte aussi bien que vous. Ça vous ennuie, n'est-ce pas ?
— Et comment donc ! On vient de la ville pour jouer les cow-girls pendant une semaine, et on se croit tout permis. Y compris de parader sur un pur-sang en prenant des risques inadmissibles sur un terrain qu'on ne connaît pas... Bon sang, mais pourquoi les gens comme vous ne restent-ils pas à leur place ? Car votre place n'est pas ici, mademoiselle Taylor. Vous n'auriez pas dû venir au ranch. Vous m'avez compris ?
— Parfaitement. Laissez-moi tranquille, maintenant.
Il lâcha les rênes de Black Beauty et s'éloigna au galop.
La tête basse, les joues enflammées, Samantha prit le chemin du retour. Les durs propos de Tate Jordan l'avaient touchée au vif. Son amour-propre ne s'en relèverait pas de sitôt. Même si elle jugeait inadmissible sa tirade haineuse, elle devait admettre, à son

grand dépit, qu'il avait raison sur deux points. Elle n'aurait pas dû sauter le ruisseau, ni prendre des risques sur un terrain presque inconnu. Elle se sentait d'autant plus coupable qu'elle avait pris un plaisir intense à chevaucher cet étalon plus rapide que le vent.

En voyant les hommes se rassembler dans la cour, elle se dépêcha de rentrer. Elle avait l'intention de ramener Black Beauty dans son box, de le bouchonner, et de le recouvrir d'un plaid jusqu'à son retour. Mais naturellement, Tate Jordan l'avait devancée. Il était posté devant l'écurie. Livide, ses yeux verts étincelant de colère, il paraissait plus grand encore. Et il était beau — bien plus beau que n'importe quel top-model déguisé en cow-boy pour une revue de mode. L'espace d'une seconde, une idée saugrenue traversa l'esprit de Samantha. C'était l'homme qu'il lui fallait pour la fameuse campagne de publicité qu'elle avait dû laisser en plan ! Mais ce n'était pas un film publicitaire… et ils n'étaient pas à New York.

— Qu'allez-vous faire exactement avec ce cheval ? Sa voix était basse et rauque.

— Le bouchonner et le couvrir.

— C'est tout ?

— Écoutez, dit-elle en rougissant jusqu'à la racine des cheveux, je m'occuperai du reste à mon retour.

— Quand ça ? Dans douze heures ? Il n'en est pas question, *mademoiselle* Taylor. Quand on a la prétention de se servir d'un pur-sang, il faut en assumer les conséquences. Faites-le marcher, afin qu'il se rafraîchisse, et bouchonnez-le ensuite. Je ne veux pas vous voir dehors avant au moins une heure, est-ce clair ?

Une impérieuse envie de le gifler submergea Samantha. Quel type imbuvable ! Et le pire, c'était qu'il avait entièrement raison…

— D'accord, grommela-t-elle.

— C'est sûr ?

— Mais oui… oh, et puis flûte ! Oui !

Elle descendit de cheval, se détourna. Elle s'apprêtait à rentrer dans l'écurie, quand elle pensa à lui demander :

— Au fait, où serez-vous dans une heure ?

— Je ne sais pas. Vous n'aurez qu'à nous chercher.

Il s'en était retourné vers son cheval et était déjà en selle, prêt à repartir.

— Où ça ? cria-t-elle.

— Faites le tour de la propriété au galop. Vous êtes sûre de tomber sur nous à un moment ou à un autre, déclara-t-il avec un sourire sarcastique.

Samantha serra les poings. À cet instant elle regrettait amèrement de ne pas être un homme pour flanquer une bonne correction à cet odieux personnage, qui d'ailleurs avait déjà disparu...

Elle erra pendant deux longues heures dans le domaine avant de les retrouver. Elle tourna interminablement en rond, essayant vainement de découvrir une piste, persuadée que le perfide Tate Jordan avait choisi un endroit impossible à repérer. Mais elle avait pourtant continué de les chercher dans l'air glacé de décembre. Lorsque, enfin, elle tomba sur son groupe, il l'accueillit avec son ironie coutumière.

— Avez-vous fait une bonne promenade ?

— Excellente, merci.

Au fond, Samantha n'était pas mécontente. L'impression d'avoir vaincu l'adversité supplanta sa déconvenue. Elle avait malgré tout réussi à les rejoindre. Sans un mot, elle se jeta à corps perdu dans le travail, soutenue par cette revigorante sensation de victoire. Dans les broussailles, ils découvrirent un veau nouveau-né dont la mère était morte quelques heures plus tôt, et Sam aida les cow-boys à le transporter dans une couverture. L'un des hommes hissa la civière improvisée sur le devant de sa selle et partit d'un bon pas en direction de l'étable, dans l'espoir d'y trouver une mère adoptive. Une demi-heure plus tard, Samantha repéra un second veau, encore plus petit et chétif que le premier. Elle le prit dans ses bras, puis fabriqua une litière avec la couverture de Navajo. Et, sans attendre les instructions, elle prit au galop la route du ranch.

— Allez-vous pouvoir vous débrouiller toute seule ?

Elle leva les yeux, étonnée. Tate Jordan l'avait rattrapée. Il chevauchait à ses côtés et elle se dit confusément que leurs chevaux, le pinto et l'appaloosa, formaient un beau couple.

— Oui, n'ayez crainte. À votre avis, survivra-t-il ? demanda-t-elle en posant un regard inquiet sur le jeune animal.

— Ça m'étonnerait, mais on peut toujours essayer de le tirer d'affaire, dit-il en tournant bride.

Samantha déposa le petit orphelin entre les mains expertes du vétérinaire du ranch. Mais ce dernier eut beau déployer toute sa science, la pauvre bête rendit l'âme une heure plus tard. Alors qu'elle se dirigeait vers Navajo qui l'attendait patiemment dehors, elle sentit les larmes lui monter aux yeux. Des larmes de révolte. Et de fureur. Pourquoi n'avait-on pu sauver ce pauvre petit animal ? Pourquoi certains êtres devaient-ils mourir si jeunes, comme ces veaux, que la mort fauchait sans pitié dans les collines, à l'orée même de la vie ? Pourquoi étaient-ils voués au cruel destin de mourir quelques heures seulement après leur mère ? Ils n'avaient pratiquement aucune chance de survivre au froid glacial de la nuit. Les hommes du ranch le savaient et ne s'en formalisaient pas. Samantha, elle, ne se résignait pas. D'une certaine manière, ces faibles petits nés en plein hiver symbolisaient les enfants qu'elle n'avait jamais eus, les bébés qu'elle ne pourrait jamais mettre au monde. Son chagrin décupla ses forces et sa détermination. Au cours de l'après-midi, elle réussit à dénicher trois autres veaux et les ramena au ranch à bride abattue, sous le regard respectueux des cow-boys. Ceux-ci étaient partagés entre l'étonnement et la crainte. Car une étrange majesté nimbait cette amazone qui semblait voler au ras des collines, penchée sur l'encolure de son cheval brun et blanc... Ils l'avaient tous aperçue sur Black Beauty, quelques heures plus tôt. Elle montait comme personne, mieux même que Caroline Lord.

Ce soir-là, tandis qu'ils rentraient tous au ranch, Samantha réalisa que l'atmosphère avait changé — ses compagnons commençaient à l'accepter. Tous, excepté un.

— Vous vous acharnez toujours comme ça sur les chevaux ?

C'était encore lui. Sous le chapeau noir, les yeux émeraude brillaient d'une lueur moqueuse. L'ombre d'une barbe naissante creusait ses joues Il était séduisant... Son allure virile devait lui attirer bien des regards féminins. Mais elle ne séduisait nullement Samantha, qui supportait très mal l'assurance dont Tate Jordan faisait preuve. Il paraissait si sûr de tout : de son monde, de ses subordonnés, de ses chevaux et, certainement, de ses femmes...

— Oui, quand c'est pour la bonne cause, répondit-elle.

— Et ce matin ?

Une fois de plus, il la poussait hors de ses gonds.

— C'était aussi pour la bonne cause.

— Vraiment ?

Elle se tourna pour le dévisager, soutint sans broncher son regard narquois.

— Oui, vraiment, assena-t-elle, excédée. Je me suis sentie libre. J'ai eu l'impression de revivre. Cela ne m'était pas arrivé depuis longtemps.

Il hocha la tête sans un mot avant de s'éclipser. Elle n'était pas sûre qu'il l'avait comprise. Ni même qu'il l'avait réellement écoutée.

7

— Vous ne prenez pas Black Beauty ce matin ?

Montée sur Navajo, Samantha cacha son agacement sous une fausse bonne humeur.

— Non, monsieur Jordan, je le laisse se reposer. Et vous ?

— Oh, moi, je ne monte pas de pur-sang, mademoiselle.

— Dommage. Cela vous rendrait peut-être plus aimable.

Il se contenta de rejoindre les autres cow-boys au trot, sans daigner lui répondre. Aujourd'hui, ils étaient plus nombreux dans la cour principale. Bill King et Caroline faisaient partie de l'expédition, mais Samantha n'eut guère le temps de les voir, trop accaparée par les lourdes tâches qui lui incombaient. Depuis la veille, le vent avait tourné en sa faveur. Son endurance, son acharnement à sauver les petits veaux abandonnés, tout comme son époustouflant talent de cavalière lui avaient acquis le cœur de ces hommes endurcis. Ce matin, ils l'avaient accueillie avec gentillesse, voire avec amitié, et maintenant leurs appels chaleureux retentissaient de toutes parts.

— Hello, Sam, donnez-moi un coup de main... Hé, Sam, qu'en dites-vous... Sam, venez voir.

Sam par-ci, Sam par-là... Terminées les formules de politesse et autres « mademoiselle Taylor ». Une franche camaraderie régnait dans la petite troupe. Rassérénée, la jeune femme ne ménagea pas ses efforts. Elle perdit bientôt la notion du temps. La journée fila à la vitesse de l'éclair. En début de soirée, elle se retrouva dans la confortable cuisine de Caroline qui, le repas terminé, servait le café dans des tasses en porcelaine blanche.

— Sam, vous êtes une fille épatante ! Quand je pense que vous pourriez être à New York, tranquillement assise derrière un bureau, à concevoir des films de pub exotiques, partagée entre les mondanités de Manhattan et votre appartement fabuleux ! Mais qu'est-ce qui vous a poussée à courir après des veaux en perdition et à réparer des clôtures, sous les ordres d'hommes qui n'ont même pas fini l'école primaire ?

Dans sa louangeuse tirade, Caroline avait pris bien soin de ne pas mentionner l'ex-mari de Sam, une vedette adulée des téléspectateurs américains...

— Justement, répondit Sam avec un sourire rayonnant, voilà des années que je n'ai pas mené une vie aussi excitante... J'espère d'ailleurs que j'aurai l'occasion de monter une ou deux fois encore Black Beauty avant la fin de mon séjour ici.

— À propos... il paraît que Tate Jordan n'a pas vraiment apprécié votre initiative.

— C'est moi que M. Jordan n'apprécie pas !

— Il a mal réagi parce que vous lui avez flanqué une frousse bleue.

— Arrogant comme il est, il en faudrait bien davantage pour lui faire peur.

— En tout cas, il vous tient pour bonne cavalière, ce qui dans sa bouche est un immense compliment.

— Il préférerait mourir plutôt que de l'admettre devant moi.

— Il est comme tous les cow-boys, ma chère ! Le ranch est leur monde, pas le nôtre. Une femme ne sera jamais qu'une citoyenne de second ordre à leurs yeux. Ce sont eux, les rois.

— Et ça ne vous dérange pas ? s'écria Samantha, exaspérée.

Caroline devint songeuse. Puis, une expression d'une ineffable douceur se peignit sur ses traits un peu fanés. Et elle murmura :

— Non. C'est même très bien ainsi.

Cet aveu exprimé à mi-voix permit à Samantha de

comprendre bien des choses. Caroline n'avait jamais vraiment dirigé le domaine. Certes, les cow-boys la respectaient mais dans leur esprit, elle ne serait jamais qu'une femme. C'était en réalité Bill King, le contremaître, qui était le véritable chef et Caroline, heureuse de se soumettre à sa force toute masculine, lui vouait une immense admiration. De son côté, semblable à l'éminence grise d'une souveraine sans défense, Bill King exerçait loyalement les pouvoirs qu'elle lui avait concédés. Telles étaient les lois immuables d'un univers archaïque — des lois que Caroline avait acceptées de bonne grâce mais que Samantha brûlait de transgresser.

— Quels sont vos sentiments à l'égard de Tate Jordan ?

La question abrupte de Caroline la tira de ses réflexions. Décontenancée, Samantha laissa échapper un rire où l'embarras se mêlait à la surprise.

— Je n'irais pas jusqu'à parler de sentiments... Je ne sais quoi vous dire... Il fait bien son travail, mais il a un caractère de chien. Mon Dieu, Caro, par moments il est franchement insupportable ! En plus, il me déteste. Je dois reconnaître qu'il est séduisant. Mais en même temps tellement distant...

Caroline hocha la tête. Elle avait pensé la même chose de Bill King, autrefois.

— Pourquoi cette question ? demanda Sam, intriguée.

— Oh, juste comme ça. Mais j'ai l'impression que vous vous trompez. En fait, il vous aime bien.

Elle lui avait dit cela aussi simplement que si elles avaient été deux jeunes filles se confiant l'une à l'autre.

— Ça m'étonnerait. Et de toute façon, je ne suis pas à la recherche d'un fiancé. J'ai suffisamment de mal à oublier mon mari. De plus, si je devais rencontrer l'âme sœur, ce ne serait certainement pas chez vous.

— Pourquoi pas ?

— Ces hommes me sont totalement étrangers. Et puis je suis venue ici pour travailler, tante Caro, pas pour jouer avec les cow-boys...

Son air sérieux déclencha l'hilarité de Caroline.

— C'est pourtant de cette façon que les choses commencent le plus souvent, ma chérie... Alors qu'on ne les attend pas...

Si, l'espace d'une seconde, la maîtresse du ranch avait été sur le point d'avouer son idylle avec Bill King, elle n'en fit rien. Comme pour couper court à une éventuelle confession, elle se leva et se mit à empiler les assiettes sales dans l'évier. Lucia-Maria était partie depuis longtemps. Les deux femmes étaient seules dans la grande demeure silencieuse. Samantha aurait voulu en savoir plus mais le moment privilégié, propice aux confidences, était déjà passé. Comme si, après avoir entrouvert une porte, Caroline l'avait laissée se refermer.

— Pour tout vous dire, Caro, je suis déjà amoureuse.

Stupéfaite, celle-ci suspendit son geste.

— Vraiment ?

— Vraiment !

— Et de qui donc, si ce n'est pas trop indiscret de vous le demander ?

— Mais de Black Beauty, évidemment.

Elles éclatèrent de rire avant de s'embrasser en se souhaitant une bonne nuit.

Seule dans sa chambre, Samantha se surprit à guetter le claquement désormais familier de la porte d'entrée. Elle était certaine, à présent, que Bill King se glissait subrepticement chaque nuit dans la maison, et dormait auprès de Caroline. Mais pourquoi ne s'étaient-ils pas mariés, depuis le temps ?... Leur amour était ancien, sans aucun doute. Peut-être Bill avait-il déjà une autre femme ? Puis, Samantha repensa à ce que son hôtesse lui avait dit à propos de Tate Jordan. Caroline la soupçonnait-elle vraiment d'être attirée par cet homme ? Elle le trouvait tout bêtement assommant... Bien sûr, il était beau. Mais d'une beauté trop parfaite, trop agressive, semblable à celle de certaines affiches publicitaires... Non. Tate Jordan n'était vraiment pas son type d'homme. Il était si sombre! Tandis que John Taylor lui... *John*! Les ondulations dorées de ses cheveux... Elle revit les muscles de sa poitrine et de ses bras, si merveilleusement lisses, ses yeux d'un bleu saphir... Comme elle l'avait aimé! Et comme ils avaient été heureux! *Infiniment* heureux. Jusqu'au jour où il était tombé amoureux de Liz Jones...

Du moins, depuis qu'elle était arrivée en Californie, une semaine auparavant, n'avait-elle pas allumé la télévision. Elle avait résisté à la fascination malsaine de voir Liz afficher son gros ventre sous le nez de plusieurs millions de téléspectateurs. Et, depuis sept jours, elle n'entendait plus la femme qui lui avait ravi John remercier ses fans pour « les adorables chaussons tricotés, les courtepointes au crochet, les barboteuses et les bonnets » qu'ils lui envoyaient par dizaines. Elle en aurait, de la layette, songea amèrement Samantha. Et bientôt ce serait Noël, son premier Noël sans John, depuis onze ans. Si elle survivait à ce Noël-là, elle pouvait espérer guérir. Oh, oui, elle survivrait! Grâce aux travaux du ranch, aux cow-boys et aux chevaux. Jour après jour, mois après mois, elle y arriverait... Elle sentit tout à coup le sommeil alourdir ses paupières. Et elle s'endormit.

Elle rêva. D'abord, elle vit les visages de Liz et de John, de Charlie et de Harvey. Puis, elle aperçut Caroline, dont les lèvres formulaient des mots inaudibles. Derrière elle, le vieux Josh riait aux éclats. Tout à coup, un homme aux cheveux sombres surgit. Il chevauchait un étalon noir au front marqué d'une étoile blanche, et elle, Samantha, montée à cru derrière lui, s'accrochait de toutes ses forces à sa taille mince, tandis qu'ils galopaient dans la nuit. D'où venaient-ils et où se dirigeaient-ils? Elle n'aurait pas su le dire. Mais de sa vie, elle n'avait éprouvé une telle confiance. Lorsque le réveil retentit, à quatre heures et demie du matin, Samantha ouvrit les yeux, reposée, étrangement sereine. Elle n'avait gardé qu'un très vague souvenir de son rêve.

8

Un peu avant midi, Tate Jordan déclara la journée terminée. Avec des hourras enthousiastes, les hommes prirent le chemin du retour. Flanquée de Josh et de deux autres cow-boys, Samantha suivit le mouvement. Les garçons taquinaient leur vieil ami, se gaussant de son épouse acariâtre. Puis Sam devint à son tour la cible de leurs plaisanteries. L'un prétendait que si elle était au ranch, c'était parce qu'elle avait fui un amant jaloux, l'autre décrétait que ses onze gamins l'avaient fichue dehors, dégoûtés par sa cuisine...

— Vous ne croyez pas si bien dire ! pouffa Sam, hilare.

L'heure était à la détente. Ce soir, lors de la veillée de Noël, les employés du ranch se réuniraient dans la salle commune autour d'un gigantesque sapin. Leurs femmes et leurs enfants seraient de la fête. Tous les ans, chacun d'eux retrouvait avec le même plaisir le sentiment d'appartenir à une grande famille.

— En fait, je suis la mère de quinze enfants illégitimes, reprit Samantha. Mais comme ils me rouaient de coups, j'ai pris la poudre d'escampette.

— Comment, Sam ? Vous n'avez pas de petit ami ? Un beau petit palomino comme vous ? lança le plus âgé des deux cow-boys.

Ils l'avaient surnommée Palomino, un sobriquet qui lui seyait à ravir : le soleil avait mis des reflets dorés dans son opulente crinière platine, son ravissant visage était hâlé. Et chaque jour qui passait, elle était un peu plus belle...

— Voyons, Sam, je ne pourrai jamais le croire! insista le vétéran.

— C'est pourtant vrai. Chacun de mes enfants a eu un père différent. Mais je suis si aigrie à présent que personne ne veut plus de moi, lança-t-elle en riant, alors qu'ils trottaient sur leurs montures en direction des écuries.

Voyant Josh la couver d'un regard attendri, le plus jeune des cavaliers se pencha vers lui pour demander:

— Toi qui la connais, Josh, est-ce qu'elles sont vraies, ces histoires? A-t-elle des enfants?

— Pas que je sache.

— Est-elle mariée?

— Plus maintenant.

Il n'en savait pas plus. Dans le doute, il s'en tint à cette réponse laconique.

— À mon avis, elle fuit quand même quelque chose, avança le jeune cow-boy, en rougissant jusqu'aux oreilles.

— Peut-être, admit Josh.

La conversation s'arrêta là. Aucun d'eux n'avait d'ailleurs envie de la poursuivre. Après tout, le passé de Sam ne les regardait pas. Ils aimaient les cancans, bien sûr, mais savaient se taire avant de devenir méchants. Au ranch, on ne s'épiait pas, on ne médisait pas. En fait, on parlait peu, et presque exclusivement des activités journalières. On chérissait la solitude, la sienne et celle des autres. Parmi ses compagnons bourrus, Samantha se sentait en sécurité, à l'abri des ragots. Ici, elle en était sûre, personne ne lui poserait de questions vraiment indiscrètes: où en étaient John et Liz, pourquoi elle n'avait pas eu d'enfant, comment elle appréhendait son existence de divorcée. « Dites, madame Taylor, quel effet ça vous a fait quand votre mari vous a quittée pour une autre femme ? » Elle avait entendu ça trop souvent, à New York. À présent, c'était terminé...

— À plus tard, cria-t-elle gaiement à l'adresse de Josh, avant de se diriger tranquillement vers la maison.

Elle comptait prendre une douche, se changer, et se rendre ensuite à la salle commune, afin de décorer le sapin.

Dans le salon, Caroline, les sourcils froncés, se penchait sur un livre de comptes. Samantha s'approcha d'elle sans bruit et lui effleura la pommette d'un baiser.

— Oh, mon Dieu, vous m'avez fait peur.

— Détendez-vous un peu. C'est Noël.

Un sourire chaleureux illumina les traits tirés de Caroline.

— Je dois ressembler à un vieux gnome.

— Pas encore. Attendez demain, quand le fantôme des Noëls passés viendra vous hanter.

— Et Dieu sait s'il y en a eu, des Noëls passés, soupira la maîtresse du ranch en repoussant le cahier d'une main lasse.

Son visage fatigué s'assombrit un instant, alors que dans sa mémoire affluaient les souvenirs éclatants de sa vie à Hollywood où, tant de fois, elle avait fêté Noël au milieu d'une faune extravagante, dans des décors exubérants.

— Vous ne regrettez jamais le passé ? demanda Samantha, comme si elle avait deviné ses pensées.

— Non, pas le moins du monde. À partir du moment où je me suis retirée à la campagne, je me suis sentie en paix. Avant, j'ignorais tout de la vraie vie, Sam... Ma place est ici, je l'ai su dès le premier jour.

— Je vois...

Elle éprouva alors, à l'égard de son hôtesse, quelque chose qui pouvait passer pour de la jalousie. Elle lui enviait son bonheur si évident. Parce qu'elle, Samantha, n'avait pas encore trouvé sa place. Elle ne possédait rien, à part cet appartement empli de souvenirs encore vivaces, où elle avait vécu avec John. Rien ne lui appartenait totalement… Exclusivement…

— New York ne vous manque pas ?

— Oh, non, pas New York. Mes amis, oui : Charlie et Mélinda, leurs enfants — l'un d'eux est mon filleul. Harvey Maxwell — mon patron, mais il est comme un père pour moi — me manque aussi parfois. Et puis John, bien sûr…

Les larmes jaillirent d'un seul coup, et elle baissa la tête. Émue, Caroline saisit ses mains entre les siennes.

— Là… ne pleurez plus, je vous comprends, vous savez. J'étais dans le même état que vous lorsque j'ai perdu mon mari. J'ai passé une année épouvantable. Mais le temps guérit toutes les blessures, ma chérie. Il faut garder confiance…

Elle l'attira gentiment contre son épaule ronde et douce, sur laquelle Samantha continua de sangloter.

— Je suis d… désolée, bredouilla-t-elle, en reniflant. Je ne sais pas ce qui m'a pris.

— Il vous a pris que c'est votre premier Noël sans ce coureur de jupons auquel vous avez été mariée pendant des années. Pleurer, dans ces conditions, est parfaitement normal.

Samantha acquiesça de la tête, étouffée par le chagrin qui, tout à coup, avait refait surface. S'étant dégagée de l'étreinte de Caroline, elle se pelotonna sur le canapé. Son hôtesse attendit avec sagesse qu'elle se calme un peu. Elle aussi avait connu le déchirement de la séparation. Mais c'était la mort qui lui avait enlevé son cher Arthur. Pas une femme… Elle avait vu Liz à la télévision pas plus tard que la veille, et elle l'avait observée, incrédule, en se demandant comment un homme normalement constitué pouvait préférer cette jeune femme falote à la superbe créature qu'était Sam. Bien sûr, Liz attendait un bébé. Mais tout de même.

— Allez-vous décorer l'arbre ? demanda-t-elle à Sam, au bout de quelques minutes.
— Oui, répondit-elle avec un sourire vaillant. J'ai également promis de faire des gâteaux. Mais vous risquez de le regretter. On m'a tellement seriné qu'on ne pouvait pas être à la fois une bonne cavalière et un cordon-bleu... Le pire, c'est que c'est vrai ! (Elle se leva pour entourer Caroline de ses bras.) Merci, tante Caro, chuchota-t-elle.
— De quoi donc, mon enfant ?
— D'être mon amie.
— Oh, Sam, ne soyez pas bête. Allez plutôt vaquer à vos occupations.
Caroline avait adopté un ton indigné mais ses yeux embués et l'expression douce de son visage démentaient totalement ses propos.

Une heure plus tard, juchée sur un escabeau, au milieu de la salle brillamment éclairée, Samantha s'escrimait à suspendre des boules multicolores aux branches du majestueux sapin. Des gamins y accrochaient de leur côté des figurines qu'ils avaient découpées dans du papier glacé. Une bande d'adultes bruyants déroulait des guirlandes d'or et d'argent. La pièce était pleine d'un brouhaha joyeux, et, sur les larges tables recouvertes de nappes neigeuses, s'empilaient des bols de pop-corn croquant, des plateaux de pâtisseries crémeuses, de croustillants cookies et des brownies fondants. Tous participaient de bon cœur aux préparatifs, y compris Tate Jordan qui, compte tenu de sa taille, avait été chargé de planter l'étoile au sommet du sapin.
Il arriva, un bambin sur chaque épaule. En voyant Samantha, il posa les enfants par terre, et leva un regard rieur vers elle. Pour une fois, elle le dominait du haut de son perchoir.
— Bonsoir, Sam.
— Enfin, vous voilà !

Elle lui céda la place et le regarda accrocher l'étincelante étoile en haut du sapin, puis ajouter des ornements sur les branches qu'elle avait eu du mal à atteindre.

— Très joli, constata-t-elle.

— Être grand comporte quelques avantages, répondit-il en sautant à terre avec souplesse. Voulez-vous du café ?

— Volontiers, merci.

Il réapparut une minute plus tard avec deux tasses de café et des biscuits, qu'ils dégustèrent tranquillement, tout en poursuivant la décoration de l'arbre. Ils ressemblaient à de vieux amis, songea-t-elle. Hélas ! Cette belle amitié fut de courte durée. La voix de Tate Jordan ne tarda pas à retrouver ses accents autoritaires. Alors que pour la énième fois il lui indiquait où suspendre un angelot argenté, elle ne put s'empêcher de dire :

— Vous ne pouvez pas parler normalement ? Faut-il toujours que vous donniez des ordres ?

Il réfléchit un instant.

— Je crois que oui. C'est plus fort que moi.

— Ça ne vous fatigue pas ? répliqua-t-elle entre deux gorgées de café.

— Non... Mais vous ne vous laissez pas marcher sur les pieds, n'est-ce pas ?

— Exact. Mais moi, ça me fatigue.

— Est-ce la raison de votre présence ici ?

C'était une question directe, mais elle ne cilla pas.

— En partie, oui.

Il continua à la dévisager, comme pour percer son secret. Est-ce qu'elle souffrait de dépression nerveuse ? Non. Elle n'avait rien d'une déséquilibrée. Pas plus que d'une épouse qui brise son mariage.

— Samantha, que faites-vous dans la vie en temps normal ?

— Je conçois des campagnes de publicité.

Elle préférait donner de son métier une définition simpliste plutôt que de se lancer dans d'interminables explications. L'idée qu'elle était chez Crane, Harper et Laub ce que Tate Jordan était au ranch fit naître un sourire amusé sur ses lèvres. Ce qui lui attira un regard étonné de son interlocuteur.

— Qu'est-ce que vous trouvez si drôle ?

— Je viens de réaliser que, d'une certaine manière, nos emplois se ressemblent. Le directeur de l'agence où je travaille s'appelle Harvey Maxwell. C'est une sorte de Bill King. Il est assez âgé, lui aussi, à un an de la retraite et...

Elle s'interrompit soudain, craignant d'en avoir trop dit.

— Allez, dites-le ! l'encouragea-t-il.

— Dire quoi ?

— Que, probablement, vous allez le remplacer.

— Je n'ai pas dit ça.

— Mais vous pensez que nos emplois se ressemblent. Vous êtes donc une sorte d'assistante de contremaître, continua-t-il, et son sourire s'épanouit, comme si cela l'amusait follement. Aimez-vous ce que vous faites ?

— Oui... Mais pas quand ça devient stressant.

— Au moins, vous n'êtes pas obligée de rester douze heures d'affilée sous la pluie battante.

— Eh non, Dieu merci.

Ce grand et bel homme qui s'intéressait à elle et l'écoutait avec bienveillance n'avait plus rien à voir avec l'irascible cow-boy, qui l'avait tant persécutée les premiers jours, pas plus qu'avec l'espèce de statue du Commandeur qui lui avait interdit d'approcher Black Beauty. Souriant, détendu, amical, il lui inspirait une subite confiance dont elle décida de profiter. Après tout elle n'avait rien à perdre.

— Mons... euh... Jordan, pourquoi êtes-vous devenu furieux quand j'ai monté Black Beauty ? demanda-t-elle le plus simplement du monde, sans une once d'insolence dans la voix.

— Parce que je pensais que c'était dangereux.

— Et pas parce que, selon vous, je ne monte pas assez bien à cheval ?

— Non, j'ai bien vu que vous étiez une remarquable cavalière, et dès le premier jour. Non seulement vous avez tenu le coup sous la pluie des heures durant, mais en plus vous avez réussi à tirer le meilleur parti de cette vieille carne têtue de Rusty. Seulement, pour monter Black Beauty, il faut de la force physique et de la prudence, et vous n'avez ni l'une ni l'autre. Ce cheval finira par provoquer la mort de quelqu'un, Samantha. Je ne voudrais pas que ce soit vous... (Sa voix s'était enrouée ; il s'éclaircit la gorge.) Miss Caroline n'aurait pas dû l'acheter. Cet animal est un tueur. Il est mauvais, sournois. Ne me demandez pas comment je le sais. Je le sens, c'est tout, j'en ai une peur viscérale. Je vous demande de ne plus le monter, ajouta-t-il avec une douceur inattendue. (Et, comme elle ne répondait pas :) Évidemment vous passerez outre mes avertissements. Vous n'êtes pas prête à renoncer au goût du risque. Surtout en ce moment.

— Qu'entendez-vous par là ?

— J'ai l'impression que vous avez perdu quelque chose... Ou quelqu'un que vous aimiez beaucoup. Et que vous ne tenez pas énormément à votre peau. Peut-être même, inconsciemment, cherchez-vous à vous faire du mal. Cessez donc de faire le clown avec ce maudit étalon. Les autres, d'accord, tous les autres, sauf celui-là. Bah, je suppose que vous ne cesserez pas vos acrobaties simplement pour me faire plaisir.

— Il y a beaucoup de vrai dans ce que vous avez dit, Tate. (C'était la première fois qu'elle l'appelait par son prénom dont elle réalisa tout à coup le charme.) Je suis d'accord avec vous. J'ai eu tort de le monter... du moins de cette façon. Je ne vous promets pas de ne pas recommencer, mais la prochaine fois je vous donne ma parole que je serai prudente. Cela se passera en plein jour, en terrain connu. Et je ne lui ferai pas sauter d'obstacle, même si j'en meurs d'envie.

— Dieu, que vous êtes raisonnable tout à coup ! Vous m'impressionnez !

— Si vous saviez toutes les folies que j'ai faites quand je faisais de la voltige…

— Laissez tomber, Sam. Ça pourrait vous coûter très cher.

Elle le savait. Combien de jockeys n'avaient-ils pas fini leurs jours sur une chaise roulante, pour avoir voulu sauter une carrière… ou un ruisseau…

— Je n'ai jamais compris l'intérêt de ces stupides concours hippiques, reprit-il. C'est de la folie ! Vous pourriez vous tuer. Est-ce que ça en vaut la peine ?

— Oh, qu'importe…

Il la considéra longuement.

— Ça vous est égal aujourd'hui. Demain, vous changerez d'avis mais il sera peut-être trop tard. On ne peut pas revenir en arrière.

Quel homme étrange, pensa Samantha. La brute tyrannique s'effaçait peu à peu pour révéler un être sensible, doué d'un infaillible discernement. Il avait su tirer les leçons de ses expériences personnelles, de ses combats avec les éléments, de ses relations avec les autres, propriétaires ou employés du ranch. Au fil du temps, il avait acquis une sagesse qui lui permettait de poser sur les gens et les choses un regard empreint d'une grande finesse.

— Encore un peu de café ?

— Non, merci, Tate, dit-elle, surprise par la facilité avec laquelle elle avait prononcé son prénom. Il faut que j'aille aider à la cuisine. Et vous, qu'allez-vous faire ?

Il lui sourit, avant de se pencher pour coller les lèvres à son oreille.

— Je suis le Père Noël, murmura-t-il d'une voix pleine de timidité.

Elle éclata de rire.

— Le Père Noël… vous ?

— Oui ! Tous les ans, j'endosse son costume, et miss Caroline me donne un énorme sac plein de jouets.

Elle le regarda, secouée par un irrésistible éclat de rire.

— Je n'arrive pas à y croire.

— Voyons ! Je suis le plus grand, ici, donc le rôle me revient de droit ! Et les enfants sont tellement contents ! Avez-vous des enfants ?

Elle hocha négativement la tête, sans laisser transparaître l'amertume qui la gagnait lorsqu'on lui posait cette question.

— Et vous ? demanda-t-elle machinalement, oubliant les ragots de Josh.

— J'en ai un. Un fils. Il travaille dans une ferme pas loin d'ici. C'est un brave garçon.

— Est-ce qu'il vous ressemble ?

— Pas du tout. Il est plutôt mince, et roux comme sa mère.

Ses yeux brillaient de fierté.

— Vous avez de la chance.

— C'est aussi mon avis. Mais ne vous en faites pas, petit Palomino. Un jour la chance vous sourira, à vous aussi.

Sa voix était douce comme une caresse. Il toucha gentiment l'épaule de la jeune femme, avant de tourner les talons.

9

— Papa Noël ! Hé, papa Noël !

— Ooooh ! Ma petite Sally, attends ton tour.

Avec sa barbe neigeuse et son costume de velours rubis bordé de fourrure blanche, Tate Jordan avait fait une entrée remarquée. À présent, il se déplaçait lentement au milieu d'une ribambelle d'enfants émerveillés en sortant de son énorme hotte des paquets-cadeaux, des friandises et des sucres d'orge. Il les distribuait méthodiquement, en posant deux baisers sonores sur les joues rondes de chaque petit. Il jouait son rôle avec tant de sérieux qu'il vous donnait presque envie de croire au Père Noël... Si elle n'avait pas su qui se cachait sous le déguisement, Samantha ne l'aurait jamais deviné. Même la voix, devenue douce et tendre, était méconnaissable.

— Ho! petit chenapan, qui est-ce qui sera sage, cette année? Qui est-ce qui sera le premier de la classe?

Il avait un mot gentil pour chaque enfant, exhortant les uns à obéir à papa et à maman, les autres à arrêter de tirer sur la queue du chat ou de ce gros balourd de terrier. Ah, il en savait des choses, ce Père Noël débonnaire! Les petits, bouche bée, s'efforçaient de le toucher, comme pour s'assurer qu'il existait réellement. La magie opérait et même Samantha se surprit à guetter les paquets-cadeaux enrobés de papier doré, qui jaillissaient de la grande hotte rouge. La distribution dura plus d'une heure, puis après avoir englouti six verres de lait et un plat entier de gâteaux, le Père Noël s'en fut tout aussi brusquement qu'il était apparu, en jetant un ultime « ho! ». Et il disparut dans la nuit, d'où il ne resurgirait pas avant un an.

Débarrassé de son maquillage, de son faux ventre et de son costume vermillon, Tate Jordan revint un peu plus tard, mais passa cette fois inaperçu. En traversant la pièce, il posa un regard ému sur les gamins, penchés sur leurs présents ou ceux de leurs petits voisins, et se fraya un passage vers Caroline et Bill King. Samantha, vêtue d'une longue jupe de velours noir et d'un bustier en dentelle blanche, se tenait auprès d'eux. Ses cheveux, retenus par un ruban de satin noir, dégringolaient dans son dos. Pour la première fois depuis son arrivée au ranch, un léger maquillage rehaussait l'éclat ambré de sa peau.

— C'est vous, Sam ? la taquina-t-il, après avoir salué Caroline et le contremaître, et accepté un verre de punch. Je ne vous aurais pas reconnue.

— Je vous rends le compliment. Vous avez été plus vrai que nature. Formidable ! Êtes-vous toujours aussi bon ?

— D'année en année, j'améliore ma performance, répliqua-t-il avec modestie.

— Votre fils est ici ?

— Le patron de Jeff est beaucoup moins généreux que le mien. Il est de garde, ce soir.

— Oh, quel dommage, dit-elle, sincèrement affectée.

— Ça ne fait rien. Je le verrai demain. C'est un grand garçon maintenant. Il a de moins en moins de temps à consacrer à son vieux père, acheva-t-il, sans le moindre ressentiment.

Son regard effleura le visage de Samantha. Il eut envie de lui demander pourquoi elle n'avait pas d'enfants, mais il s'abstint. Tout compte fait, la question était trop indiscrète. À la place, il dit :

— Il doit faire froid, ce soir à New York. Peut-être même neige-t-il. Mais ici, c'est un vrai Noël.

— Oui, grâce à Caroline Lord.

Ils échangèrent un regard complice...

Peu après, Samantha fit la connaissance de la femme de Josh. Puis, les uns après les autres, les cowboys vinrent lui présenter leurs épouses, leurs fiancées, leurs familles. La jeune femme distribua des sourires et des poignées de main, parfois même des baisers, se sentant enfin complètement adoptée.

— Vous vous amusez bien, ma chérie ? lui demanda Caroline.

— Oui. C'est merveilleux.

— J'en suis heureuse. Joyeux Noël...

— Joyeux Noël, tante Caro.

Elles s'étreignirent avec chaleur et, quelques minutes plus tard, Caroline et Bill s'éloignèrent.

L'instant d'après, ils avaient disparu, Samantha se demanda si d'autres qu'elle avaient remarqué leur départ. À l'intérieur du domaine, elle n'avait jamais surpris à leur propos la moindre allusion, même fugitive. Peut-être avait-elle tiré des conclusions hâtives ? Et pourtant...

— Fatiguée ? interrogea Tate.

Pour une fois le mot, déjà prononcé par lui tant de fois, ne l'irrita pas le moins du monde.

— Je songeais à rentrer. Je cherche Caro, mais on dirait qu'elle est déjà partie.

— Miss Caroline file toujours à l'anglaise, afin de ne pas interrompre la fête, répondit-il, d'un ton plein de respect. Venez, je vous raccompagne, fit-il, en la voyant étouffer tant bien que mal un bâillement.

— Est-ce ma faute si mon patron est un véritable négrier ? C'est un miracle que je sois encore en selle à la fin de la journée.

— Une ou deux fois, je me suis demandé si vous n'alliez pas vous endormir. Et le premier jour, j'ai cru que jamais vous n'arriveriez à descendre de cheval.

— Vous n'aviez pas tort. Josh m'a pratiquement portée jusqu'à la maison.

— Et après ça, vous avez quand même monté Black Beauty. Vous êtes folle !

— Oui, de ce pur-sang.

Ils avaient quitté la pièce bourdonnante de voix, de rires et de musique, et avançaient dans la nuit froide.

— Le temps est à la neige, murmura-t-elle en frissonnant sous son manteau.

— Phénomène rare en Californie, remarqua-t-il, les yeux levés vers le ciel voilé.

Ils prirent le chemin de la grande demeure aux fenêtres sombres. Devant la porte d'entrée, Samantha se retourna.

— Prendriez-vous une tasse de café, ou un verre de vin ?

Il s'empressa de secouer la tête, comme si elle avait proféré une abomination.

— Je vous promets de ne pas m'attaquer à votre vertu, plaisanta-t-elle.

Tate éclata de rire. Elle avait peine à croire qu'ils étaient là, tous les deux, à plaisanter comme de vieux copains de toujours.

— C'est la maison de miss Caroline. Il serait malvenu qu'un employé... comment vous dire...

— J'ai compris. Vous seriez plus à l'aise si j'allais demander à Caro la permission de vous faire entrer.

— Merci, mais... non. Une autre fois, peut-être.

— Trouillard ! lança-t-elle.

Mais il tourna les talons.

Elle suivit du regard la grande silhouette qui se fondit dans l'obscurité.

10

À quatre heures et demie du matin, Samantha se réveilla en sursaut, comme elle en avait désormais l'habitude. Elle se força à rester au lit, les paupières closes, dans l'espoir de se rendormir, mais elle n'y parvint pas. Son esprit était en ébullition. Au bout d'une heure de vains efforts, la jeune femme se leva, et s'étira devant la fenêtre. La nuit était encore profonde mais le ciel s'était dégagé et était criblé de myriades d'étoiles. Bientôt, le ranch sortirait de sa torpeur. En ce matin de Noël, comme tous les autres matins, les chevaux se mettraient à piaffer dans les écuries, attendant d'être nourris et étrillés, et les vaches s'agiteraient sur leurs litières de paille.

Pieds nus, Samantha prit la direction de la cuisine où elle appuya sur le bouton de la cafetière électrique, qui émit un ronflement familier. Assise dans la pénombre grise, elle laissa ses pensées dériver vers l'agréable veillée de Noël qu'elle avait partagée avec ses nouveaux amis ; elle revit les employés du domaine rassemblés devant les tables croulant sous les friandises, entendit à nouveau l'écho des rires, les plaisanteries, le son cristallin des verres, tandis qu'on trinquait joyeusement, les cris surexcités des enfants et... oh, Seigneur, cette année, elle avait complètement oublié les cadeaux des petits Peterson, se rappela-t-elle brusquement. Elle aurait dû y penser, mais voilà, elle n'avait guère eu l'occasion de se rendre en ville. Soudain, la solitude s'abattit sur ses épaules, tandis qu'elle imaginait John, une coupe de champagne à la main, sous le lustre vénitien de leur salon. Le salon qui n'était plus désormais que le témoin muet d'un bonheur révolu. Comment avait-il vécu ce Noël ? S'était-il senti heureux en compagnie de sa nouvelle épouse ? Avaient-ils déjà décoré la chambre d'enfant ? La douleur la transperça de nouveau avec la brutalité d'un coup de couteau. Machinalement elle saisit le combiné. Elle éprouvait l'envie impérieuse d'entendre une voix amicale, une voix du passé, afin de s'assurer que celui-ci n'était pas totalement effacé. Elle composa un numéro de téléphone. Dix secondes plus tard, la voix de Charlie retentissait dans l'écouteur. Il braillait un chant de Noël, et commençait à écorcher le deuxième couplet quand Samantha put enfin placer un mot :

— Charlie, tais-toi. C'est moi, Samantha.

— *Jouez hautbois... résonnez musettes...*

— Oh, Charlie, pouffa-t-elle.

Malgré son début de fou rire, elle se sentait terriblement loin. Terriblement seule. Mais elle dut tout de même attendre que Charlie ait triomphalement achevé le refrain.

— Joyeux Noël, Sam ! dit-il enfin.

— C'est tout ? Tu ne chantes pas *Douce Nuit* ?

— Ce n'était pas dans le programme, mais puisque tu me le demandes aussi gentiment... *Dou-ou-ce...*

— Non, par pitié ! Je voudrais présenter mes vœux à Mélinda et aux enfants… Mais avant, dis-moi comment ça va au bureau.

Elle s'était obligée à ne pas appeler une seule fois l'agence. Après tout, s'ils avaient besoin d'elle ils savaient où la joindre. Et le fait est : cela lui avait fait le plus grand bien de rompre momentanément les ponts…

— Comment vont mes clients ? Vous ne les avez pas encore tous perdus ?

— Oui, tous ! s'époumona Charlie, hilare. (Puis ayant jeté un coup d'œil à sa montre il poursuivit :) Nom d'un chien, que fais-tu debout à cette heure-ci ? Il ne doit même pas être six heures du matin en Californie… hé ! où es-tu ? s'enquit-il, soupçonneux.

— Rassure-toi, je ne suis pas rentrée à New York. Je suis toujours au ranch. J'ai simplement pris le rythme de la campagne, mon cher ! J'ai l'habitude de me lever si tôt que j'ai l'impression d'être déjà l'après-midi. Comment vont tes enfants ?

— Très bien… Mais toi, comment te sens-tu ? Pas trop épuisée ?

— Si. Je suis littéralement sur les genoux. Mais tu ne m'as rien raconté sur l'agence.

Elle mourait d'envie de tout savoir, des derniers contrats jusqu'aux derniers potins.

— Bah, ça ne fait que quinze jours. Il n'y a rien de nouveau sous le soleil. La routine… Et toi ? Es-tu heureuse là-bas ?

— Ça va. C'était la solution idéale, finalement. La preuve : je n'ai pas regardé une seule fois l'émission de John.

— Quel progrès ! Il faut dire que, vu l'heure à laquelle tu te lèves, tu dois être couchée avec les poules…

— Oh… presque.

— Et ton amie Caroline ? et les chevaux ? et les cow-boys ?

Cette façon typiquement new-yorkaise d'aligner

les questions d'une traite arracha un rire nostalgique à Samantha. Oh, c'était comme si elle le voyait, ce bon Charlie, drapé dans sa robe de chambre et coiffé d'une casquette — cadeau d'un de ses fils. Mais peut-être s'étaient-ils cotisés pour lui offrir une batte de base-ball, ou trois paires de chaussettes jaune citron rayées rouge clair ?

— Tout le monde est en forme. Passe-moi Mélinda, s'il te plaît.

À peine en ligne, et malgré les grimaces éloquentes de son mari, Mellie annonça à brûle-pourpoint la grande nouvelle : elle attendait un autre enfant. Le quatrième. Il devait naître en juillet. Il y eut quelques secondes de silence, puis Samantha la félicita chaleureusement. Fermant les yeux, Charlie poussa un grognement.

— Pourquoi le lui as-tu dit ? gémit-il à mi-voix à l'oreille de sa femme, qui poursuivait son bavardage.

— De toute façon, elle l'aurait appris à son retour, répliqua Mellie, en bouchant brièvement l'appareil de sa paume... Que dis-tu, Sam ? Les garçons ? Ils veulent tous un petit frère, mais si cette fois ce n'est pas une fille, j'abandonne.

Elle aperçut Charlie qui, à grands gestes, lui faisait signe d'abréger la conversation — ce qu'elle fit...

— De quoi essaies-tu de me protéger, mon vieux ? demanda Sam dès que Charlie eut récupéré l'appareil. Je suis divorcée, pas folle. Ce n'est pas tout à fait la même chose, tu sais... Enfin, tu aurais pu me l'annoncer toi-même !

— Mais qu'est-ce que tu vas imaginer, Sam ? Je n'ai pas jugé ça assez important, c'est tout.

— C'est important pour vous, non ? Donc, ça l'est pour vos amis, dont je fais partie. Et inutile de faire une scène à cette pauvre Mellie, dès que j'aurai raccroché.

À l'autre bout de la ligne, Charlie ébaucha un sourire crispé.

— Je vais me gêner. C'est moi le chef de famille, non ?

— De famille nombreuse, Peterson. Dieu merci, tu touches le plus gros salaire de la profession, sinon tu aurais du mal à subvenir aux besoins de ta progéniture.

— Occupe-toi de tes chevaux !

Il y eut une pause.

— Samantha, reprit-il d'une voix altérée, n'oublie pas que nous t'aimons et que tu nous manques. Nous pensons beaucoup à toi, tu sais.

Elle hocha la tête, la gorge serrée.

— Oui, je sais. Vous aussi, vous me manquez. Joyeux Noël.

Ses lèvres soufflèrent un baiser. Elle resta longtemps assise au milieu de la cuisine emplie d'ombres, sa tasse de café froid entre les mains, les yeux fixes, l'esprit à des milliers de kilomètres de là, à New York. Lorsqu'elle revint à elle, le jour s'était levé. Le ciel passait lentement du bleu foncé au gris pâle. Samantha vida sa tasse dans l'évier. Et elle sut soudain ce qu'elle devait faire. C'était comme si une voix avait fait taire le tumulte de ses pensées. Sans hésiter, elle regagna sa chambre et enfila ses vêtements : un vieux jean, une chemise, un chandail, une veste fourrée. Peu après, gantée, bottée, coiffée du stetson que Caroline lui avait offert quelques jours plus tôt, elle franchit le vestibule et referma la porte d'entrée sans bruit.

Il ne lui fallut pas plus de cinq minutes pour atteindre sa destination. Le box de Black Beauty était au fond de l'écurie. Il y régnait un tel silence qu'elle se demanda si l'étalon noir ne dormait pas. Tout doucement, elle poussa la porte battante pour se glisser à l'intérieur. Ses mains touchèrent le cheval, qui la salua d'un hennissement étouffé. À travers le cuir souple des gants, elle ressentit la chaleur de son encolure souple et soyeuse. Des mots tendres jaillirent de sa bouche. Il était parfaitement calme, et la fixait d'un regard doux à travers la frange de ses cils frémissants. Réconfortée par cet accueil, elle s'en fut chercher la selle anglaise et la bride. L'écurie était déserte. Personne ne surgit pour contrarier ses desseins. Personne non plus n'arriva dans la cour silencieuse, où elle conduisit l'étalon. Après quelques minutes de marche, elle prit appui sur un tronc basculé et l'enfourcha. Ses doigts se refermèrent sur les rênes. Elle savait très précisément où elle irait. La veille ou l'avant-veille, elle avait repéré une piste dans les bois... Elle le fit partir au trot, dans l'éclat orangé de l'aube. Le sentant frémir d'impatience, elle relâcha la bride, pour le laisser filer au grand galop vers le soleil levant. La prairie glissait sous eux et, comme la première fois, elle crut s'envoler. À plusieurs reprises, en accentuant l'étreinte de ses cuisses autour des flancs du puissant animal, elle le fit sauter par-dessus des obstacles naturels : des buissons, un cours d'eau, une haie d'aubépines. Mais aujourd'hui, elle ne prenait aucun risque. Soudée à sa monture — un seul corps, une seule âme —, elle survola les prairies. Puis l'étalon et sa cavalière entamèrent l'ascension d'une colline, et grisée par le désir brûlant d'aller toujours plus haut, toujours plus vite, Samantha fixa le ciel embrasé de lumière.

Ce fut alors qu'elle l'entendit. Une sorte de son indistinct au début, qui se muait peu à peu en un martèlement de sabots sur la pierraille. Quelqu'un la suivait. En jetant un bref regard par-dessus son épaule, elle vit Tate Jordan sur son cheval d'ébène et d'ivoire qui galopait sur la pente. Elle retint l'étalon, et Tate se lança à sa rencontre. Lorsqu'il fut à sa hauteur, il fit faire un écart au pinto qui stoppa net à côté de Black Beauty. Samantha n'osait le regarder, de peur de déclencher sa colère, de peur aussi de voir s'éteindre la belle amitié qui s'était nouée entre eux la nuit précédente. Quand, finalement, leurs yeux se croisèrent, ce qu'elle déchiffra dans les prunelles émeraude ne ressemblait guère à du ressentiment, c'était quelque chose d'infiniment plus doux. Sans un mot, il lui adressa un signe de tête avant de passer devant elle. Elle le suivit. L'un derrière l'autre, ils dégringolèrent le versant en direction de la vallée qu'ils franchirent à vive allure, jusqu'à une contrée qu'elle n'avait encore jamais vue. Le pinto s'était arrêté au bord d'un lac bleu, translucide, ceint de peupliers. Un chalet de brique blanche se mirait dans l'eau calme. Tate se tourna alors vers Samantha, et ils échangèrent un sourire dans la fraîcheur du petit matin.

— Sommes-nous encore dans la propriété ?

— Oui, le domaine s'arrête au bout de la clairière, là-bas.

— À qui appartient cette petite maison ?

— Je l'ai découverte il y a longtemps, répliqua-t-il sans répondre directement à sa question. J'en ai fait mon refuge. Personne ne sait que je viens ici, de temps en temps. À part vous maintenant, acheva-t-il, comme s'il la priait de garder son secret.

— Vous avez donc les clés ?

— Si on veut, dit-il, et un sourire illumina son beau visage tanné. Disons qu'il y a une clé, oui, sur le trousseau de Bill King. Je la lui ai empruntée une fois.

— Et vous en avez fait faire un double ?

Elle était scandalisée.

Tate hocha la tête. C'était un homme foncièrement honnête. Si Bill lui avait posé des questions, il aurait très certainement dit la vérité. Mais le contremaître ne l'avait jamais fait et il en avait conclu que cela lui était égal. Par la suite, Tate avait évité d'attirer l'attention sur le petit chalet oublié. Il tenait énormément à cette retraite.

— J'y garde un paquet de café qui doit être encore bon. Voulez-vous que nous fassions une halte ?

Il omit de dire qu'il avait également mis de côté dans le placard une bonne bouteille de whisky. Non pour s'enivrer, bien sûr, mais pour se réchauffer et détendre son esprit. Il venait toujours là quand quelque chose le tracassait, ou quand il voulait se retrouver seul. Il avait passé dans ce coin des dimanches entiers.

— Eh bien, mademoiselle Taylor ?

— Euh... oui, avec plaisir.

Le froid était particulièrement vif, ce matin, et l'idée du café lui avait mis l'eau à la bouche. Tate l'aida à mettre pied à terre et à attacher son superbe cheval. Ensuite, ils mirent le cap sur le chalet. Il ouvrit la porte, et s'effaça pour la laisser passer.

Une vague odeur de moisi flottait dans la pièce sombre. Samantha s'avança dans la pénombre à pas lents, prudents. La surprise lui fit écarquiller les yeux, alors qu'elle découvrait un décor inattendu, quelque peu désuet, mais charmant. Un petit canapé, deux fauteuils en osier capitonnés de chintz, un large fauteuil en cuir, qui semblait sortir tout droit d'un magasin d'antiquités, une cheminée. Dans un angle de la pièce il y avait un secrétaire de style, une radio, un électrophone. Des livres et des bibelots garnissaient des étagères. Elle remarqua une paire de trophées étincelants, une tête de sanglier empaillée, une collection de vieilles bouteilles, quelques photos jaunies dans leur cadre d'argent ciselé... À mesure qu'elle explorait la pièce, d'autres détails la frappaient : la peau d'ours devant la cheminée, le repose-pied brodé à l'aiguille devant le fauteuil à bascule délicat. C'était presque comme dans un conte de fées : elle avait découvert un mystérieux palais, caché au fond des bois. L'instant d'après, elle eut une nouvelle surprise : là, derrière la porte entrouverte, il y avait une chambre à coucher en camaïeux bleus et blancs, meublée d'un grand lit de cuivre, d'une autre peau d'ours jetée par terre en guise de tapis, d'une lampe de cuivre et d'une table de nuit sculptée. Des rideaux à volants bleus et blancs masquaient les fenêtres, un tableau représentant une vue du ranch surplombait le lit. C'était le genre de pièce dans laquelle on aurait aimé passer toute sa vie.

— Tate, à qui est cette maison ?

À son grand étonnement, il lui montra les trophées trônant sur l'étagère.

— Jetez un coup d'œil là-dessus.

Elle se pencha. La première inscription indiquait : William B. King, 1934 ; la seconde datait de 1939. Samantha enveloppa son compagnon d'un regard où se lisait une vague appréhension.

— C'est à lui ? Mais avons-nous le droit d'être ici ?

— J'ignore si Bill est le propriétaire, Sam, mais la réponse à votre deuxième question est non, naturellement. Mais c'est plus fort que moi. Depuis que j'ai découvert cette maison, il faut que j'y revienne.

Un léger voile enrouait sa voix, son regard cherchait fébrilement celui de la jeune femme, comme pour quémander son assentiment.

— Je comprends, murmura-t-elle.

Tandis que Tate préparait le café dans la cuisine, Samantha regarda les photos encadrées. Des visages flous, plutôt familiers — mais de cela, elle n'était pas tout à fait sûre. Ayant vaincu ses derniers scrupules, elle passa dans la pièce attenante. Une signature s'étalait sur la toile, en bas à droite. L'artiste y avait apposé son nom à la peinture carmin. Caroline Lord... Interloquée, Samantha esquissa un mouvement vers le salon. Mais la haute silhouette de Tate Jordan se dressait à contre-jour dans le chambranle. Il avait une tasse fumante dans chaque main.

— C'est à eux, n'est-ce pas, Tate ?

La réponse aux questions que son amie Barbara et elle s'étaient tant de fois posées dans le passé avait spontanément jailli dans son esprit.

— N'est-ce pas ? répéta-t-elle, voulant absolument une confirmation.

— Oui, je crois, dit-il en lui tendant une tasse jaune vif. Quel endroit merveilleux ! Ça leur ressemble tellement...

Elle eut l'impression de détenir un secret qu'il fallait coûte que coûte préserver.

— Est-ce que d'autres que nous sont au courant de leur liaison ?

— Je ne le crois pas. Ils se sont toujours montrés très prudents. Lorsqu'il est avec nous, il l'appelle toujours « miss Caroline ». Je ne l'ai jamais vu trahir le moindre sentiment à son égard. Et elle agit de même vis-à-vis de lui.

— Mais pourquoi se sont-ils cachés de tout le monde ? demanda rêveusement Samantha en sirotant une gorgée de café, assise sur le bord du lit. Pourquoi ne se sont-ils pas mariés ?

— Bill King a sa fierté. Il n'aurait pas aimé qu'on le soupçonne d'avoir épousé sa patronne pour son argent, ou pour son ranch.

— Alors, ils sont venus dans ce petit chalet... Pendant vingt ans !

— C'est peut-être pour cela que leur amour est toujours aussi fort, sourit Tate en s'asseyant auprès d'elle. Il y a une atmosphère spéciale entre ces murs, vous ne trouvez pas ? Vous savez ce qu'il y a autour de vous, Samantha ? L'aura de deux êtres dont les personnalités s'harmonisent parfaitement. Regardez le tableau qu'elle a peint, les trophées de chasse, leurs vieilles photos, leurs disques, leurs bouquins, le gros fauteuil de cuir et l'élégant rocking-chair près de la cheminée. Regardez, Sam. C'est ça l'amour, ces pots d'étain et ce coussin brodé, ces bibelots et cette tête de sanglier. Les souvenirs communs de deux personnes qui s'aiment de toutes leurs forces, depuis si longtemps.

— À votre avis viennent-ils encore ici ? chuchota-t-elle, d'un air apeuré qui le fit rire.

— Ça m'étonnerait. Ou alors très rarement. Je suis là beaucoup plus souvent qu'eux. Depuis quelques années, l'arthrite empêche Bill de bouger comme avant.

— Je ne comprends toujours pas pourquoi ils ont gardé leur liaison secrète.

Il la contempla un long moment.

— Ici, ce n'est pas New York, Samantha. Un tas de vieilles coutumes sont encore en vigueur dans la région.

Sceptique, elle haussa les épaules. Tout cela n'avait aucun sens. Elle préféra changer de sujet de conversation.

— Comment avez-vous découvert le chalet ?

Elle s'était dirigée vers la salle de séjour et s'était laissée tomber dans le fauteuil à bascule.

— Par hasard. En me promenant. Jadis, ils ont dû passer de longs moments, ici. On dirait que cet endroit est toujours habité.

— Oui, répondit-elle en se balançant tout doucement.

Son regard se fixa sur l'âtre vide. Vide comme son appartement, à New York. Là-bas, aucune onde heureuse ne vibrait plus dans les pièces aux volets clos, sombres, froides et sans vie.

— On a envie de s'y installer, n'est-ce pas ? dit Tate, qui avait pris place dans le large fauteuil de cuir. Voulez-vous que j'allume du feu ?

— Oh, non, j'aurais trop peur de provoquer un incendie. Nous allons partir.

— Ne vous en faites pas, je l'éteindrai.

— Non. Il suffit d'une étincelle. Si cela arrivait, je ne me le pardonnerais jamais. Notre présence ici est déjà tellement indiscrète !

— Pourquoi donc ?

— J'ai l'impression d'avoir fait intrusion dans leur jardin secret. Ils seraient mécontents, s'ils le savaient. Nous ne sommes même pas censés être au courant de leur liaison.

— Mais il se trouve que nous le sommes.

— Autrefois, avec Barbie, la nièce de Caroline, nous en parlions pendant des heures... Mais nous n'avons jamais été sûres...

— Et plus tard, quand vous avez grandi ?

— Il y a toujours eu un doute dans mon esprit.

— Dans le mien aussi. Jusqu'au jour où j'ai découvert ce chalet qui raconte leur histoire. Une belle histoire, acheva-t-il, avec un regard alentour.

— Très belle. C'est formidable de pouvoir aimer quelqu'un assez fort et assez longtemps pour construire ensemble quelque chose de durable. Vingt ans, imaginez !

— Et votre mariage à vous, Samantha, combien de temps a-t-il duré ?

Il regretta sa question, craignant d'être allé trop loin, mais elle le regarda sans émotion apparente. Comment savait-il qu'elle avait été mariée ? se demanda-t-elle.

— Sept ans. Et le vôtre ?

— Cinq. Mon fils était haut comme trois pommes quand sa mère me l'a pris.

— Vous avez dû être heureux de le récupérer. (Se rappelant brusquement dans quelles conditions tragiques il avait retrouvé son petit garçon, elle sentit ses joues s'empourprer.) Oh, pardon, je suis désolée.

— Shhh, chuchota-t-il en esquissant de la main un geste apaisant. Vous avez raison. J'étais content de le récupérer. Même si la mort de sa mère a été un grand malheur.

— L'aimiez-vous encore ?

Ailleurs, la question aurait été indiscrète, presque inconvenante. Mais dans ce havre de paix au milieu de ces objets, ces photos, ces murs imprégnés de l'amour de Bill et de Caroline, on se sentait enclin aux confidences, et soudain, toutes les interrogations semblaient permises, à condition qu'elles soient posées sans intention malveillante.

— Oui, je l'aimais encore, admit-il. D'une certaine manière, je l'aime toujours, alors qu'elle est morte depuis quinze ans. C'est drôle... On a une mémoire sélective. Je la revois telle qu'elle était au début de notre mariage. Est-ce pareil pour vous, Samantha ?

Vous rappelez-vous votre mari du temps où vous étiez heureux ensemble ? Avez-vous oublié qu'à la fin il s'est conduit comme un salaud ?

— Qu'en savez-vous ? s'écria-t-elle d'abord, avant de poursuivre sans lui laisser le temps de répondre : Vous avez raison. Je n'arrive pas à me débarrasser des souvenirs heureux… Nos années à l'université, nos fiançailles, notre lune de miel, notre premier Noël ensemble. Comment se fait-il que je ne me souvienne jamais de l'homme qui m'a tourné le dos et qui est sorti de la maison, une valise à la main ?

Ils échangèrent un sourire de connivence, puis Tate demanda :

— Il vous a quittée ?

— Oui.

— Pour quelqu'un d'autre ?

Elle fit un signe de tête détaché.

— C'est ce qui m'est arrivé, à moi aussi. Ça vous brise le cœur, n'est-ce pas ? J'avais vingt-cinq ans à l'époque. J'ai cru mourir.

— Moi aussi, dit-elle en le regardant intensément. En fait, mon patron et mes collègues, à l'agence, l'ont cru également. C'est pourquoi je suis ici. Pour me remettre.

— Ça fait combien de temps ?

— C'était en août dernier.

— Il y a longtemps, alors, conclut-il d'un ton neutre.

Elle redressa vivement la tête.

— Vous trouvez ? Assez longtemps pour quoi ? Pour l'avoir oublié ? Pour m'en ficher éperdument ? Eh bien, vous vous trompez. J'ai l'impression que c'était hier.

— Pensez-vous à lui continuellement ?

— Non. Mais encore trop souvent.

— Êtes-vous divorcée ?

— Oui. Il est déjà remarié. Ils attendent un heureux événement pour le mois de mars.

Autant tout dire, d'une seule traite. Autant en finir

une fois pour toutes, aller jusqu'au bout de cette douloureuse confession. Un soulagement singulier l'envahissait.

— Est-ce que cela vous fait de la peine ?

— Quoi ?

— Cette histoire de bébé. Vous ne vouliez pas d'enfant ?

Elle n'hésita qu'un bref instant ; puis elle se mit debout. Et dit :

— Si, j'en voulais. Mais je suis stérile, monsieur Jordan. Mon mari est allé chercher ailleurs ce qui lui manquait à la maison...

À présent, elle était devant la fenêtre et contemplait le lac. Elle ne l'entendit pas venir mais sentit ses mains autour de sa taille.

— Mon Dieu, quelle importance ? Vous n'êtes pas stérile. Être stérile veut dire être incapable d'amour, de générosité, rester replié sur soi-même, ancré dans son égoïsme, sans un geste tendre vers les autres. Ça ne vous ressemble pas, Sam.

Il la retourna vers lui et, lorsqu'il vit ses yeux pleins de larmes, il se pencha pour lui embrasser les paupières, l'une après l'autre, avant de poser ses lèvres sur les siennes, avec une telle ardeur qu'elle en eut le souffle coupé.

— Non... Tate... non...

Elle se débattait faiblement, mais il resserra son étreinte. Son parfum de cuir et de tabac enivrait Samantha. Elle posa sa tête contre la poitrine de Tate, éprouvant contre sa joue le contact rugueux de sa chemise de laine. Il glissa un doigt sous son menton, l'obligeant à relever la tête.

— Pourquoi non ?... Sam, tu m'entends ?

Comme elle ne répondait rien, il l'embrassa de nouveau.

— Samantha, je te désire comme je n'ai jamais encore désiré une femme.

Au son de cette voix douce elle sentit son cœur

battre plus fort. Mais ce n'étaient pas vraiment les mots qu'elle voulait entendre.

— Ce n'est pas assez, murmura-t-elle.

— Non ? Je comprends. Mais je ne peux plus offrir davantage.

— Pourquoi pas ? interrogea-t-elle à son tour.

— Parce que... comment dirai-je... dans ce cas, c'est moi qui suis stérile. Je n'ai plus rien à donner.

— Comment le savez-vous ? Avez-vous essayé, au moins ?

— Pas une seule fois en dix-huit ans.

La réponse avait été aussi vive que claire.

— Et vous pensez que vous ne pourrez plus jamais aimer ?

Il ne répondit pas. Elle laissa errer un regard nostalgique sur les trophées.

— Lui, Tate, il l'aime, n'est-ce pas ? (Puis, le voyant acquiescer :) C'est bien mon avis. C'est un homme merveilleux. Et vous aussi, Tate.

— Est-ce que cela veut dire...

Il s'interrompit et se mit à mordiller ses lèvres. Dans ses bras, Samantha chavirait. Il fallait qu'elle s'arrache à cette étreinte, elle le savait. Pourtant, elle ne pouvait esquisser un seul mouvement. Ce fut lui qui mit fin à leur baiser. Sa voix parut venir de très loin lorsqu'il reprit :

— ... que, si je vous avais dit « je t'aime », nous serions en train de faire l'amour ?

Elle fit non de la tête.

— Je m'en doutais. Mais alors, où voulez-vous en venir ?

— Je m'échine à vous expliquer que vous pouvez encore tomber amoureux. Prenez l'exemple de Bill et Caroline. Ils étaient plus âgés que nous quand ils se sont rencontrés.

— Peut-être, marmonna-t-il, nullement convaincu. Mais qu'est-ce que ça peut faire ?

— Rien. Je voudrais juste être sûre, moi aussi, que c'est possible.

— Pourquoi ? Vous vous intéressez aux statistiques ?
— Mais non. C'est pour moi.
— C'était donc ça.
Sa main se tendit vers la chevelure de la jeune femme. Il ôta les épingles qui maintenaient en place son chignon, puis regarda dégringoler les lourdes torsades d'or pâle.
— Mon Dieu, Sam, que tes cheveux sont beaux... Mon adorable petit Palomino...
— Nous devrions rentrer maintenant, dit-elle d'une voix à la fois douce et ferme.
— Vraiment ?
— Vraiment.
— Pourquoi ?
Ses lèvres frôlèrent la pommette de Samantha, glissèrent le long de sa joue, se nichèrent au creux de son cou. Elle ne protesta pas, se disant obscurément que ça n'irait pas plus loin. Qu'il fallait à tout prix endiguer le flot brûlant qui menaçait de l'engloutir.
— Pourquoi partir ? Tu es si douce, Sam, si belle...
Un frisson le parcourut. Elle se dégagea de ses bras en secouant la tête.
— Non, Tate.
— Pourquoi ?
Un éclair de fureur traversa les yeux émeraude.
— Parce que... ce n'est pas bien.
Elle était effrayée, à présent.
— Pas *bien* ? Pour l'amour du ciel, nous ne sommes plus des enfants. Je suis un homme, tu es une femme... Qu'est-ce que tu veux à la fin ? cria-t-il d'un ton irrité. L'amour idéal ? La bague au doigt ? Un lit conjugal ?
— Et toi, cow-boy, que cherches-tu au juste ? À t'envoyer en l'air ?
Un coup de feu n'aurait pas produit d'effet plus spectaculaire. Tate devint livide.
— Désolé, dit-il froidement.
Il se détourna, et s'en alla laver leurs tasses de café.

— Écoutez, murmura-t-elle, vous me plaisez, Tate. Je vous aime beaucoup. Mais on m'a fait trop de mal. J'essaie de me protéger.

— Vous exigez des garanties que personne ne peut vous donner. Personne, et surtout pas moi. De toute façon, si on vous les donne un jour, dites-vous bien que ce ne seront probablement que des mensonges.

Il n'avait rien compris. Elle ne voulait pas de promesses. Mais quelque chose de vrai, de solide.

— Savez-vous ce dont j'ai envie ? De ça... répondit-elle en désignant d'un geste ample la pièce dans laquelle ils se trouvaient. De ce genre de tendresse et d'affection : de vingt années d'amour sans cesse renouvelé.

— Et vous pensez qu'ils étaient sûrs dès le départ ? Qu'ils avaient deviné que leurs sentiments resteraient intacts pendant deux décennies ? Vous me faites rire. Elle était la propriétaire du ranch, il était son employé et ils ne savaient rien de plus !

— Je vais sûrement vous épater, mais ils savaient au moins une chose.

— Laquelle ?

— Qu'ils étaient amoureux l'un de l'autre. Et tant que je n'aurai pas la certitude que j'aime un homme, et qu'il m'aime en retour, je refuse de m'impliquer dans une quelconque relation.

— Venez.

Il ouvrit la porte, la laissa passer, referma à clé. Il n'avait plus l'air furieux. « Il a compris... il m'a comprise », songea-t-elle, avant de se demander ce que l'avenir leur réservait. L'espace d'un instant, elle avait failli se laisser aller dans ses bras, puis, se ressaisissant, elle avait trouvé la force de le repousser. Non pas parce qu'elle ne le désirait pas ; parce qu'elle le désirait trop, au contraire...

— Reviendrons un jour ? s'enquit-elle, alors qu'il l'aidait à grimper sur son cheval.

— En avez-vous vraiment envie ?

Lentement, elle acquiesça de la tête et empoigna les rênes. L'instant suivant, ils traversaient côte à côte la prairie au galop, dans le vent froid de décembre.

11

— Avez-vous fait une bonne promenade, ma chérie?

Caroline posa un regard affectueux sur Samantha. Celle-ci venait d'entrer en trombe dans le salon, la démarche souple, les cheveux au vent, les yeux étincelants. Elle était l'image même de la jeunesse et de la beauté. Lorsqu'elle se pelotonna dans un fauteuil confortable, en repliant ses longues jambes sous elle, son hôtesse ne put s'empêcher de lui envier sa fraîcheur et son éclat.

— Oui, tante Caro...

Samantha avait du mal à cacher son excitation. Elle brûlait d'envie d'annoncer à son hôtesse qu'elle avait découvert le chalet. Et elle avait encore sur les lèvres le goût du baiser qu'elle avait échangé avec Tate quelques minutes plus tôt. Il l'avait enlacée, dans la stalle de Black Beauty. Leurs lèvres s'étaient unies. Et cette étreinte fugitive l'avait bouleversée. Jusqu'alors, aucun homme n'avait exercé sur ses sens un attrait semblable. C'était si puissant que cela tenait du sortilège... Plusieurs minutes s'étaient écoulées, mais elle était encore frémissante.

— Vous n'avez vu personne ce matin? s'enquit négligemment Caroline.

C'était une question banale, de celles que l'on se posait quotidiennement au ranch. Le domaine était si vaste que les informations colportées ainsi, de bouche à oreille, étaient précieuses. Sur le point de répondre par la négative, Samantha se ravisa soudain.

— Si, j'ai vu Tate Jordan.

— Ah... fit son interlocutrice, sans trahir la moindre curiosité. Comment va notre Père Noël ? Vous savez, les enfants l'adorent.

« Et moi aussi », faillit souffler Samantha. Au lieu de quoi, elle dit :

— Cela n'a rien de surprenant. Il est très gentil.

— Vous vous êtes enfin réconciliés ? Vous ne le détestez plus ?

— Je ne l'ai jamais détesté ! déclara Sam avec aplomb, en se versant une tasse de café. Nous avons eu simplement un petit désaccord à propos de Black Beauty...

— Je vois. A-t-il changé d'avis ? (Samantha hocha la tête avec satisfaction.) Eh bien, tout s'explique ! Mais c'est bien que vous soyez amis. Tate est quelqu'un de remarquable. Il connaît la propriété comme sa poche.

« Ça, c'est le moins qu'on puisse dire », songea Samantha, qui dut porter sa tasse de café à ses lèvres, afin de dissimuler un sourire espiègle.

— Qu'allez-vous faire aujourd'hui, tante Caro ?

— De la comptabilité, comme d'habitude.

— Le jour de Noël ?

— Eh oui !

— Pourquoi ne pas organiser un dîner de fête, ce soir ?

— Si je ne m'abuse, nous l'avons déjà fait hier.

— Ce n'est pas la même chose. Hier, c'était pour tout le monde, aujourd'hui cela se passera entre nous. Nous pourrions, vous et moi, préparer un succulent repas pour Bill et pour Tate.

Caroline lui lança un coup d'œil surpris avant de secouer doucement la tête.

— Je ne crois pas que ce soit une bonne idée.

— Non ? Pourquoi ?

— Parce que ce sont des employés, Samantha.

(Elle soupira.) Il existe une hiérarchie très stricte au ranch.

— Vous ne dînez jamais en tête à tête avec Bill ? s'étonna Sam.

— Très rarement. Les barrières sociales ne tombent que de temps à autre, et seulement lors de grandes occasions. Mariages, enterrements... ou le jour de Noël ! D'ailleurs, ils y tiennent, à ces barrières.

— Mais pour quelle raison ?

— Il faut respecter les convenances. C'est ainsi. Un point, c'est tout...

— Voyons, Caro, c'est ridicule. Qui parle encore, de nos jours, de classes sociales ?

— Eux, rétorqua sèchement Caroline. Et c'est très important à leurs yeux. Il faut que chacun sache qui il est, et comment il doit être traité en chaque circonstance. Moi, par exemple, ils m'ont hissée sur un piédestal, parce que je suis la propriétaire du ranch — je vous assure qu'il m'est impossible d'en redescendre ! Cela me pèse parfois, mais je ne peux rien y changer. Il ne faut surtout pas enfreindre les règles... Si j'invitais Bill et Tate à dîner, ils seraient les premiers choqués.

Samantha se tut un instant. Elle avait peine à croire que l'homme qui, tout à l'heure, avait essayé de l'entraîner dans un lit serait offusqué à l'idée de passer la soirée avec elle. Mais il était clair qu'elle n'avait pas encore saisi toutes les nuances de la vie du ranch.

— Je persiste à trouver cela ridicule.

Caroline lui sourit.

— Moi aussi, mais je l'accepte. C'est plus simple. Ils sont ainsi, point final.

« C'est donc pour cela que vous avez fait construire le petit chalet au fond des bois ? songea mélancoliquement Samantha. Parce que Bill n'est qu'un employé et que vous êtes la propriétaire ? Peut-on garder une liaison secrète pendant une vingtaine d'années pour une raison aussi démodée ? »

— Il y aura un buffet dans la salle commune, reprit la maîtresse de maison. Allez donc vous servir un bon morceau de dinde. Là-bas, vous pourrez bavarder avec qui vous voudrez. Quant à moi, j'ai encore quelques problèmes à régler avec Bill. Je suis navrée de vous négliger un jour de Noël, mais c'est urgent.

C'était le ranch qui les avait réunis, se dit Samantha. Le ranch qui avait toujours figuré au centre de leurs préoccupations. Et la tendresse, alors ? Leurs rencontres secrètes au chalet ne leur manquaient pas ? Depuis quand n'étaient-ils plus retournés là-bas ? Et elle, quand y retournerait-elle avec Tate ?

— Ne vous en faites pas pour moi, Caroline. J'ai quelques lettres à écrire. J'irai plus tard... quand j'aurai faim.

Le désir de revoir Tate la tourmentait. Mais elle ne l'aperçut pas au buffet. Et Josh lui apprit incidemment qu'il était parti au ranch Bar Three, à une quarantaine de kilomètres de là, rendre visite à son fils.

12

Dans la lumière laiteuse de l'aube, Tate Jordan donna le signal du départ. D'un seul mouvement, les cow-boys s'élancèrent derrière lui. Ce jour-là, la plupart d'entre eux étaient chargés d'aller castrer de jeunes taureaux. Tate, à la tête d'un groupe d'une douzaine de cavaliers, devait aller vérifier l'état d'un pont enjambant un canyon étroit. La nuit précédente, un violent orage avait éclaté et il craignait que l'édifice ait été abîmé. Après une heure de route, ils constatèrent que tout était en ordre. Mais, sur le chemin du retour, les ravages de la tempête se firent plus apparents. Frappés par la foudre, deux arbres étaient tombés sur le toit d'une grange, endommageant légèrement un tracteur. Sur un signe de Tate Jordan les hommes sautèrent à bas de leurs chevaux et se mirent à dégager les branches cassées à la scie électrique. Les arbres foudroyés furent ensuite soulevés à main d'homme, puis on répara le moteur du tracteur et on rangea les divers outils que le choc avait renversés sur le sol détrempé. Au bout de deux heures de travail épuisant, ils s'arrêtèrent pour déjeuner. La sueur trempait les longs cheveux blonds de Samantha, sa chemise de flanelle lui collait à la peau. Elle était aussi épuisée que lors de son premier jour au ranch.

— Un peu de café, Sam ?

Tate lui tendait un gobelet en plastique. Rien dans son attitude ne trahissait la moindre familiarité. L'espace d'une seconde, elle crut surprendre une lueur de désir dans ses yeux verts mais, l'instant suivant, il s'était déjà éloigné et donnait à ses ouvriers de nouvelles instructions. Elle en conclut que son imagination lui avait joué des tours. Apparemment, leurs relations avaient repris un cours normal. À la fin de la journée, elle en était totalement convaincue. Il se montrait poli vis-à-vis d'elle. Mais il ne lui adressa la parole que pour l'exhorter à se reposer. Pas un mot tendre glissé à mi-voix, pas un encouragement, alors qu'elle suait sang et eau ! Lorsqu'ils eurent regagné les écuries, à la tombée du soir, il se dirigea vers son logement sans même la saluer.

Éreintée, elle conduisit Navajo dans son box. Josh vint l'aider à retirer le harnais et le tapis de selle.

— Rude journée, pas vrai, Sam ?

Elle répondit par un hochement de tête, le regard fixé sur la silhouette de Tate qui s'éloignait. Ainsi l'incident au chalet n'avait été qu'un moment d'égarement. Un éclair éblouissant, qui les avait momentanément aveuglés. Heureusement qu'elle l'avait repoussé. Sinon, il serait probablement en train de rire d'elle...

— Vous avez l'air à bout de forces.

— Je ne suis pas la seule.

Elle s'obligea à sourire, mais le cœur n'y était pas. Pourtant, elle était heureuse d'avoir échappé à la castration des taureaux ; plutôt réparer une grange qu'assister à ce spectacle sanglant...

— À demain ! cria-t-elle à Josh avec un signe de la main.

Elle avait envie d'un bain chaud, besoin d'un repas, hâte de se glisser sous son édredon. De jour en jour, sa vie se réduisait à sa plus simple expression. Dormir, manger, travailler. Elle n'avait même plus le temps de réfléchir. Pourtant, ce soir, des lambeaux de souvenirs hantaient son esprit : le visage de Tate, son sourire, son regard, alors qu'ils bavardaient dans le petit chalet dont le reflet dansait dans le miroir du lac...

Elle pénétra dans la maison, mais personne ne répondit à ses appels. Un mot de Caroline, posé sur la table de cuisine, lui apprit qu'elle était partie avec Bill chez le comptable, à deux cents kilomètres de là. Ils rentreraient tard dans la nuit, peut-être même seulement le lendemain matin. De toute façon, Samantha était dispensée de veiller pour les attendre. Il y avait un poulet avec des pommes de terre au four, une salade au réfrigérateur, du vin, du fromage. Mais la perspective de dîner seule fit perdre à l'arrivante son bel appétit. Ayant décidé de se confectionner un sandwich plus tard, elle s'avança dans le salon puis, sans que ce soit conscient, elle saisit la télécommande et appuya sur l'un des boutons. L'image envahit l'écran d'un seul coup. Et Samantha regarda John, dont la voix emplissait la pièce. Derrière lui, il y avait le ventre proéminent et le visage béat de Liz... D'un coup Sam se retrouva plusieurs semaines en arrière, emplie d'affliction et de chagrin. Ses yeux scrutèrent les deux visages dont les lèvres remuaient.

Elle n'entendait pas ce qu'ils disaient. Et il lui fallut plusieurs secondes avant de prendre conscience qu'un carillon résonnait. On sonnait à la porte. Et sans doute depuis un bon moment... Comme une somnambule, elle éteignit le poste et se dirigea vers l'entrée, oubliant de crier « qui est-ce ? », habitude typiquement new-yorkaise qu'elle avait perdue ici.

Elle tourna la poignée. Devant elle, il y avait Tate Jordan, très séduisant dans sa chemise à carreaux bleu marine et sa veste en daim.

— Bonsoir, Tate.

Sa voix manquait de tonus. Elle pensait encore à John et à sa nouvelle épouse.

— Quelque chose ne va pas ? s'inquiéta-t-il. Avez-vous reçu de mauvaises nouvelles ?

— Non, fit-elle vaguement. (On ne pouvait pas vraiment parler de « nouvelles ».) Je suis un peu lasse, c'est tout.

Son sourire était faux, nota-t-il. Comme si elle avait reçu un coup de fil désagréable ou une lettre menaçante de son ex-mari.

— Vous avez trop travaillé aujourd'hui, petit Palomino.

Cette fois-ci, elle se dérida un peu. Au terme de sa longue journée de labeur, le compliment de Tate lui faisait l'effet d'une récompense.

— Heureuse que vous l'ayez remarqué, railla-t-elle.

Mais il remarquait tout, naturellement. Il connaissait chacun de ses cow-boys, avait évalué leur loyauté, leur dévouement, savait exactement ce qu'ils donnaient au ranch et ce qu'ils en retiraient en échange.

— Entrez, je vous en prie, dit-elle.

— J'espère que je ne vous dérange pas ? (Il avait l'air embarrassé.) J'ai entendu dire que Bill et Caroline étaient partis chez le comptable, et je suis juste passé voir si vous alliez bien. Voulez-vous dîner dans la salle commune ? Mais peut-être avez-vous déjà mangé ?

Sa sollicitude la toucha. Et son sourire lui mit du

baume au cœur. Elle en était certaine, à présent. Au-delà des apparences se cachait un autre Tate Jordan.

— Caroline m'a laissé un poulet au four mais... je n'ai pas eu le temps de...

Elle avait honte d'avouer qu'elle avait regardé l'émission de John et rejeta en arrière la masse platinée de ses cheveux.

— Cela vous dirait de dîner avec moi, Tate ?

— Ça ne vous ennuie pas ? demanda-t-il après une hésitation.

— Pas du tout. Caroline a préparé de quoi nourrir une armée.

Quelques minutes plus tard, installés à la table de la cuisine, ils dévoraient les pommes de terre, la salade et le poulet, en discutant et en riant. Comme s'ils avaient dîné ensemble, chaque jour depuis vingt ans...

— À quoi ressemble New York ? demanda-t-il après avoir avalé sa dernière bouchée.

— À une ville de fous ! Je crois qu'il n'y a pas d'autres mots pour la décrire. Le bruit, la foule, la crasse... un enfer, quoi, répondit-elle. Mais la vie y est terriblement excitante. Tout le monde a toujours quelque chose à faire : aller au spectacle, se lancer dans une affaire, répéter un ballet, chiner au marché aux puces, devenir riche ou célèbre... C'est une ville où le commun des mortels n'a pas sa place.

— Et vous ? interrogea-t-il en la suivant d'un regard attentif, alors qu'elle se levait pour aller chercher du café.

— J'ai adoré New York ! soupira-t-elle en posant deux tasses fumantes sur le plateau de bois poli. Mais à présent, je ne suis plus si sûre de l'aimer encore. C'est si loin, si flou... Voilà trois semaines, je ne pouvais pas quitter mon bureau, ne serait-ce que pour aller chez le coiffeur, sans appeler ma secrétaire toutes les cinq minutes. Je suis partie, et ça continue de tourner. Mes collègues se passent parfaitement de moi — et c'est réciproque. Mais je sais que, dès l'instant où je rentrerai, tout va recommencer... New York est comme une drogue. On a beau se faire désintoxiquer, la rechute est inéluctable.

Tate saisit entre l'index et le pouce l'anse délicate de la tasse en porcelaine blanche.

— J'ai déjà rencontré des femmes qui m'ont raconté des choses semblables, dit-il entre deux gorgées de café noir et corse.

— Vraiment, monsieur Jordan? Racontez-moi donc un peu ça.

— Pas question. Parlons plutôt de vous. Est-ce que quelqu'un vous attend à New York, ou l'avez-vous fui, lui aussi?

— Je ne me suis pas enfuie, Tate, expliqua-t-elle d'une voix sérieuse. J'ai pris des vacances. Et... non, je n'ai laissé personne là-bas. Je croyais que vous l'aviez compris, l'autre jour.

— Ça ne coûte rien de demander.

— Je ne suis sortie avec personne depuis que mon mari est parti.

— Depuis août? s'étonna-t-il. (Il se rappelait exactement la date.) Vous ne pensez pas qu'il serait temps?

Si. Elle le pensait. Mais pas question de le lui avouer.

— Peut-être. Je ne veux pas me forcer.

— En êtes-vous certaine?

Il s'était exprimé d'une voix douce. Soudain, il se pencha vers elle et l'embrassa à pleine bouche. Le cœur de Samantha s'emballa. Elle crut défaillir, lorsqu'elle sentit ses doigts caresser ses cheveux.

— Sam... Tu es belle comme le jour...

Il écrasa ses lèvres contre les siennes, repoussa les assiettes qui encombraient la table, la serra plus fort contre lui. Leur baiser se prolongea longtemps. Finalement, Samantha se dégagea à regret.

— Caroline serait choquée, Tate.

— Tu le crois vraiment?

Ils pensèrent en même temps à Bill et Caroline faisant halte dans un motel pour la nuit, quelque part sur la route. Et, tout naturellement, songèrent ensuite à la petite maison au bord du lac. Tate sourit.

— S'il ne faisait pas si noir, nous pourrions y aller.

— Où ça ? Au chalet ?

— L'autre jour, j'ai eu l'impression qu'il a été construit spécialement pour nous.

Elle lui retourna son sourire. Il se leva et la prit tout doucement contre lui, la tenant étroitement enlacée, avant de reprendre ses lèvres. L'ardeur avec laquelle elle répondit à son baiser le mit au supplice.

— Sam, je t'aime. Je l'ai su dès que je t'ai vue. Je mourais d'envie de te toucher, de t'embrasser, de passer mes doigts dans tes cheveux. Est-ce que tu me crois, Sam ?

— Je ne sais pas, murmura-t-elle en le scrutant de ses grands yeux bleus. Ne vous croyez pas obligé de me faire des déclarations d'amour. Si c'est juste pour coucher avec moi...

— Non, je suis sincère, chuchota-t-il contre son oreille. J'ai beaucoup réfléchi depuis notre dernière conversation. Je veux la même chose que toi, Sam. Mais l'autre jour, je n'ai pas su exprimer mes sentiments. Je n'ai pas l'habitude. Il est plus facile de dire « j'ai envie de toi » que « je t'aime ». Mais ce dont je suis sûr, c'est que, de toute ma vie, je n'ai jamais autant désiré une femme.

— Pourquoi ?

— Parce que tu es merveilleuse, dit-il en lui effleurant les seins d'une main douce. Parce que j'aime ton rire, ta voix, ta façon de monter ce satané cheval... j'aime ton acharnement au travail... et j'adore... (ses mains glissèrent le long de son dos vers le creux de ses reins)... tout ça...

En riant, elle le repoussa.

— À ce que je vois, vous ne trouvez pas mes raisons à votre goût, mademoiselle Taylor.

— Des raisons pour quoi faire, monsieur Jordan ?

Elle lui tourna le dos, plutôt contente de sa repartie, et se mit à débarrasser la table. Mais avant qu'elle ait pu atteindre l'évier, il lui avait pris les assiettes des mains, les avait reposées, puis l'avait soulevée de terre comme une plume et l'avait transportée jusque dans le corridor menant aux chambres.

— Dis-moi si je me trompe de chemin, Samantha.

— Voyons, Tate, lâche-moi. C'est ridicule.

Leurs rires s'égrenaient à travers la maison déserte. Arrivé au bout du couloir, devant une porte entrebâillée, il demanda :

— C'est ici ?

Il la déposa sur le seuil où elle croisa les bras, boudeuse.

— Oui. Mais je ne t'ai pas invité.

Tate haussa un sourcil.

— Ah, non ? Quel dommage.

Sans autre forme de procès, il la souleva à nouveau, l'amena jusqu'au lit où ils basculèrent ensemble. Sans un mot, ses lèvres cherchèrent les siennes. Les plaisanteries, les jeux, les rires avaient cédé le pas à une passion dont l'ampleur déroutait la jeune femme. Tate lui communiquait son ardeur. Ses mains, ses lèvres, son corps tout entier se tendait vers elle et elle sentit fondre toute velléité de lutte. Un moment plus tard, leurs vêtements s'étaient envolés comme par magie et leurs corps nus s'enlaçaient. Ses longues jambes s'enroulèrent autour de la taille de Tate, et un gémissement plaintif lui échappa. Elle n'en pouvait plus. Il fallait qu'elle appartienne à cet homme. Il s'écarta un peu d'elle, la regarda longuement, comme s'il voulait s'assurer qu'elle était consentante. Tate Jordan n'avait jamais imposé son désir. Elle baissa la tête en guise d'assentiment, et il la prit d'un coup, presque brutalement. Elle poussa un cri de plaisir, alors qu'il s'enfonçait plus profondément dans sa chair, puis se laissa emporter par un tourbillon de plaisir.

Ils étaient allongés dans l'obscurité l'un contre l'autre, les lèvres de Tate contre le cou de Sam.

— Palomino, je t'aime, chuchota-t-il.

Il avait l'air sincère. Et, pourtant, le doute la tourmentait. Était-ce possible qu'un homme l'aime à nouveau ? Sans la blesser ? Sans la trahir ? Sans la quitter ? Une larme roula sur sa joue. Il la regarda alors tristement, l'attira dans ses bras et se mit à la bercer en lui murmurant des mots tendres. Comme on berce un enfant malade...

— Ça va aller, petite. Ne pleure pas. Je suis là.

— Excuse-moi...

Des sanglots trop longtemps refoulés la suffoquèrent. Le chagrin qu'elle avait accumulé jour après jour jaillit comme l'eau d'une source. Elle pleura longtemps, serrée contre sa poitrine. Au bout d'un moment, il resserra son étreinte. Il avait à nouveau envie d'elle...

— Tu vas mieux ? demanda-t-il ensuite, d'une voix rauque.

— Oui... Beaucoup mieux.

Dans le plaisir, elle lui avait montré sa gratitude. Et elle s'endormit contre lui, certaine que rien n'existerait jamais plus que leur amour insensé. Quand le réveil sonna elle ouvrit les yeux, sûre de le trouver à son côté. Mais sur l'oreiller vide, il n'y avait qu'un bout de papier. Il l'avait mis là avant de s'échapper à deux heures du matin. « Je t'aime, Palomino », avait-il écrit. Samantha s'étira, souriante. La saison des larmes était terminée.

13

À la tombée de la nuit, Samantha semblait aussi fraîche et dispose qu'à l'aube. Josh lui en fit la remarque, d'un air faussement dégoûté.

— Miss Taylor, vous êtes une dure à cuire. Il y a à

peine trois semaines, vous n'arriviez pas à vous tenir debout après une journée de cheval. Maintenant, on dirait que vous avez fait ça toute votre vie. Vous voir dans une forme aussi éblouissante me rend malade ! C'est vous qui allez devoir me porter. J'ai mal partout à force d'essayer d'attraper au lasso ces satanés taureaux ! Mais peut-être flânez-vous au lieu de travailler ?

— Aujourd'hui j'ai travaillé plus dur que vous tous !

— C'est injuste ! s'indigna Josh, avec une grimace comique.

Elle courut vers la sortie, plus vive, plus rapide, plus belle que jamais, ses longs cheveux blonds retenus par un ruban vermillon dansant sur sa nuque. Toute la journée, tandis qu'elle chevauchait à un train d'enfer, elle n'avait fait que penser à Tate. Ni l'un ni l'autre ne s'étaient trahis. Il n'avait témoigné à son égard qu'indifférence, et elle avait joué le jeu de son mieux en l'ignorant. Ils n'avaient échangé que quelques mots anodins, et elle avait poussé l'art de la dissimulation jusqu'à éviter de se trouver un seul instant en tête à tête avec lui. Il l'avait brièvement saluée à l'heure du déjeuner, puis s'était empressé de s'éloigner, tandis qu'elle restait en compagnie des cow-boys. Il n'empêche. Elle avait passé la journée sur un nuage à rêver à *leur* nuit, des scènes disparates lui revenant en mémoire : un mouvement de leurs corps, leurs deux visages qui se rapprochaient, la jambe bronzée de Tate émergeant des draps froissés, l'étincelle dans ses yeux lorsqu'il se penchait pour l'embrasser, le mouvement frémissant de sa nuque, alors qu'elle glissait un doigt le long de son dos. Toujours obnubilée par ces images éclatantes, elle courut en direction de la grande maison, dans le clair-obscur du soir. Où, quand et comment se passerait leur prochaine rencontre ? Elle n'en avait aucune idée mais, bizarrement, elle était confiante. Ils ne pourraient se retrouver chez lui : c'était trop près de la salle commune. Caroline étant rentrée, il était hors de question de se voir dans la chambre d'amis. À moins... Elle réprima un petit rire. À moins que deux portes ne soient dorénavant claquées chaque nuit...

— Comme vous avez l'air heureuse ce soir ! remarqua Caroline lorsqu'elle l'aperçut.

Pour la première fois, Samantha ne se posa aucune question sur la présence silencieuse de Bill King dans le salon. Elle le salua simplement d'un signe de tête amical.

— Je reviens dans une minute, tante Caro.

La jeune femme fila dans sa chambre, et prit un bain. À son retour, Bill s'était éclipsé, bien sûr. Elle dîna en tête à tête avec Caroline comme à l'accoutumée. Mais durant le repas, elle fut moins bavarde que d'habitude. En fait, elle n'ouvrit pour ainsi dire pas la bouche. Ses pensées allaient vers Tate. Où était-il ? Que faisait-il ? Était-il à table, dans la salle commune ? Mangeait-il seul dans son pavillon ? C'était peu probable. Même mariés et pères de famille, les cow-boys préféraient prendre leurs repas en commun. Elle eut envie d'aller se joindre à eux, mais ne bougea pas. On ne manquerait pas de s'interroger sur cette intrusion nocturne. Autant ils trouvaient normal qu'elle fût des leurs durant la journée, autant, le soir, sa place était auprès de Caroline, dans la grande maison... On aurait vite fait de deviner le but de sa visite, si elle apparaissait sur le seuil de la vaste salle à manger. Les ragots iraient bon train. À l'instar d'une seule et même famille, les cow-boys, les garçons de ferme et les palefreniers avaient un flair infaillible. Idylles, mariages, divorces, affaires de cœur extraconjugales et bébés illégitimes étaient découverts en un rien de temps, et cela rendait encore plus admirable la façon dont Bill et Caroline s'étaient cachés pendant vingt ans. Samantha comprit soudain leur prudence, leur acharnement à se voir clandestinement. Elle ignorait si elle aurait le courage de se plier à une telle discipline. Pour le moment, elle brûlait de l'impérieux désir de revoir Tate, de se promener avec lui sous les étoiles, de l'aimer avec passion, comme elle l'avait fait la nuit précédente.

— Encore un peu de salade, chérie ?

Caroline observait le charmant minois de sa protégée, depuis plus d'une demi-heure. Et elle était perplexe. Sam n'était pas dans son état normal. Pourtant, elle ne paraissait pas malheureuse. Seulement un peu dans la lune...

— Quelque chose ne va pas ? finit-elle par demander.

— Mmmm ?

— Tout va bien ?

— Quoi ? Oh, je suis navrée. (Samantha rougit comme une gamine prise en faute.) Je... j'étais distraite. Ç'a été une longue journée... une journée bien remplie, en fait.

C'était la seule réponse qu'elle avait trouvée pour expliquer le bien-être qui se lisait si ouvertement sur sa figure.

— Oui ? Qu'avez-vous fait ?

— Oh ! Rien de particulier. Nous avons ramené du bétail égaré, vérifié l'état des clôtures. Mais ç'a été une belle journée, tout de même.

Caroline la scruta intensément.

— Je suis ravie de vous voir aussi heureuse, Sam.

— Oui, Caro, je suis très heureuse. Plus heureuse qu'à New York ou n'importe où ailleurs.

Elle accepta la salade de laitue que son hôtesse lui tendait, et retomba immédiatement dans sa rêverie.

Elle ne vit pas Tate avant le lendemain. Elle l'avait attendu une partie de la nuit, s'interdisant le sommeil, et avait entendu Bill entrer dans la maison, avec une pointe de jalousie au cœur. Mais elle avait en vain guetté un second claquement de porte. Vaincue par la fatigue, elle avait fini par s'endormir.

Il était sept heures du matin le lendemain, dimanche, lorsqu'elle se doucha et s'habilla en hâte, avala rapidement une tasse de café et courut jusqu'aux écuries, espérant le trouver là. Mais il n'y avait personne. Les palefreniers s'étaient déjà occupés des chevaux, les avaient étrillés, bouchonnés et nourris, avant de gagner la salle commune. Seule, elle longea l'allée flanquée de stalles dont elle connaissait chacun des occupants. Bien sûr, elle fit halte devant le box de Black Beauty. Du bout des doigts, elle caressa ses naseaux, et l'étalon enfouit ses lèvres duveteuses dans le creux de sa main, à la recherche de quelque friandise.

— Désolée, mon ami, je n'ai rien pour toi ce matin.

— Et pour moi ? susurra une voix derrière elle.

— Oh !

Elle fit volte-face, surprise. Avant qu'elle ait pu reprendre son souffle, il l'avait enlacée et l'embrassait passionnément.

— Bonjour, Palomino, murmura-t-il.

— Tate... tu m'as manqué.

— Toi aussi. Veux-tu me retrouver à la maison du lac ?

Samantha acquiesça, les yeux brillants.

— Oh oui !

— Je t'attendrai à la barrière sud, dans la clairière. Te souviens-tu de cet endroit ?

— Tu plaisantes ? À quoi croyais-tu que je pensais lorsque nous sommes allés là-bas ?

— À la même chose que moi, je suppose...

— Exact ! (La main de Samantha s'agrippa à sa manche.) Je t'aime, cow-boy.

Il se pencha, lui effleura les lèvres d'un baiser rapide.

— Moi aussi je t'aime, Palomino. Rendez-vous à dix heures.

Il s'éloigna, ses bottes claquant sur le plancher de l'écurie. Au-dehors, il souhaita le bonjour à deux hommes qui venaient chercher leurs chevaux. S'ils étaient arrivés une minute plus tôt, ils les auraient surpris mais ils ne virent que Samantha, tendant une botte d'avoine au plus beau cheval du ranch.

14

Ils se retrouvèrent dans la prairie inondée de soleil un peu avant l'heure convenue. Leurs chevaux piaffaient, ils avaient les yeux brillants de désir, et le ciel cobalt convenait à merveille à la passion qui les habitait. Samantha se sentait prête à tout abandonner pour Tate. La vie, sa vie, ne pourrait plus avoir de sens qu'auprès de lui. Elle essaya de le lui faire comprendre un peu plus tard, alors qu'ils étaient étendus côte à côte, sur le grand lit de cuivre de la chambrette bleu pâle.

— Je n'ai fait que t'attendre, Tate. Depuis toujours. Je crois que je suis née pour toi.

Il effleura d'un baiser la peau sensible de son cou.

— Je t'aime. J'aime faire l'amour avec toi.

Elle se pelotonna contre lui avec un sourire béat.

— Moi aussi. Je suis si heureuse. Mon bonheur est peut-être indécent, mais je n'y peux rien.

— Indécent ? s'exclama-t-il en lui embrassant le bout du nez. Pourquoi, au nom du ciel ? Le bonheur n'est pas un crime.

— Je n'en suis pas si sûre. Mais j'espère que ça durera, en tout cas.

À l'unisson, leurs pensées se tournèrent vers Bill et Caroline, qui avaient autrefois partagé ce même lit, et qui s'aimaient toujours.

— Dire qu'on se connaît à peine depuis quelques semaines. Oh, Tate, ça peut te paraître invraisemblable, mais j'ai l'impression d'être amoureuse de toi depuis la nuit des temps.

— Non, ça me paraît logique. Mais fais attention ! Si tu continues à répéter que tu m'aimes depuis toujours, je vais finir par te traiter comme si nous nous connaissions depuis vingt ans !

— Et qu'est-ce que tu feras ?
— Je t'ignorerai, ma belle !
— Ah oui ? Essaie donc...
Elle remonta doucement la main le long de la cuisse de Tate.
— Qu'essaies-tu de me prouver ?
— Qu'il est impossible de m'ignorer, répondit-elle de sa voix la plus suave.
Leurs rires laissèrent place aux soupirs. Et leurs plaisanteries aux mots tendres. Les minutes s'égrenaient lentement, au rythme de leur étreinte. Plus tard, très à l'aise, comme s'ils avaient passé leur vie ensemble, ils déambulèrent nus et heureux dans le petit chalet.
— As-tu vu les albums de photo, chérie ?
Elle était dans la cuisine, en train de préparer des sandwiches. Il s'était assis dans le large fauteuil de cuir abricot, une couverture sur les épaules, ses longues jambes tendues vers le feu qui crépitait joyeusement dans l'âtre. Tout à l'heure, ils nettoieraient les cendres, afin d'effacer toute trace de leur passage.
— Oui. Ils sont superbes, n'est-ce pas ?
La plupart des photos dataient des années cinquante. Les deux amants feuilletèrent les pages jaunies contenant des instantanés de Bill et de Caroline entourés d'inconnus. Sur certaines ils portaient de drôles de chapeaux, sur d'autres ils étaient vêtus de maillots de bain démodés. Il y avait quelques clichés de rodéos, et des vues de la propriété avant la construction des nouveaux bâtiments.
— Regarde comme le ranch était petit, à l'époque.
— Un jour, dit-il, le ranch que nous connaissons actuellement semblera petit à son tour. Ce sera la plus belle exploitation de la Californie. Malheureusement, Bill King vieillit. Je crains qu'il n'ait pas assez d'énergie pour entreprendre les transformations nécessaires.
— Et toi, aimerais-tu le faire ?

Il hocha la tête avec honnêteté. Il briguait le poste du contremaître et ne s'en cachait pas.

— Oui, si miss Caroline m'y autorise, bien entendu. Mais tant que Bill est là, c'est lui qui aura le dernier mot.

— J'espère pour elle qu'il sera là encore longtemps.

— Moi aussi. Mais un jour… eh bien, il y a un tas de choses que j'aimerais changer.

L'album refermé, il entreprit de lui conter ses projets. Une heure plus tard il se répandait en excuses.

— Pardonne-moi. Je suis capable de parler de tout ça pendant des jours. Arrête-moi, s'il te plaît.

— J'aime bien t'écouter, répondit-elle. (Puis, après quelques secondes de silence, elle ajouta :) Et pourquoi ne fonderais-tu pas ton propre ranch ?

Il éclata de rire.

— Avec quoi, mon gentil Palomino ? De la bonne volonté et quelques canettes de bière ? Un domaine comme celui-ci vaut une fortune. Le salaire de toute une vie ne suffirait pas à l'acheter. Soyons lucides. Je serai contremaître dans le meilleur des cas.

— Mais tu exerces déjà les fonctions de contremaître.

Elle posa sur lui un regard empreint de fierté. Tate lui prit le menton d'un geste tendre.

— Mais oui, mon amour, quand je ne fais pas l'école buissonnière avec toi. Quand je te vois, plus rien ne me retient à mon travail. Toute la journée d'hier je n'ai eu qu'une seule idée en tête : m'échapper, venir ici, auprès du feu, auprès de toi…

— C'est pareil pour moi, murmura Samantha, les yeux rivés aux flammes. Qu'allons-nous faire ?

— À quel sujet ?

Il la taquinait, comme toujours. Il avait très bien compris à quoi elle faisait allusion.

— Tu sais bien de quoi je parle. Hier soir, je t'ai imaginé tombant nez à nez avec Bill King, dans le noir, en pleine nuit.

Il l'attira dans ses bras. Il riait, mais ses yeux restaient songeurs. Il avait tourné et retourné la question dans sa tête ces derniers jours.

— Je n'en sais rien. Dommage que nous ne soyons pas en été. Nous viendrions ici tous les soirs et nous rentrerions à minuit, sous un beau clair de lune. Mais en cette saison, les chevaux risquent de trébucher dans le noir.

— Dans ce cas, utilisons des lanternes.

— Sûr. (Il sourit.) Ou louons un hélicoptère.

— Arrête ! Eh bien, qu'est-ce qu'on décide ? Chez moi ou chez toi, étranger ?

— Chez toi, ils nous entendraient. Comme tu entends bien Bill arriver tous les soirs. Chez moi, ce serait encore pire. Tout le monde te verrait passer. Il suffit qu'un regard indiscret te surprenne en train de sortir de ma cabane et c'en serait fini de nous deux.

Elle le regarda, médusée.

— Fini ? Mais pourquoi ? Ce serait si terrible que ça, si on découvrait que nous nous aimons ? Nous ne faisons aucun mal.

— N'oublie pas les convenances. Tu es Samantha Taylor, l'invitée de marque de la propriétaire de ce ranch, et moi, je suis l'assistant du contremaître. Tu n'as sûrement pas envie qu'on dise du mal de toi, et moi non plus.

En vérité, elle s'en fichait. Les potins ne la touchaient plus. Elle aimait cet homme et rien, aucun ragot, aucune médisance, ne pouvait entacher leur relation. En fait, elle mourait d'envie de voir leur amour éclater au grand jour. À ses yeux, la vieille loi selon laquelle les propriétaires de ranch ne se commettaient pas avec leurs employés relevait d'une féodalité désuète.

— Moi, je ne me plierai pas à ce petit jeu-là, déclara-t-elle en plantant son regard dans le sien. Enfin, pas pour toujours. Je ne suivrai pas les traces de Bill et de Caroline. Si nous restons ensemble, je veux que cela se sache. Qu'on soit fiers de notre amour au lieu d'en avoir peur.

— On verra...

Il n'était pas prêt à sauter le pas, elle le devina à son air absent. Du coup, piquée au vif, elle insista.

— Pourquoi remettre au lendemain ce que nous pouvons faire dès aujourd'hui ? Sans le crier sur tous les toits, nous pourrions néanmoins mettre au courant certains proches. Josh, par exemple. Bill. Caroline, évidemment. Nom d'un chien, Tate, je n'ai pas l'intention de me cacher toute ma vie.

— Mais tu ne te cacheras pas. Un de ces jours tu retourneras tout simplement à New York...

Ces mots lui firent l'effet d'une douche froide.

— Tu en es donc si sûr ? demanda-t-elle, tout à coup morose.

— Ta place est là-bas, comme la mienne est ici, au ranch.

— Comment peux-tu débiter de telles âneries ? Peut-être que j'ai décidé, moi aussi, de changer de vie. Comme l'a fait Caroline jadis.

— Veux-tu vraiment que je te dise le fond de ma pensée ? Tu ne ressembles guère à Caroline. Quand elle est arrivée dans ce coin, elle était veuve et déçue de l'existence qu'elle avait menée auprès de son mari. Elle avait déjà quarante ans, alors que tu n'en as que trente. Tu es jeune, belle, une vie trépidante t'attend à New York. Tu as encore mille choses à accomplir, des campagnes publicitaires à concevoir, des avions à prendre, des milliers de coups de fil à passer, sans compter les surprises-parties, les spectacles, les cocktails... Pour quelle raison voudrais-tu t'enterrer à la campagne ?

— M'enterrer ? Mais au contraire, je n'ai jamais éprouvé une telle soif de vivre, objecta-t-elle, profondément blessée.

Il l'enveloppa d'un regard sage et lui caressa les cheveux.

— Parce que tu t'es remise de tes peines, mon

amour. Tu es venue pour ça, non ? Maintenant, la vie te réclame, et tu ne tarderas guère à t'ennuyer parmi nous. Tu es en train de guérir, Sam. Et je suis là pour t'y aider. Je t'aime, je le sais, je l'ai su dès le premier jour. J'espère que tu m'aimes, toi aussi. Mais l'histoire de Bill et Caroline tient du miracle, tu veux que je te dise pourquoi ? Je vais le faire. Ils appartiennent à deux mondes différents et il en sera ainsi jusqu'à la fin de leurs jours. Elle a de l'éducation, il est inculte. Elle a mené une existence raffinée, il croit que le summum de l'élégance consiste à se servir d'un cure-dent en or et à fumer de gros cigares à trois sous. Elle a de la fortune, il n'a pas un sou. Mais ils s'aiment et ça dure depuis vingt ans. À mon sens, Caroline doit être un peu folle. En tout cas, elle avait une existence entière derrière elle lorsqu'elle a fait la connaissance de Bill. Toi, ce n'est pas la même chose. Tu mérites davantage que ce que je pourrai jamais t'apporter...

Ils étaient amants depuis deux jours et, déjà, il était arrivé à l'heure du bilan. Ils se tutoyaient depuis quarante-huit heures et voilà qu'il se noyait dans les regrets. Ses sombres prédictions firent naître un sourire attendri sur les lèvres pleines de la jeune femme.

— C'est toi qui es fou, Tate Jordan. Mais je t'adore ! (Elle lui prit le visage dans ses paumes et l'embrassa.) Chéri, merci pour ta leçon de morale. Mais si je décide de rester, rien ne me fera changer d'avis. Tu ne peux pas m'obliger à retourner à New York. Par ailleurs, je ne suis pas Caroline et tu n'es pas Bill. Je te préviens, je n'aurai de cesse d'annoncer notre amour au monde entier. Compris ?

— Compris, soupira-t-il en l'enlaçant et en la faisant taire d'un baiser.

Il rabattit la couverture sur eux et ils s'unirent à nouveau devant les flammes brillantes. Lorsque, à bout de souffle, il arracha ses lèvres de celles de Samantha, le feu se mourait. Alors, il la souleva de terre et la transporta sur le lit où ils recommencèrent une fois de plus à s'aimer. Il était six heures passées quand ils s'aperçurent que la nuit tombait, emplissant la pièce de pénombre. Ils avaient dormi et fait l'amour toute la journée. Tate se leva pour faire couler un bain. Ils le prirent ensemble et elle lui raconta, en riant, ses précédents séjours au ranch, du temps de Barbara.

— On ne sait toujours pas comment résoudre notre problème, acheva-t-elle, passant du coq à l'âne.

Il appuya sa tête contre le rebord de la baignoire, les yeux clos.

— Avions-nous un problème ?

— Oui. L'organisation de nos futures rencontres.

— Je manque d'inspiration, je l'avoue. Qu'en penses-tu, toi ?

— Ma chambre chez tante Caro ? Je laisserai la fenêtre ouverte, naturellement...

— En effet, il n'y a guère d'autre solution... Mais si ! Voilà des mois qu'Hennessey me rebat les oreilles parce qu'il trouve son logement trop petit, trop éloigné des autres, trop ceci, trop cela...

— Et alors ?

— Je vais lui proposer un échange. Son pavillon se trouve tout au bout des bâtiments, derrière la maison de miss Lord. Personne ne te verra traverser le jardin.

— Il ne se doutera de rien ?

— Il n'y a aucune raison. Je n'ai pas l'intention de te pincer les fesses tous les matins au petit déjeuner, pas plus que de t'embrasser langoureusement avant de monter en selle.

— Pourquoi ? Tu ne m'aimes plus ?

Il se pencha vers elle pour lui donner un baiser et ses doigts effleurèrent ses seins.

— Je t'adore, Palomino.

Elle s'agenouilla dans la baignoire et se plaqua contre lui.

— Moi aussi, Tate.

Sept heures avaient sonné depuis longtemps lorsqu'ils rentrèrent aux écuries. Dieu merci, Caroline était partie dîner dans un ranch voisin. Sinon, elle se serait fait un sang d'encre... Sam prit le chemin de la maison. Tate lui manquait déjà. C'était un sentiment étrange, presque effrayant. Après tout ils se connaissaient à peine... Peut-être le fait d'habiter loin de tout, au bout du monde, exacerbait-il chaque sentiment, chaque sens jusqu'à la démesure? En rentrant, elle trouva un mot de Caroline. «Mais où êtes-vous donc passée?» écrivait celle-ci, annonçant ensuite qu'un plat l'attendait dans le four. Sam dîna légèrement. À huit heures et demie, elle était au lit. Et pensait à Tate.

Caroline et Bill King rentrèrent tard dans la nuit. Bill se rendit directement dans la chambre de la maîtresse de maison, tandis que cette dernière se dirigeait à pas de loup vers celle de Samantha. Elle entrouvrit la porte. La jeune femme dormait à poings fermés. Sa longue chevelure formait un halo d'argent sur l'oreiller. Un léger frisson parcourut Caroline. Elle avança de quelques pas. C'était sa propre jeunesse, perdue à jamais, qu'elle était en train de contempler. Les yeux tout à coup humides, elle frôla la main de la jeune femme endormie. Avant de quitter la pièce sans bruit...

Bill, en pyjama, fumait son éternel cigare dans leur chambre.

— Où étais-tu? Ne me dis pas que tu avais encore faim, après le repas pantagruélique que nous venons de faire!

— Non. Je voulais juste m'assurer que Samantha allait bien.

— Alors?

— Elle dort.

— C'est une fille formidable. Le type qui l'a laissée tomber est un sacré imbécile.

Il avait regardé Liz à la télévision et en avait tiré les conclusions qui s'imposaient.

Caroline acquiesça. En son for intérieur, elle pensait qu'un tas d'autres personnes méritaient le même qualificatif. Elle-même, pour commencer. Et aussi l'homme qui lui faisait face. Fallait-il être idiot pour vivre en cachette pendant vingt ans, comme des criminels ! Et Samantha était une imbécile elle aussi — voilà qu'elle était amoureuse de Tate Jordan ! Et qu'il partageait ses sentiments... Pourquoi diable s'était-il amouraché d'une femme qui n'était pas faite pour lui ? En fait, rien n'avait échappé à l'œil exercé de Caroline. Elle avait noté que Sam avait brusquement cessé de se plaindre de la tyrannie de Tate, mais aussi remarqué la façon dont ce dernier la dévorait des yeux, le soir du réveillon. Et hier soir, en voyant Sam si songeuse pendant leur dîner, elle avait compris ce qui venait de se passer. Mais elle avait gardé le silence. Comme elle l'avait fait pour elle-même pendant vingt ans. À présent, elle n'en pouvait plus de se taire. D'un geste brusque, dicté par la révolte, elle arracha le cigare des lèvres de son compagnon, l'écrasa rageusement dans un cendrier, et dit fermement :

— Bill, j'exige que nous devenions mari et femme.

— Bien sûr, Caro, bien sûr, murmura-t-il.

Avec un sourire apaisant, il avança la main vers son buste mais elle s'écarta, indignée.

— Je parle sérieusement, Bill.

En constatant qu'elle paraissait sincère, il fronça les sourcils.

— Voyons, ma chérie, à nos âges !

— Justement ! À ton âge, tu ne devrais pas t'introduire dans cette maison comme un voleur, au milieu de la nuit. C'est aussi mauvais pour mes nerfs que pour ton arthrite.

— Tu es folle ! s'exclama-t-il, outré.

— Peut-être. Mais laissez-moi vous dire une bonne chose, monsieur King. Personne ne sera surpris et, de toute façon, tout le monde s'en fichera. Qui se rappelle celle que j'étais autrefois ? Tout ce qu'ils savent actuellement, c'est que je suis Caroline Lord et toi Bill King. Point final.

— Balivernes ! lâcha-t-il. Ils savent bien que tu es la propriétaire et moi le contremaître.

— Et alors ? Qui s'en soucie ?

— Moi. Et toi, tu devrais te soucier davantage de ta réputation. Je ne permettrai jamais qu'on se moque de toi. Que l'on ricane dans ton dos, parce que tu as épousé ton employé.

— Parfait ! Dans ce cas, je te renvoie. Nous partirons pendant un certain temps, et reviendrons mariés.

— Je ne sais pas ce qui te prend, ce soir, fulmina-t-il. Éteins la lumière, s'il te plaît. Je suis fatigué.

— Moi aussi... fatiguée de me cacher depuis si longtemps, Bill. Je veux me marier.

— Épouse un autre propriétaire de ranch, alors.

— Oh, va donc au diable !

Elle lui jeta un coup d'œil rageur, et il éteignit la lampe de chevet, mettant ainsi fin à l'entretien. Caroline resta allongée dans le grand lit, le dos tourné à Bill. Des larmes lui piquèrent les yeux et une prière fervente monta à ses lèvres. Pourvu que Samantha ne soit pas vraiment amoureuse de Tate Jordan. Ces hommes avaient tous un point commun : une sorte de code d'honneur incompréhensible. Et ils ne changeraient jamais, Caroline était bien placée pour le savoir.

15

L'échange de logements entre Tate Jordan et Harry Hennessey eut lieu quatre jours plus tard. Hennessey était enchanté. Tate avait déployé des ruses de Sioux, afin que la tractation passe inaperçue aux yeux des autres employés. Il avait vaguement grommelé qu'il en avait par-dessus la tête des jérémiades d'Hennessey. Pour les faire enfin cesser, il voulait bien se sacrifier. De toute façon habiter ici ou ailleurs, ça lui était parfaitement égal... Le jeudi soir, Tate terminait de déballer ses affaires pendant que Samantha attendait patiemment neuf heures et demie, heure à laquelle Caroline se retirait d'habitude dans ses appartements. Lorsqu'elle fut certaine que la maîtresse de maison était couchée elle enjamba le parapet de sa fenêtre, puis traversa en silence le jardin menant au petit cottage de Tate. C'était un chemin sûr, à l'abri des regards indiscrets. Une haie d'arbres fruitiers et de vignes dissimulait sa silhouette qui avançait rapidement dans la nuit.

Tate la reçut sur le pas de sa porte, vêtu seulement d'un vieux jean. Ses tempes poivre et sel brillaient dans la lumière de l'ampoule électrique, ses yeux n'étaient plus que deux flammes vertes. À peine le battant était-il refermé qu'il la soulevait dans ses bras pour la déposer sur le lit étroit. Une fois de plus, ils connurent l'extase, puis le retour à la réalité, entre les murs peints à la chaux de la pièce étriquée. À cette heure-ci, Bill King devait entrer subrepticement dans la grande maison. À vingt mètres de là... Cette idée arracha un petit rire à Samantha. Tous ces rendez-vous clandestins lui paraissaient de plus en plus absurdes. Elle le dit à Tate :

— Nous nous cachons pour nous aimer, comme des adolescents. Nous n'avons plus quinze ans, chéri, c'est ridicule.

— Pense au romantisme de la situation...

Tate Jordan n'en démordrait pas. Il voulait à tout prix éviter que le nom de Samantha devienne synonyme de « fille facile ». Il avait la ferme intention de la protéger des commérages. Même s'ils devaient s'affronter à cause de cela. Samantha était une jeune femme cultivée et brillante, d'une sensibilité et d'une intelligence hors du commun, mais elle ne comprenait rien aux lois régissant depuis des temps immémoriaux les relations entre les propriétaires de ranch et les cow-boys. Ce qui se passait entre eux ne regardait personne d'autre, et peu importait ce que Samantha en pensait...

Il ignorait que la jeune femme avait, de son côté, décidé de patienter jusqu'à l'été, espérant qu'avec le temps Tate aurait moins de scrupules. Soudain, elle réalisa qu'elle envisageait, pour la première fois, de prolonger son séjour à la campagne, sans s'inquiéter de son emploi à New York. Mais après tout, on n'était qu'en décembre, et elle avait congé pour trois mois. Cela laissait tout le temps de réfléchir... Pour l'instant, elle se sentait délicieusement bien. Auprès de Tate, les ombres du passé s'effaçaient. Comblée, elle ferma les yeux, gagnée peu à peu par une douce somnolence.

— Tu es heureuse? murmura-t-il en l'enlaçant.

— Oui... fit-elle, sans ouvrir les paupières.

Elle se réveilla à quatre heures du matin, en même temps que lui. Après un dernier baiser, elle le quitta et traversa le verger, avant de se glisser dans sa chambre par la fenêtre ouverte. Peu après, douchée et rhabillée, elle se rendit à la salle commune. Ce fut ainsi qu'une nouvelle vie commença pour Samantha Taylor.

16

Le jour de la Saint-Valentin, elle reçut une carte postale de Charlie Peterson. Il évoquait, d'une écriture serrée et précise, son bureau vide à l'agence. Les souvenirs de New York la submergèrent. Le cœur serré, elle en parla à Tate le soir même. C'était devenu un rituel. À neuf heures tapantes, après avoir dîné avec Caroline et pris un bain, la jeune femme gagnait le minuscule cottage à travers le verger...

— Comment est-il, ce Charlie ?

Les yeux mi-clos, elle fixa l'homme qu'elle considérait depuis quelque temps comme son mari.

— Serais-tu jaloux, par hasard ?

— Ai-je des raisons de l'être ? demanda-t-il d'un ton égal.

— Grands dieux, non ! Il ne s'est jamais rien passé, entre Charlie et moi. Je le considère comme un frère, et j'adore sa femme et ses enfants... Ils ont trois garçons, et Mélinda est de nouveau enceinte. Charlie, c'est mon meilleur ami. Nous formons une équipe formidable à l'agence.

— Est-ce que ton travail te manque ? s'enquit-il, soucieux.

Elle s'accorda un temps de réflexion.

— Aussi bizarre que ça puisse paraître... non ! Caroline m'a confié qu'elle a ressenti la même chose, après avoir changé de vie. Elle n'a jamais éprouvé le désir de revenir en arrière. Et moi, New York me manque de moins en moins.

— Mais un peu, tout de même ?

Embarrassée, elle se tourna sur le ventre. Elle était allongée sur le lit, et lui était assis dans un fauteuil, le dos tourné à la cheminée où crépitait un feu brillant.

— Oui, un peu, admit-elle, les yeux rivés à ceux de Tate. Parfois, je regrette mon appartement, mes livres, certains objets. Mais jamais la vie que je menais là-bas. Je ne pense plus à mon job. Dieu sait pourtant que je me suis tuée à la tâche ! (Elle haussa les épaules, et parut soudain très jeune dans la lueur ambrée du feu.) À présent, je m'en fiche. Tout ce qui m'importe, c'est que Navajo soit ferré, et que la barrière nord soit en bon état. J'ai l'impression d'être une personne différente.

— Ton impression est sans doute fausse. Quelque part, au fond de ton inconscient, tu es restée la même.

La Sam qui voulait rafler tous les prix du meilleur film publicitaire. Un jour, ça va te manquer, tout ça...

La colère embrasa les joues de Samantha.

— Comment est-ce que tu le sais ? Et qu'essaies-tu de me prouver, au juste ? Que je n'ai pas changé ? Que je ferais mieux de reprendre mon ancienne existence ? Mais de quoi as-tu peur, Tate ? de t'engager ?

— Peut-être. D'ailleurs il y a de quoi avoir peur, Sam. Tu n'es pas une femme comme les autres.

Il savait qu'elle ne se soumettrait pas longtemps aux lois du ranch. Et il redoutait qu'elle divulgue leur secret...

— Cesse de me harceler, lança-t-elle. Pour le moment je n'ai guère envie de retourner à New York. Si je change d'avis, je te préviendrai.

— Je l'espère bien...

Ils savaient tous les deux que les vacances de Samantha allaient bientôt prendre fin. Elle s'était juré de prendre une décision avant la mi-mars. Il lui restait un mois. Quinze jours plus tard, alors qu'ils regagnaient le chalet après une promenade à cheval dans les bois, il lui annonça d'un air malicieux qu'il avait une surprise pour elle.

— Quel genre de surprise ?

Il se pencha sur son pinto pour l'embrasser à pleine bouche.

— Tu verras à la maison.

— Attends... laisse-moi deviner...

Elle était plus jeune, plus belle que jamais, avec ses longs cheveux couleur de blé, et ses bottes de cow-boy en peau de serpent rouge flambant neuves. Des bottes qui lui avaient valu les sarcasmes de Tate lorsqu'elle les avait achetées. Il prétendait qu'elles étaient pires que les bottes vertes de Caroline...

— M'aurais-tu offert une nouvelle paire de bottes ? Violettes ?

— Non...

— Roses ?

— Seigneur ! Tu me donnes mal au cœur.

— Alors quoi ? Un gaufrier ? Un grille-pain ? (Elle avait cassé celui de Tate une semaine plus tôt.) Ah ! Je sais ! Un petit chien ! Non ? Une tortue ? Une girafe ? Un hippopotame ? (Et comme à chaque fois il secouait la tête en riant :) Allez, dis-le-moi.

— Tu verras.

En fait, c'était un téléviseur couleur. Il l'avait acheté en ville au beau-frère de Josh, et celui-ci avait promis de le déposer chez Tate dans la journée du dimanche. À peine avaient-ils franchi le seuil du cottage, qu'il pointait sur l'appareil un index triomphant. Samantha se crut obligée de simuler un enthousiasme qu'au fond elle n'éprouvait pas. Elle s'était jusqu'alors merveilleusement passée de télévision.

— Oh... mais c'est magnifique ! J'espère, néanmoins, que ça ne veut pas dire que notre lune de miel est terminée...

— Mais non !

Il le lui prouva sur-le-champ.

Plus tard, il alluma le poste et tomba sur les informations. On était dimanche, et c'était normalement le jour de congé de John. Mais c'était pourtant lui qui présentait la revue de presse hebdomadaire... John Taylor ! Samantha, figée sur place, scruta les traits de son ex-mari, avec l'impression de les voir pour la première fois. Cela faisait presque trois mois qu'elle n'avait pas contemplé ce visage sur le petit écran. À sa grande surprise, elle ne ressentait plus rien. Ni haine ni affection. Toute sa peine, tout son chagrin, toute sa souffrance s'était muée en une vague incrédulité. Comment avait-elle pu chérir cet individu affecté et pédant pendant onze ans ? Comment ne s'était-elle pas rendu compte que le beau, le brillant John Taylor n'était qu'un égoïste forcené ?

— Il te plaît, Sam ?

Elle se tourna vers l'homme au visage anguleux, si différent du faux éphèbe blond et sage qui se pavanait à l'écran.

— Non, absolument pas.
Tate sourit.
— Pourtant, tu as l'air de le dévorer des yeux... Allez. Dis-moi la vérité. C'est toujours ton genre d'homme ?
Elle éclata d'un rire détendu, heureuse d'être enfin libérée de ses obsessions passées, soulagée d'avoir brisé définitivement le lien qui l'attachait à John Taylor. Elle était libre maintenant, libre d'aimer Tate Jordan. John, Liz, et leur bébé la laissaient de marbre...
— Eh bien, réponds, insista Tate, sans la quitter du regard.
— Toi, tu es mon genre, répondit-elle en lui plantant un baiser dans le cou.
— Je ne te crois pas.
— Tate Jordan, qu'ai-je fait toute la journée, à part vous donner la preuve que vous me plaisez ?
— Et alors ? Rien ne t'empêche de trouver ce blondinet à ton goût.
— Je suis prête à parier qu'il dort avec un filet sur les cheveux, qu'il a soixante ans, qu'il compte au moins deux liftings à son actif, et...
Elle s'interrompit, à bout de souffle. Pour la première fois de sa vie, elle plaisantait sur le sujet tabou que représentait John Robert Taylor. Des années durant, il avait été le centre de son univers. Son bonheur, son confort, son bien-être l'avaient entièrement accaparée. Mais qui s'était soucié de son bonheur à elle ? Personne. Et surtout pas John. Il n'avait pas hésité une seule minute à convoler avec Liz... Sous l'avalanche de souvenirs, le sourire de Samantha s'effaça.
— À mon avis, il te plaît, mais tu n'oses pas l'admettre, lança Tate.
— Non, chéri, tu te trompes. Si tu savais à quel point...
Elle s'était exprimée avec un tel accent de sincérité qu'il lui jeta un coup d'œil interrogateur.
— Mais... tu le connais... bien ?

Elle hocha la tête d'un air indifférent, comme s'ils discutaient d'une plante ou d'une voiture d'occasion. Puis elle posa le plat de sa main sur le torse nu et musclé de Tate.

— Je le connaissais très bien, même. Ne prends pas cet air catastrophé, chéri. Ça n'en vaut pas la peine. Nous avons juste été mariés pendant sept ans. Une bagatelle !

Dans la petite pièce blanchie à la chaux, le temps sembla s'arrêter. Elle sentit le corps de Tate se raidir sous ses doigts. Elle se laissa tomber à côté de lui sur le lit, et il l'enveloppa d'un regard anxieux.

— Tu te moques de moi, Sam ?

— Non, jeta-t-elle, un peu agacée par l'expression choquée de Tate.

— John Taylor était ton mari ?

— Mais oui ! puisque je te le dis !

Elle réalisa tout à coup qu'elle en avait trop dit, ou pas assez. Il fallait qu'elle s'explique. Tate devait savoir à quel point John était devenu un étranger, maintenant.

— Quand j'étais à New York, poursuivit-elle, je ne pouvais m'empêcher de regarder son émission. C'était comme une drogue, qui me détruisait. Il fallait que je les voie, Liz et lui, commenter l'actualité et minauder à propos de leur futur bébé. Ça me rendait malade. J'ai souffert le martyre, Tate... J'ai regardé l'émission une seule fois ici, chez Caroline, et j'ai ressenti une immense douleur. Aujourd'hui, quand il est apparu sur l'écran, sais-tu ce qui s'est passé en moi ? Rien ! Strictement rien ! exulta-t-elle. Ni colère, ni indignation, ni peine, ni nostalgie. Ce qui s'appelle *rien* ! (Un large sourire illumina ses traits.) Je m'en fiche, tout simplement. J'en suis guérie, Tate.

Mais sa déclaration ne provoqua aucune joie chez lui — au contraire. Il se leva d'un bond et alla éteindre le poste. Puis, il se retourna, le visage sombre.

— Formidable ! Tu étais mariée au beau John Taylor, l'enfant chéri de l'Amérique: il te quitte, tu couches avec un vieux cow-boy fatigué, sans un sou en poche, d'une bonne douzaine d'années de plus que notre vedette nationale. Et tu voudrais me faire croire que tu es une femme comblée? De qui te moques-tu, Samantha?

Il hurlait presque, et elle le dévisagea, effrayée.

— Pourquoi m'as-tu caché le nom de ton mari?

— Qu'est-ce que cela aurait changé que je te le dise, Tate? De toute façon, tu surestimes sa célébrité, ajouta-t-elle, sachant toutefois qu'il n'avait pas exagéré.

— Ah oui? Veux-tu comparer mon compte en banque au sien? Combien gagne par an un John Taylor, Sam? Cent millions? Deux cents? Sais-tu combien je gagne, moi, en tant qu'assistant de contremaître dans un ranch? Dix-huit mille avant le prélèvement d'impôts. Une misère, ma belle! J'ai quarante-trois ans et aucun avenir. Par rapport à lui, je ne vaux pas un clou.

— Et alors? Qu'est-ce que je dois en conclure? rétorqua-t-elle, en haussant le ton, elle aussi.

En fait, elle était terrifiée. Elle ne s'attendait pas à une réaction aussi violente de la part de Tate. À présent, il arpentait la pièce comme un lion en cage. Samantha s'efforça de prendre un ton un peu plus calme.

— Écoute-moi, mon chéri. Ce qui importe, c'est ce qui s'est passé entre nous. Avant de te rencontrer je les haïssais, Liz et lui. Maintenant, ils m'indiffèrent. C'est ça qui compte, pas ce qu'il gagne. Ni sa célébrité. Et puis, qu'est-ce qu'il est, en réalité, le grand John Taylor? Une baudruche. Un petit malin qui a eu de la chance. Avec son physique de prince charmant et ses cheveux blonds, il est le type d'homme dont rêvent les ménagères. Mais ça n'a rien à voir avec nous deux. Il ne faut pas que tu sois jaloux de lui parce que c'est *toi* que j'aime.

— Alors pourquoi ne m'as-tu rien dit?

Il la fixait d'un œil soupçonneux, et elle étouffa un cri d'indignation.

— Parce qu'à mes yeux, ça n'avait aucune espèce d'importance !

— Tu parles ! Tu as simplement voulu m'épargner une humiliation. Tu savais bien que je me sentirais minable à côté de lui. À juste titre, d'ailleurs.

— Tu es complètement fou ! cria-t-elle. (Il fallait absolument qu'elle lui fasse admettre la réalité.) Il ne t'arrive pas à la cheville ! Ce type est un égoïste qui m'a fait souffrir, alors que toi, tu ne m'as jamais fait que du bien.

En prononçant cette phrase, elle embrassa du regard la petite cellule monacale qu'ils partageaient tous les soirs depuis trois mois. Elle contempla les quelques tableaux, les objets et les livres choisis avec amour, la coupe débordante des fruits du verger, la télévision qu'il s'était procurée afin de la distraire, les draps qui sentaient bon la lavande, les fleurs qu'il ramassait pour elle. Et ce portrait d'elle, croqué un dimanche après-midi, aux abords du lac. Elle se souvint des photos qu'ils avaient prises l'un de l'autre, des kilomètres de pellicule qu'ils avaient usés, de leurs baisers et de leurs fous rires, et ses yeux s'embuèrent.

— Ne te compare pas à lui, Tate. Je t'aime, alors qu'il ne signifie plus rien pour moi. Rien d'autre n'a de l'importance, sois-en persuadé.

Elle tendit la main vers lui, mais il garda ses distances. Elle rejeta la couverture, s'agenouilla sur le lit et fondit en larmes.

— Ne sois pas si naïve ! explosa-t-il. Dans cinq ans, tu auras oublié tout ça. À tes yeux, je serai redevenu un simple mortel. Et lui, il sera toujours une star. Crois-tu que tu pourras regarder son émission tous les soirs en faisant la vaisselle, et en t'ennuyant à périr avec un cow-boy, dans un bled perdu ? La vie, ce n'est pas du cinéma, Sam. En tout cas pas dans un ranch où on travaille d'arrache-pied pour des prunes. Voilà la réalité. Rien à voir avec un spot publicitaire.

La véhémence de ses propos arracha de nouvelles larmes à Samantha.

— Je sais...

— Mais non, grands dieux, tu ne sais rien du tout! Regarde d'où tu viens et comment je vis. Où habites-tu à New York? Dans un somptueux appartement de la Cinquième Avenue, je suppose, avec un portier dans le vestibule de marbre et un caniche sur le canapé?

— Pas du tout. Je vis au dernier étage d'un petit immeuble sans ascenseur.

— Décoré de meubles de style, sans doute?

— En effet, j'en ai quelques-uns.

— Ils seront ravissants ici, jeta-t-il en lui tournant le dos pour enfiler ses chaussures.

— Pourquoi es-tu si dur? (Elle criait et pleurait en même temps.) Une fois de plus je m'excuse de ne pas t'avoir révélé le nom de mon ex-mari. Mais vraiment, je pensais que cela n'avait aucune importance.

— Y a-t-il autre chose que tu me caches? Ton papa n'est pas le PDG de la General Motors, par hasard? Tu n'as pas grandi à la Maison-Blanche? Tu n'es pas l'héritière d'une famille de milliardaires?

Il la fixait sans cacher sa colère. D'un bond, elle sauta hors du lit. Furieuse.

— Non, je suis épileptique, et tu vas déclencher une crise!

Sa plaisanterie tomba à plat. Sans un sourire, il alla s'enfermer dans la salle de bains. Lorsqu'il ressortit enfin, ce fut pour lancer:

— Allez, rhabille-toi.

— Non. Je ne veux pas, murmura-t-elle, terrifiée. Je ne m'en irai pas.

— Si, tu vas partir d'ici. Et tout de suite.

— Non. Pas avant que nous n'ayons réglé cette affaire. Je t'aime et je ne sais pas comment te mettre ça dans le crâne.

— Ne te fatigue pas.

— Jamais je ne me fatiguerai de te le répéter. Je t'aime, imbécile, fit-elle avec un sourire câlin.

Il la fusilla du regard, avant d'attraper un cigare qu'il se mit à triturer, sans l'allumer.

— Tu devrais rentrer à New York.

— Pour courir après un mari que je n'aime plus ? Non, merci. Je suis divorcée, au cas où tu l'aurais oublié.

— Et ton travail ? Vas-tu l'abandonner aussi ?

— Eh bien…

Elle inspira une grande goulée d'air. « Maintenant ! Il faut te décider », lui murmura une petite voix intérieure.

— Justement, articula-t-elle, je voulais te le dire. J'ai l'intention de donner ma démission.

— C'est ridicule.

— Pourquoi ?

— Parce que ta place n'est pas ici, affirma-t-il avec lassitude. Tu as un bel appartement, un emploi passionnant, un de ces jours, tu tomberas amoureuse d'un homme qui appartient à ton monde. Tu n'es pas faite pour vivre avec un cow-boy dans une baraque miteuse, pas plus que pour balayer le fumier des écuries.

— Seigneur, que tu es romantique !

Son sarcasme se termina dans un sanglot.

— Cesse de rêver Sam, gronda-t-il. Je ne suis pas un fantasme. Je suis réel !

— Moi aussi, figure-toi. Mais tu refuses de l'accepter. À tes yeux, je ne suis pas une personne réelle, avec des besoins réels, je ne peux pas exister en dehors de New York, de mon bel appartement, et de mon job passionnant. Mais enfin, pourquoi ne changerais-je pas de vie si tel est mon désir ?

— Tu n'as qu'à t'acheter un ranch, comme Caroline.

— Me croirais-tu si je te prenais au mot ?

— Peut-être m'embaucheras-tu comme contremaître ?
— Va au diable !
— Bien sûr, tu m'embaucheras comme contremaître ! Ainsi, je pourrai venir te voir en cachette pendant les vingt prochaines années. C'est ça que tu veux ? Avoir un petit chalet au fond des bois où tu ne peux plus te réfugier parce que tu es trop fatiguée pour t'y rendre ? Pleurer après tes rêves perdus ? Tu mérites beaucoup mieux, même si tu ne veux pas l'admettre.
Paniquée, elle chercha son regard.
— Qu'est-ce que ça veut dire ?
— Ça veut dire que tu vas t'habiller, maintenant. Je te ramène.
— À New York ?
Une fois de plus, sa plaisanterie le laissa de glace.
— Mets tes vêtements.
— Et si je ne veux pas ?
Elle s'entêtait, comme une enfant capricieuse. Il se pencha pour ramasser la pile de vêtements qu'elle avait laissés tomber par terre une heure plus tôt et les lui lança.
— Que tu le veuilles ou non, tu vas m'obéir. Je ne céderai pas.
Elle se redressa d'un bond.
— Oh, ça suffit ! hurla-t-elle. J'en ai par-dessus la tête de tes stupides préjugés à propos des propriétaires de ranch et de leurs employés. Tout ça est vraiment trop bête.
Elle entreprit de remettre ses vêtements. Puisqu'il ne voulait rien entendre, ça ne lui ferait pas de mal de passer une nuit tout seul. Cinq minutes plus tard, elle était prête. Tate l'enveloppa d'un regard incrédule, comme s'il venait de découvrir un aspect inconnu de sa personnalité. Mais elle se dirigea tout de même vers la porte.
— Veux-tu que je te raccompagne ?
— Non, merci. (Puis, une fois sur le seuil :) Tu as tort, Tate, je t'aime.

Il ne bougea pas. Elle claqua la porte, traversa le jardin en courant, en ravalant ses sanglots. Heureusement, comme elle le faisait souvent le dimanche soir, Caroline dînait dans un ranch voisin. Samantha franchit l'entrée de la grande demeure vide, le visage ruisselant de larmes.

17

Le lendemain matin, Samantha s'attarda longuement dans la cuisine de Caroline. Les yeux rivés sur sa tasse de café, elle s'abîma dans une réflexion sans fin. Elle n'arrivait pas à déterminer s'il valait mieux tenter de raisonner Tate, ou le laisser ruminer ses griefs jusqu'à ce qu'il change d'attitude. À l'instar d'une bande enregistrée, leur querelle de la veille passait et repassait dans son esprit. Chaque mot prononcé résonnait à ses oreilles avec une netteté hallucinante, et un flot de larmes lui brûla les yeux. Par chance, elle était seule dans la demeure encore endormie. Elle n'irait pas prendre son petit déjeuner avec les autres. Il était hors de question qu'elle revoie Tate sans pouvoir lui parler. Elle fit en sorte d'arriver à l'écurie cinq minutes seulement avant le départ. Il était là, comme d'habitude, à assigner à chacun sa tâche de la journée, sa feuille de route à bout de bras. Elle sella Navajo, puis le fit sortir dans la cour. Aujourd'hui, c'était Josh qui était chargé de diriger son petit groupe. Tate ne monterait pas, du moins pas avec eux. Visiblement, il essayait de l'éviter. Exaspérée, elle lança à mi-voix en passant près de lui :

— On fait l'école buissonnière ce matin, monsieur Jordan ?

— Non, répondit-il sans broncher. J'ai à discuter de certains problèmes avec Bill King.

Sans trop savoir quoi répondre, Samantha s'éloigna au pas tranquille de son cheval. Mais, arrivée à la hauteur du portail, elle se retourna. Il était debout au beau milieu de la cour. Leurs regards se croisèrent. Il y avait du chagrin dans celui de Tate. Regrettait-il déjà de s'être emporté au sujet de John? Brusquement, il pivota sur lui-même, disparut sous le porche de l'écurie. Pendant une seconde, elle faillit revenir sur ses pas pour l'appeler. Mais dans un ultime effort de volonté, elle éperonna sa monture et se joignit aux autres.

Ils rentrèrent à la tombée de la nuit, après douze heures de travail. Chacun mit pied à terre en silence, mena son cheval à l'écurie, ôta et rangea les harnais. Samantha était encore plus fatiguée qu'à l'ordinaire. Elle avait passé une journée exécrable, ressassant sans répit chaque parole de Tate. Obsédée par son visage fermé et obstiné lorsqu'elle l'avait quitté, et la profonde tristesse de son regard quand il l'avait regardée s'éloigner sur Navajo le matin même. Elle souhaita bonne nuit aux autres d'un ton distrait.

— Sam, ma chérie, vous avez l'air éreintée. Êtes-vous souffrante?

Le teint gris et les yeux battus de sa protégée alarmèrent Caroline. La maîtresse du ranch envoya Samantha prendre un bain chaud, pendant qu'elle-même préparait le dîner: steaks grillés et salade. Lorsque la jeune femme réapparut, dans un jean propre et une chemise à carreaux, elle avait les traits plus détendus.

Toutefois, le dîner fut moins gai que d'habitude. Et Samantha dut patienter deux ou trois heures — une éternité — avant de pouvoir s'échapper par le verger. Arrivée à destination, elle comprit que la situation était plus grave encore que tout ce qu'elle avait pu imaginer. Le petit pavillon était plongé dans l'obscurité. Faisait-il semblant de dormir? Était-il resté en compagnie des cow-boys, dans la salle commune? Samantha frappa à la porte. Pas de réponse.

Elle tourna la poignée et poussa le battant. La pièce était vide... Abasourdie, elle fixa les étagères nues. Qu'avait-il fait? Où était-il allé? Avait-il encore changé de logement, pour mieux l'éviter? Le cœur battant à tout rompre, elle s'appuya contre le mur nu. Il n'avait pas pu aller bien loin, songea-t-elle. Il avait dû emménager dans l'une des baraques vides, à l'autre bout du jardin. Voilà pourquoi il avait pris sa journée. Il voulait faire ses bagages et transporter ses affaires d'un pavillon à l'autre durant l'après-midi. En d'autres circonstances, la situation l'aurait presque amusée. Mais pas ce soir. La mort dans l'âme, elle regagna la grande maison, s'efforçant de se calmer, de faire contre mauvaise fortune bon cœur. Elle avait hâte d'être à demain.

Elle passa une nuit blanche, se tournant et se retournant dans son lit, partagée entre la peur et le désespoir. À trois heures et demie du matin, n'y tenant plus, elle se leva, prit une douche et s'habilla. Il lui restait une heure à tuer avant de partir à la recherche de Tate. Elle alla prendre une tasse de café à la cuisine. Elle comptait arriver à la salle commune suffisamment en avance pour le voir en tête à tête. Et elle ne se gênerait pas pour lui dire qu'à son avis, il s'était comporté comme un gosse...

Un peu plus tard, elle entrait en trombe dans la salle à manger. Mais elle ne le vit nulle part. Tandis qu'elle faisait la queue à la cafétéria, elle entendit une bribe de conversation entre deux cow-boys et, horrifiée, elle se tourna vers Josh.

— Qu'est-ce qu'ils ont dit?

— C'est à propos de Tate.

— Je sais. Mais qu'ont-ils dit exactement? demanda-t-elle, livide, priant pour avoir mal entendu.

— Ils ont dit: « C'est dommage. »

— Dommage?

Elle était sur le point de hurler.

— Oui, dommage qu'il soit parti hier, expliqua

Josh avec un sourire amical, en avançant d'un pas dans la file.

— Parti ? Où ça ?

Son cœur cognait violemment dans sa poitrine. Josh haussa les épaules

— Personne ne le sait. À part son fils, peut-être. Et encore...

— Qu'est-ce que vous racontez, Josh ?

Sa voix était si stridente que le vieux cow-boy la regarda, ahuri.

— Calmez-vous donc, mon petit ! Tate Jordan a démissionné, c'est tout !

— Quand ?

Elle s'appuya sur le bras robuste de son compagnon, craignant de s'évanouir.

— Hier. Voilà pourquoi il n'est pas venu avec nous. Il m'avait prévenu, et m'avait demandé de prendre sa place. À ce qu'il m'a dit, il y pensait depuis un bout de temps. Dommage. Il aurait fait un excellent contremaître.

— Mais... il est parti sans préavis ? Sans former son successeur ?

— On n'est pas à Wall Street, ici, vous savez. Quand un homme veut s'en aller, il est libre de le faire. Il a acheté un camion, il y a entassé toutes ses affaires, et il a déguerpi.

— Pour de bon ? bredouilla-t-elle.

Elle parvenait à peine à articuler les mots.

— Pour de bon, oui. De toute façon, il vaut mieux qu'il ne revienne pas. Ce serait une lourde erreur. Je l'ai déjà fait, dans un autre ranch, et je me suis juré de ne jamais recommencer. S'il n'était pas heureux ici, il a eu raison de lever l'ancre. Mais vous êtes toute pâle. Vous ne vous sentez pas bien ?

— Si, ça va, dit-elle avec effort. J'ai mal dormi cette nuit, c'est tout.

Elle tremblait comme une feuille, s'efforçant de ne pas céder à la panique. Bill King devait savoir où Tate était allé. Si tel n'était pas le cas, son fils connaîtrait certainement son adresse. Elle irait le voir personnellement, s'il le fallait. Mais elle ne laisserait pas Tate lui échapper. Et lorsqu'elle l'aurait retrouvé, elle ferait en sorte qu'ils ne se quittent plus.

— Vous avez une mine de papier mâché, décréta Josh en l'observant de plus près. Vous n'avez pas attrapé la grippe, au moins ?

— Peut-être...

— Qu'est-ce que vous attendez pour aller vous recoucher ?

Elle ne protesta pas. Comment pourrait-elle chevaucher douze heures d'affilée, alors que Tate avait disparu ? Après avoir marmonné un vague remerciement à l'adresse de Josh, elle se précipita vers la maison, rentra, et s'effondra sur le canapé du salon, secouée de sanglots. Peu après, une main douce se posa sur ses cheveux. Elle leva vers Caroline un visage rouge et bouffi. Alors, Caroline la prit dans ses bras et se mit à la bercer comme une enfant... Son amie ne disait rien. Elle se bornait à lui tapoter gentiment le dos. Que pouvait-elle faire d'autre ? Elle n'avait rien pu éviter, rien pu empêcher. La veille, quand Bill lui avait annoncé que Tate Jordan venait de démissionner, elle avait demandé à lui parler, mais il était déjà trop tard. Il était parti. Caroline avait passé l'après-midi à se demander comment Samantha allait réagir. Elle n'avait rien osé lui dire en espérant... mais quoi au juste ? qu'il change d'avis ? Ce genre d'homme ne changeait jamais d'avis, ne se remettait jamais en question.

— Il est parti... tante Caro... parti... et je l'aime.

Sa voix se brisa. Caroline hocha doucement la tête. Elle avait pourtant essayé de la mettre en garde.

— Que s'est-il passé, Sam ?

— Oh, je ne sais pas. Nous sommes tombés amoureux l'un de l'autre le soir du réveillon et...

La jeune femme jeta alentour un regard anxieux, redoutant qu'une des femmes de ménage mexicaines l'entende. Mais il n'y avait personne en vue.

— ... et nous sommes allés au chalet, au bord du lac, reprit-elle, tout à coup embarrassée. C'est là que nous nous rencontrions au début... Oh, Caroline, nous n'avions pas l'intention de...

— Ça n'a aucune espèce d'importance, ma chérie.

— Nous cherchions juste un endroit où nous serions seuls.

— Comme nous, murmura Caroline avec une sorte de tristesse dans la voix.

— Ensuite, il a changé de logement et je l'ai retrouvé toutes les nuits chez lui... (Une fois de plus, des sanglots étouffèrent sa voix.) Et l'autre soir il... nous regardions la télévision quand tout à coup John est apparu à l'écran. Alors, en plaisantant, il a voulu savoir si je le trouvais à mon goût... J'ai avoué que John était mon ex-mari. Tate l'a mal pris. Il était comme fou, ajouta-t-elle en avalant péniblement sa salive. Il s'est mis à hurler qu'il était impossible d'avoir été l'épouse d'une star et d'être heureuse ensuite avec un cow-boy. Il a prétendu que... que je méritais mieux, balbutia-t-elle. Et voilà, maintenant il est parti. Mais moi, qu'est-ce que je vais devenir ? Savez-vous où il est allé ?

Caroline secoua négativement la tête.

— Je vais téléphoner à Bill à son bureau et lui poser la question.

Samantha ne perdit pas une miette de la conversation. Bill ignorait ce qu'il était advenu de Tate. Il regrettait son départ. Il avait bien tenté de le retenir, mais il n'y avait rien eu à faire. Une chose était sûre : Tate était parti pour toujours.

— Tate a promis de rappeler un de ces jours, dit Caroline après avoir raccroché le combiné. Mais d'après Bill, il ne faut pas trop y compter. Ils sont ainsi, ces hommes. Ils partent sans laisser d'adresse.

— En ce cas, j'irai trouver son fils au Bar Three.

— Il n'y est plus. Il a donné sa démission le même jour. Il l'a aidé à charger le camion et ils sont partis ensemble.

— Oh mon Dieu !

Samantha enfouit son visage dans ses mains et se remit à pleurer, doucement cette fois-ci, comme si elle était à bout de forces.

— Que puis-je faire ? interrogea Caroline.

Elle était émue aux larmes. D'autant plus émue que, voilà quelques années, elle et Bill s'étaient disputés pour les mêmes raisons. Heureusement, elle avait réussi à convaincre Bill. Mais il était moins entêté que Tate Jordan. Moins fier, aussi, et par là même plus accessible...

Les mains de Sam agrippèrent celles de Caroline.

— Aidez-moi à le retrouver. Je vous en prie.

— Mais comment ?

— Il va sûrement chercher du travail ailleurs. Si je pouvais me procurer la liste des ranchs de la région...

— Je vous donnerai les noms de ceux que je connais. Bill vous en indiquera d'autres... Vous le retrouverez, affirma-t-elle, avec conviction.

Pour la première fois depuis des heures, un pâle sourire éclaira le visage ravagé de Sam.

— J'en suis sûre. Je tenterai l'impossible.

18

À la mi-avril, Samantha avait déjà passé en revue plus de soixante ranchs. Elle avait commencé par contacter les exploitations des environs, puis son champ d'investigations s'était élargi vers le nord et vers le sud, après quoi elle s'était mise à téléphoner dans d'autres États : l'Arizona, le Nouveau-Mexique, le Texas et l'Arkansas, et enfin le Nebraska, où se trouvait un ranch que l'un des cow-boys avait signalé à Tate Jordan un an plus tôt. Mais elle fit chou blanc.

Tate semblait s'être volatilisé sans laisser la moindre trace. Des voix anonymes répondaient à la jeune femme, résonnaient dans l'écouteur comme un glas. Non, personne ne l'avait aperçu, personne n'avait entendu parler de lui, aucun cow-boy nouvellement embauché ne correspondait à son signalement. À la fin de chaque entretien, Sam laissait ses coordonnées, afin que l'on puisse la joindre si Tate se présentait. La plupart du temps elle donnait le nom de Caroline Lord, et cela lui facilitait grandement la tâche.

Elle avait demandé à son patron une prolongation de son congé. Si, début mai, elle ne se décidait pas à rentrer à New York, Harvey Maxwell la remplacerait définitivement. Et cela lui serait parfaitement égal, elle en était sûre. À ses yeux, plus rien n'avait d'importance, mis à part Tate Jordan, et ses recherches pour le retrouver. Plus d'un mois s'était écoulé depuis qu'il était parti du ranch. Il n'était pas revenu, il n'avait donné aucun signe de vie, même pas un coup de fil. Mais Samantha persévérait. Son acharnement à découvrir sa cachette frisait l'obsession. Elle consacrait ses journées à son enquête, téléphonait des heures durant, feuilletait des annuaires, épluchait les petites annonces. Elle avait cessé toute autre activité. Elle ne sortait plus, ne montait plus à cheval, ne respirait plus l'air vif de la campagne. Ne vivait plus que pour le débusquer...

Une seule fois, elle se rendit jusqu'au petit chalet du lac mais s'empressa de rentrer, le visage ruisselant de larmes. Après quoi, elle ne mit plus le nez dehors, délaissant même Black Beauty. À force de la voir penchée sur des cartes géographiques, le téléphone à portée de la main, Caroline perdit peu à peu l'espoir. Et si, malgré tous ses efforts, elle ne parvenait pas à le retrouver ? Jusqu'ici elle n'avait rencontré que des échecs cuisants... Le pays était immense, il existait d'innombrables exploitations, et Tate pouvait s'être présenté sous un faux nom, ou même avoir carrément changé de métier... Mais Caroline n'osait décourager Samantha. Impossible de lui dire qu'elle ne reverrait peut-être plus jamais Tate. Tate, qui pouvait avoir franchi la frontière canadienne ou mexicaine, ou s'être réfugié dans l'un des milliers de ranchs argentins... Souvent, les fermiers engageaient des hommes aussi qualifiés que lui, même s'ils ne présentaient aucun papier...

On était fin avril et il ne restait plus à Samantha que trois jours pour donner une réponse à son agence. Un mois plus tôt, elle avait prétexté que Caroline était malade, et qu'elle avait besoin de son aide. Harvey s'était tout d'abord montré compréhensif. Mais il avait ensuite perdu patience. Et Charlie s'était mis à la bombarder d'appels téléphoniques. Les vacances étaient terminées. Le « big boss » souhaitait le retour immédiat de Samantha Taylor. La campagne de publicité sur les voitures de sport était mal engagée. Il fallait s'y mettre vite, et efficacement... Samantha ne pouvait plus différer sa décision. Et si elle disait la vérité, si elle avouait que l'homme qu'elle aimait l'avait quittée et qu'elle en était malade, elle se couvrirait de ridicule. Elle ne savait plus où elle en était. Elle ignorait si elle allait mieux ou plus mal qu'à son arrivée en Californie, et si sa nouvelle blessure allait jamais cicatriser. Une seule conviction l'animait : son amour pour Tate. Et son respect pour l'existence qu'il avait choisie. La longue liaison de Bill et de Caroline, qui l'avait tant fait rêver, éveillait désormais en elle une sourde douleur. Et Caroline, malgré toute sa compassion, ne pouvait lui remonter le moral...

Le dernier jour d'avril, alors qu'elles prenaient leur petit déjeuner dans la cuisine rustique, la maîtresse de maison leva le regard sur son invitée. Puis, elle dit tout haut ce que, depuis pas mal de temps déjà, elle pensait tout bas.

— Sam, je crois que vous devriez rentrer, maintenant.

— Où ça ?

Elle refusait de comprendre. Sur le bureau de Caroline s'empilaient cartes géographiques, bottins, magazines spécialisés, en vue d'une nouvelle journée de recherches.

— À New York, bien sûr.

— Maintenant ? Avant de l'avoir retrouvé ?

— Peut-être que vous ne le retrouverez jamais.

En prononçant ces mots, Caroline se détesta. Elle venait d'assener un coup terrible à cette jeune femme qu'elle chérissait aussi tendrement qu'une mère chérit sa fille.

La réaction ne se fit pas attendre.

— Comment pouvez-vous affirmer une chose pareille ? murmura Samantha, dont les grands yeux s'étaient remplis de larmes.

Harassée par des semaines de vaines recherches, elle repoussa sa tasse de café à moitié pleine. Le cauchemar qu'elle vivait avait exacerbé sa susceptibilité. Des journées d'âpre frustration succédaient à de longues nuits sans sommeil. Le rose de ses joues avait pâli. Elle manquait d'appétit. Toute son énergie était canalisée vers un but unique : retrouver Tate. Dernièrement, elle s'était mise à visiter les ranchs, au lieu de les contacter par téléphone. Elle avait effectué plusieurs allers et retours en avion, toujours sans résultat.

— Ma chère enfant, regardez donc la réalité en face. Allez-vous passer le restant de vos jours à chercher un homme qui, visiblement, n'a nulle envie d'être dérangé ? Supposons que vous parveniez à le localiser. Êtes-vous sûre de pouvoir le convaincre qu'il a tort ? Vous êtes trop différents pour vous comprendre. Peut-être a-t-il choisi la bonne solution. Et de toute façon, vos chances de lui faire changer d'avis sont bien maigres. Y avez-vous pensé ?

— Pourquoi dites-vous cela? En avez-vous parlé avec Bill?

Sam savait que le contremaître désapprouvait son attitude. Avec son bon sens de paysan, le vieux cowboy voyait d'un œil hostile cette espèce de «chasse à l'homme dingue» — c'étaient en tout cas les termes qu'il employait.

— Bill est au courant, bien sûr. Mais il n'a rien à voir avec ce que je vous raconte en ce moment. Je pense simplement que vous devriez peser le pour et le contre. Les possibilités de retrouver Tate sont désormais bien minces. Voilà que vous le cherchez partout...

— J'y mettrai le temps qu'il faut, mais je le trouverai.

— Combien de temps? Six mois? Un an? Vingt ans? Allez-vous passer votre vie à poursuivre un homme que vous connaissez à peine?

— Ne dites pas ça, soupira Samantha d'une voix lasse, en fermant les yeux. Je le connais très bien... trop bien même. C'est pour cela qu'il est parti.

— Peut-être, admit Caroline. Mais ça ne peut plus durer. Vous êtes en train de vous détruire.

— Me détruire? fit-elle, avec un rire amer. Rien n'a réussi à me détruire jusqu'à présent.

Ses pensées allèrent vers John et Liz. Ils avaient eu leur bébé, une petite fille, le mois dernier. Les cameramen du journal télévisé avaient envahi la maternité pour filmer le nourrisson endormi dans les bras de sa maman heureuse et fière. Samantha avait regardé l'événement sans ciller, sans même se sentir concernée.

— Il faut que vous rentriez, répéta Caroline.

— Pourquoi? Allez-vous me dire, vous aussi, que ma place n'est pas ici? demanda la jeune femme.

Elle regarda Caroline avec une sorte de méchanceté dans les yeux. Mais son hôtesse hocha la tête.

— Exactement. Votre place n'est pas ici mais à votre bureau, dans votre univers, dans votre ravissant appartement, auprès de vos amis. Essayez de vous retrouver, Sam, plutôt que de courir après une chimère. Tâchez donc de cerner votre véritable personnalité au lieu d'endosser un rôle qui n'est pas fait pour vous... (Elle se pencha, et lui toucha gentiment la main.) Loin de moi l'idée de vous chasser, ma chérie. S'il ne tenait qu'à moi, vous resteriez ici pour toujours. Mais je pense qu'en fait cela vous rend malheureuse.

— Je m'en fiche. Je veux le retrouver.

— Mais, à l'évidence, lui ne le veut pas. Sinon, il ne se serait pas volatilisé ainsi dans la nature. Il a dû brouiller les pistes, afin que vous perdiez définitivement sa trace. Si tel est bien le cas, alors vous avez perdu la bataille. Admettez qu'il s'est donné les moyens de rester introuvable un bon bout de temps. Des années, très certainement.

— Ainsi, selon vous, il faut que j'abandonne ?

Un pesant silence s'ensuivit. Puis Caroline esquissa de la tête un mouvement presque imperceptible.

— Oui, Samantha.

Dans un ultime effort, Sam lutta farouchement contre l'implacable logique de son interlocutrice.

— Cela ne fait que huit semaines, chuchota-t-elle. Peut-être qu'avec un peu plus de temps...

— Dans quelques jours, il sera trop tard. Vous aurez perdu votre emploi. Écoutez-moi, chérie. Il faut absolument que vous retourniez à une vie normale.

— Seigneur, qu'est-ce qui est « normal » ?

Elle l'avait oublié. Dans un raccourci vertigineux, elle eut la vision de la dernière année de son existence. Voilà un an encore, elle se croyait à l'abri de tous les périls. Elle était heureuse en ménage, et menait sa carrière à l'agence avec brio.

— Vous vous moquez de moi ? reprit-elle, totalement décontenancée. Que diable irais-je faire à New York ?

— Oublier ce qui s'est passé ici. Vous accorder un

peu de répit. Ensuite, si vous voulez revenir, vous serez toujours la bienvenue.

— Si je pars, ce sera prendre la fuite une seconde fois.

— Absolument pas. Ce sera une réaction saine.

Avec un vague hochement de tête, Samantha se leva de table pour gagner sa chambre. Peu après, elle téléphona à l'agence, et demanda à parler à M. Harvey Maxwell. Ensuite, pour la première fois depuis des jours, elle se rendit aux écuries où elle sella Black Beauty. Cela faisait trois semaines qu'elle ne l'avait pas monté. Poussée par une rage trop longtemps accumulée, elle lança l'étalon au grand galop dans la plaine, le forçant à sauter tous les obstacles qui leur barraient la route : buissons, ruisseaux, haies. Si Caroline l'avait vue, elle aurait été affolée. Si Tate avait assisté à cette cavalcade démentielle il l'aurait tuée. Mais personne ne la regardait. Elle était seule au monde. Et elle chevauchait à bride abattue. Lorsqu'elle le ramena, deux heures plus tard, l'étalon brillait de sueur. Elle lui fit faire au pas plusieurs tours du corral. Puis, quand elle fut sûre qu'il s'était calmé, elle le conduisit dans sa stalle, retira la selle anglaise. Elle resta là, à le contempler, un long moment durant. Enfin, en flattant son flanc soyeux une dernière fois, elle chuchota :

— Adieu, mon ami.

19

L'avion atterrit à l'aéroport Kennedy par une splendide fin d'après-midi. Mais le regard que jeta Samantha à travers le hublot était désabusé. Elle défit machinalement sa ceinture de sécurité. Elle revoyait ceux qu'elle avait laissés en Californie.

Caroline et Bill King, qui lui disaient au revoir, au terminal de Los Angeles. Les yeux humides... Le vieux cow-boy n'avait pas desserré les dents, sauf lorsque Samantha s'était hissée sur la pointe des pieds pour déposer un baiser sur sa joue rugueuse. Alors, dans un élan spontané, il l'avait serrée dans ses bras robustes en grommelant :

— Rentrez bien, mon petit. Et prenez soin de vous.

À sa manière, il la félicitait d'avoir pris la bonne décision. Mais maintenant, tout en s'emparant de son sac de voyage avant de s'avancer dans l'allée, elle fut assaillie par un sentiment de perplexité. Bill avait-il raison ? Avait-elle bien agi ? N'avait-elle pas renoncé à sa quête trop vite ? Un frisson la parcourut. Est-ce que Tate ne serait pas revenu, si elle l'avait attendu là-bas un ou deux mois de plus ? Il pouvait à tout moment surgir de nulle part, téléphoner, envoyer un mot... Elle soupira. Après tout, Caroline savait où la joindre, si jamais cela se produisait. Une minute de plus, et elle descendait la passerelle.

Le remue-ménage, l'incessante rumeur de la foule, le bruit assourdi, l'agitation la prirent de court. L'espace d'un instant, elle se figea, désarçonnée. Elle avait perdu l'habitude de marcher dans ces espaces clos où stagnaient des relents âcres.

Évidemment, il n'y avait pas un porteur en vue. Elle récupéra ses valises sur le tapis roulant, et les cala sur un chariot qu'elle poussa jusqu'à la station de taxis prise d'assaut par des centaines de voyageurs. Lorsque, finalement, son tour arriva enfin elle fut obligée de partager la voiture avec deux touristes japonaises et un représentant de commerce de Détroit. Il s'empressa de lui demander d'où elle venait et elle bredouilla une phrase quasiment inintelligible dans laquelle il était question de Californie.

— Ah, vous êtes actrice ?

— Non, fille de ferme.

— Pardon ? s'exclama-t-il, incrédule. Et, ajouta-t-il d'un ton plein d'espoir, c'est votre premier séjour à New York ?

Elle hocha vaguement la tête, puis se cantonna dans un mutisme décourageant. Les deux Japonaises bavardaient dans leur langue. Quant au chauffeur, son vocabulaire semblait réduit au chapelet d'injures qu'il lançait aux autres automobilistes. Le taxi se fraya laborieusement un passage au milieu des embouteillages. Lorsqu'ils furent en vue du pont situé entre Queens et Manhattan, Samantha retint un cri de désespoir. Elle ne voulait pas voir les gratte-ciel et les tours de verre et d'acier entourant l'Empire State Building. Ce qu'elle voulait, c'était le ciel bleu intense de la Californie, ses prairies verdoyantes, ses séquoias et ses sycomores, la demeure nichée dans le verger, les écuries, le lac miroitant à l'orée de la forêt sombre...

— Quel panorama magnifique ! s'extasia le représentant de commerce en approchant son gros visage moite de celui de Samantha.

— Il ne me plaît pas, à moi, lui jeta-t-elle, méprisante.

Comme s'il était responsable de son retour à New York...

Dépité, l'homme tenta sa chance auprès de l'une des deux Japonaises, mais ne récolta qu'un rire moqueur.

Samantha fut la première à descendre. Pendant un long moment, elle resta debout sur le trottoir, les bras ballants, à contempler son immeuble. Elle était effrayée à l'idée d'entrer dans l'appartement où elle avait vécu si longtemps avec John. Tate lui manquait plus que jamais. Tout ce qu'elle voulait, c'était retourner en Californie et vivre dans un ranch. Pour quelle raison ce vœu si simple n'était-il pas exaucé ? Était-ce trop demander ?

Ses valises à bout de bras et son sac de voyage en bandoulière, elle gravit la volée de marches. La clé joua dans la serrure, qui résista un peu, comme d'habitude, puis ce fut le vestibule vide, l'escalier, le palier du dernier étage. Et enfin, épuisée, elle ouvrit la porte de l'appartement. Soulevant ses bagages, elle pénétra dans l'entrée où flottait une vague odeur de moisi. Tout était resté tel qu'elle l'avait laissé. Et pourtant, tout était différent. Tout à coup, elle comprit pourquoi. Elle ne voyait plus les choses avec les yeux de l'amour. Elle n'était plus ici qu'une intruse, une sorte de fantôme revenu sur les lieux d'une existence antérieure.

— Hello !

Sa voix retentit dans le vide. Alors, ses nerfs lâchèrent d'un seul coup et elle s'effondra dans un fauteuil. Et se mit à sangloter, le visage enfoui entre ses mains. Vingt minutes plus tard, la sonnerie persistante du téléphone la tira brusquement de sa crise de larmes. Elle se moucha, puis décrocha à contrecœur. Un correspondant qui s'était trompé de numéro, sans doute, à moins que ce soit Harvey, ou Charlie. Ils étaient les seuls à savoir qu'elle était rentrée.

— Allô ?

— C'est toi, Sam ?

— Non, c'est un cambrioleur.

— Les cambrioleurs ne pleurent pas, idiote, s'esclaffa Charlie à l'autre bout de la ligne.

— Ils pleurent, parfois, quand il n'y a même pas un poste de télévision à faucher.

— Viens chez moi ! J'en ai un superbe.

— Je n'en veux pas.

De nouveau, elle fondit en larmes.

— Excuse-moi, Charlie, mais je ne suis pas vraiment ravie d'être ici.

— Ça m'en a tout l'air. Alors pourquoi es-tu rentrée ?

— Quel toupet ! s'indigna-t-elle. Voilà des semaines que vous me harcelez, Harvey et toi, et tu oses me demander pourquoi je suis rentrée ?

— D'accord. Tu n'as qu'à nous donner un petit coup de main, convaincre le client récalcitrant, et repartir en Californie. Et pour toujours, si tel est ton désir.

Charlie avait une approche terriblement pragmatique de chaque problème.

— Ce n'est pas aussi simple.

— Pourquoi pas? Écoute, Sam, on ne vit qu'une fois, et la vie est trop courte pour la laisser passer. Tu es une grande fille, maintenant. Libre de choisir ce qui te convient le mieux. Si tu veux vivre dans un ranch le restant de tes jours, n'hésite surtout pas.

— C'est aussi simple que ça, hein?

— Évidemment! Essaie de rester un ou deux mois à New York. Ensuite, si tu penses que ton bonheur est ailleurs, tu pourras toujours t'en aller.

— À t'entendre, c'est facile, en effet.

— Ça devrait l'être, en tout cas. Bienvenue à la maison, ma belle. Tu ne le croiras sûrement pas, mais ça nous fait rudement plaisir que tu sois revenue.

— Merci. Comment va Mellie?

— Elle est énorme, mais jolie. Le bébé naîtra dans deux mois. C'est une fille, cette fois-ci.

— Tu m'as déjà chanté ce refrain! sourit-elle, détendue pour la première fois depuis qu'elle avait remis les pieds chez elle. En vérité, monsieur Peterson, les innombrables matchs de football auxquels vous avez assisté ont contaminé vos gènes. Vous êtes incapable de concevoir autre chose que de futurs petits footballeurs.

— Tu as raison. Je devrais fréquenter davantage les boîtes de strip-tease.

Ils éclatèrent de rire en concert, puis Samantha jeta un coup d'œil aux plantes vertes, qui, dans leurs pots de grès, avaient depuis longtemps rendu l'âme.

— Dis donc, tu ne devais pas venir arroser mes plantes?

— Pendant cinq mois ? Tu es folle ! Je préfère t'en offrir d'autres.

— Merci, mais c'est inutile. Maintenant, raconte-moi tout sur l'agence. Est-ce que ça va vraiment aussi mal que tu me l'as laissé entendre ?

— Plutôt, oui.

— Mal ou très mal ?

— *Très* mal. Encore un peu et j'attrape un ulcère — ou j'étrangle Harvey. Ce vieux renard me mène une vie impossible depuis quinze jours. Aucun projet n'a plu au client. Il les a tous refusés, sous prétexte qu'ils étaient trop mièvres.

— Avez-vous utilisé mon thème équestre ?

— Naturellement. Nous avons sélectionné les photos de toutes les cavalières de la côte Est, auditionné tous les jockeys femmes, contacté tous les entraîneurs de la région...

— Erreur, Charlie. Par thème équestre, j'entendais de vastes étendues désertiques... Un beau cowboy sur un superbe étalon, dans les rayons obliques du couchant... (L'image de Black Beauty surgit dans son esprit, suivie, bien sûr, par celle de Tate.) On n'est pas en train de vendre des joujoux raffinés, mais une gamme de gros véhicules économiques. Il faut donner une impression de puissance et de vitesse.

— Et, à ton avis, un étalon peut donner cette impression ?

— Absolument.

À l'autre bout de la ligne, Charlie sourit.

— Alors, à l'attaque. Je pense que tu es la personne indiquée pour mener à bien cette affaire.

— Je verrai ça demain, à tête reposée.

— À demain !

— Passe le bonjour à Mellie. Et merci de m'avoir appelée.

Elle raccrocha.

— Oh, Tate, pourquoi ? murmura-t-elle dans le vide.

Samantha défit ses bagages, rangea ses affaires,

prit une douche et s'efforça de se convaincre qu'elle était rentrée chez elle, dans sa maison. Elle se coucha à dix heures, avec un bloc-notes et une chemise débordant des comptes rendus rédigés par Harvey. Il était minuit passé lorsqu'elle posa le dossier et éteignit la lampe de chevet. Le sommeil ne vint pas avant deux heures du matin. Jusqu'à ce que ses paupières se ferment enfin elle guetta le claquement familier de la porte dans la nuit.

20

Le lendemain, Samantha entra dans l'agence avec la curieuse sensation de remonter le temps. Telle une étrangère en visite, elle embrassa les locaux d'un regard où la surprise le disputait à l'incrédulité. Le hall, son bureau, ses collègues qui la saluaient aimablement, semblaient appartenir à une vie antérieure. Et dire qu'elle avait passé chez Crane, Harper et Laub plus de dix heures par jour pendant des années ! Quand et comment, elle ne parvenait plus à se l'imaginer. À présent, les préoccupations qui l'avaient autrefois totalement accaparée lui paraissaient puériles, les clients stupides et tyranniques, les projets d'une banalité affligeante... Il lui était désormais impossible de s'affoler à l'idée de perdre un client, ou de se soucier du plus petit détail, comme elle le faisait auparavant. Elle assista à la réunion du département création avec un air de circonstances, sans parvenir toutefois à prendre la discussion au sérieux. Seul Harvey Maxwell, son patron, devina plus ou moins son état d'esprit. Et lorsque les autres eurent quitté la salle de conférences située au vingt-quatrième étage, il fixa sur elle un regard pointu.

— Eh bien, Sam, quel effet cela vous fait-il d'être de nouveau parmi nous ?

Il la scrutait, les sourcils froncés, en tirant sur sa pipe.

— C'est bizarre, répondit-elle franchement.

— Quoi de plus normal ? Vous vous êtes absentée pendant longtemps.

— Trop longtemps peut-être. (À son tour, elle le regarda, droit dans les yeux.) C'est dur de revenir. (Puis, après une légère hésitation :) Je crois qu'une partie de moi-même est restée là-bas.

Avec un soupir, il acquiesça, tout en s'efforçant de rallumer sa pipe.

— Oui, je vois... Mais y a-t-il une raison précise à cela ? Quelque chose que je devrais savoir ? Auriez-vous rencontré quelqu'un que vous avez hâte de retrouver ?

Il ne croyait pas si bien dire ! Mais elle ne pouvait se permettre de lui en parler.

— Non. Pas vraiment.

Harvey posa sa pipe.

— Je ne suis pas sûr d'aimer votre réponse, Sam. Elle est trop vague.

— Harvey, vous m'avez demandé de rentrer, je vous ai obéi, expliqua-t-elle d'un ton calme. Vous m'avez envoyée au loin pour récupérer et, d'une certaine manière, vous avez eu raison. Maintenant vous avez besoin de moi, alors me voilà. Je resterai aussi longtemps qu'il le faudra. Vous pouvez compter sur moi.

Il ne répondit pas à son sourire.

— Mais, apparemment, vous avez l'intention de repartir.

— Éventuellement. J'ignore ce que l'avenir me réserve... Nous en reparlerons en temps et en heure. Pour le moment, notre campagne passe avant tout. Que pensez-vous de mon projet ? De ce superbe cow-boy entraînant derrière lui un troupeau de taureaux ? Un homme mal rasé, monté sur un étalon magnifique, dont la silhouette se fondrait avec le paysage, sous un ciel flamboyant...

— Stop! Arrêtez-vous! s'exclama Harvey, alors qu'un large sourire illuminait enfin ses traits. Vous me donnez envie d'acheter cette fichue voiture! Commencez donc par mettre au point différents scénarios avec Charlie, après quoi nous relancerons le client.

Les trois semaines qui s'écoulèrent ensuite furent harassantes. De toute leur carrière, Samantha et Charlie n'avaient conçu une campagne publicitaire d'une telle envergure. De quoi décrocher un nouveau prix. Lorsqu'ils montrèrent leurs projets au constructeur de voitures, ce dernier se déclara enchanté. Après la réunion, la jeune femme se cala dans son fauteuil avec un soupir de soulagement, tout à la fois fière et satisfaite.

— Bravo! Félicitations! lança Charlie.

— Je te renvoie le compliment. Tes maquettes sont formidables.

— Merci, dit-il en tirant sur sa barbe.

Harvey, qui venait d'escorter le client jusqu'à l'ascenseur, pénétra dans la pièce. Il rayonnait. Son regard balaya les dessins punaisés sur un tableau de liège. L'industriel et ses assistants avaient accepté les quatre propositions.

— Eh bien, les enfants, c'est une vraie réussite!

Samantha lui sourit. C'était la première fois depuis son retour qu'elle se sentait aussi heureuse et détendue. La certitude d'avoir créé quelque chose de constructif lui avait singulièrement remonté le moral.

— Quand commençons-nous? s'enquit-elle, emportée par l'enthousiasme général.

— Le plus vite possible. Sam, vous allez commencer les repérages. Vous devez avoir en tête pas mal de ranchs. Et, pour commencer, celui dans lequel vous avez passé les cinq derniers mois?

— Je téléphonerai à Caroline Lord, promit-elle en

mordillant le bout de son crayon. Mais je voudrais quatre décors différents. Si nous voulons obtenir l'impact souhaité sur le public, chacun doit avoir son caractère propre.

— Que suggérez-vous ?

— Le Nord-Ouest, le Sud-Ouest, la Californie... et pourquoi pas Hawaii... ou peut-être l'Argentine ?

— Grands dieux, je le savais ! Tâchez tout de même de ne pas dépasser le budget. Mon petit, faites-moi plaisir, mettez-vous tout de suite au boulot ! Commencez par appeler votre amie. Nous pourrions tourner le premier film chez elle, si elle est d'accord.

Samantha hocha la tête en signe d'assentiment. Cette campagne lui incomberait entièrement, comme tant d'autres, et elle avait l'intention de la mener jusqu'au bout, de main de maître.

— À partir de la semaine prochaine, je commencerai les repérages, Harvey. Si du moins vous n'y voyez pas d'inconvénient.

— Non, aucun, approuva-t-il, tout sourire, avant de quitter la pièce.

Samantha et Charlie regagnèrent leurs bureaux respectifs. Avec ses tons blanc sur blanc, le plan de travail de verre et de chrome, les fauteuils et le canapé de cuir ivoire, les murs couverts d'eaux-fortes dans des cadres élégants, celui de Samantha avait été conçu dans un souci de confort. En revanche, le repaire de Charlie, son « antre », selon ses propres termes, présentait un aspect hétéroclite : des cloisons multicolores, fuchsia, jonquille, indigo, une moquette rouille et, naturellement, une décoration fantasque : des plantes exotiques, un bric-à-brac de panneaux de signalisation, une amusante collection de posters. Cela convenait à merveille à son tempérament artistique, alors que Samantha se sentait plus à l'aise dans la sobriété, plus propice à la création et à la mise en forme de ses projets.

Elle jeta un coup d'œil à sa montre, et décida

d'appeler Caroline plus tard. Il était midi en Californie, et elle devait sillonner les collines en compagnie de Bill King et de ses hommes. En attendant, Samantha se pencha sur la longue liste de ranchs qu'elle avait établie. Patience. Bientôt, elle serait à nouveau sur la brèche. Elle allait mettre toute son énergie à trouver les décors parfaits pour une série de films sans faille. Elle comptait bien produire quatre petits chefs-d'œuvre. Mais, cette fois, son souci de perfection dépassait largement le cadre professionnel. La possibilité de retrouver Tate au cours de l'un de ces déplacements ne lui avait pas échappé. Son cœur battit plus fort alors qu'elle composait le numéro de sa secrétaire pour la prier de lui réserver des places d'avion à destination de Phoenix, Albuquerque, Omaha et Denver.

— Repérages, hein ? fit la voix enjouée de sa correspondante dans l'écouteur.

— Oui, confirma-t-elle d'un air rêveur, en contemplant l'interminable liste des ranchs situés dans les régions qu'elle avait déjà signalées à Harvey.

— Ça va être amusant.

— Je l'espère bien, sourit Samantha, les yeux brillants.

21

À dix-huit heures, le téléphone sonna au ranch Lord. Assise dans son salon, drapée dans un peignoir en soie, Samantha comptait distraitement les sonneries lointaines. En attendant que quelqu'un décroche, là-bas, en Californie, elle contempla la pièce d'un air morose. Elle allait devoir redécorer tout l'appartement si elle se décidait à y rester. Il y eut un déclic dans l'écouteur, puis la voix un peu voilée de Caroline retentit sur la ligne, faisant éclore un sourire affectueux sur les lèvres de sa jeune amie.

— Allô ?

— Oh, Caroline, quelle joie de vous entendre !

— Sam ? Tout va bien ?

— Oui, oui. Je travaille comme une folle sur un projet formidable. Je vous appelle pour avoir de vos nouvelles et, aussi, pour vous demander un service. Vous pouvez refuser, bien entendu.

— D'accord, mais avant tout, dites-moi comment vous allez.

Une note de lassitude perçait dans la voix de Caroline, que Samantha mit sur le compte d'une rude journée à cheval. Elle se lança dans le récit des événements survenus depuis son départ du ranch. Son retour à New York... l'écrasante solitude de son appartement... l'impression d'étrangeté qu'elle avait ressentie, le premier jour à l'agence... et enfin, le nouveau projet. Quand elle en vint à sa campagne, sa voix s'anima. Surtout lorsqu'elle expliqua qu'il lui faudrait trouver des ranchs susceptibles de servir de décor aux quatre films qu'elle allait réaliser...

— Je suppose que vous avez compris ce que ça signifie pour moi, acheva-t-elle avec émotion. Je me dis que... qui sait, avec un peu de chance... (elle poursuivit dans un murmure :)... je pourrais retrouver Tate, à force de ratisser le pays.

— Ah, voilà pourquoi vous êtes si enthousiaste ! conclut Caroline tristement, après un silence.

« Mais qu'elle l'oublie, mon Dieu, ne cessait-elle de prier. Qu'elle l'oublie une fois pour toutes. »

— Mais non, Caro, se défendit Sam mollement. Je m'accroche au projet pour un tas de raisons... Bon, d'accord, Tate en est une. Après tout, c'est l'occasion ou jamais !

— Du point de vue professionnel, sans aucun doute. Menée à bien, cette campagne de publicité vous ouvrira toutes les portes.

— Je l'espère également, et c'est, en partie, pourquoi je vous appelle. Serait-il possible que nous tournions au ranch ?

C'était une question on ne pouvait plus directe. Un lourd silence se fit à l'autre bout du fil.

— Oh, Sam, en temps normal j'aurais été enchantée. Cela m'aurait permis de vous voir. Cependant, j'ai peur que vous tombiez mal...

À nouveau, cette lassitude bizarre dans sa voix... Samantha fronça les sourcils.

— Quelque chose ne va pas ?

— C'est Bill, murmura Caroline, avec un soupir qui ressemblait à un sanglot. Il a eu une crise cardiaque la semaine dernière. Oh, rien de très grave. Il est déjà sorti de l'hôpital et, d'après le médecin, il n'y a pas de quoi s'alarmer. Et pourtant... (D'autres sanglots la secouèrent.) Seigneur, s'il lui était arrivé quelque chose... je ne sais pas ce que j'aurais fait. Je ne pourrais pas vivre sans lui. Vraiment, je ne pourrais pas...

Terrifiée à l'idée de perdre son seul amour, Caroline se mit à pleurer doucement au téléphone.

— Caro... pourquoi ne m'avez-vous pas appelée ?

— Je ne sais pas. Tout est arrivé si vite. Je suis restée à l'hôpital à son chevet, et je n'ai pas eu une minute à moi depuis qu'il est rentré. Vous savez, je suis inquiète. Le docteur a beau affirmer que ce n'est rien...

Rongée par l'angoisse, elle se répétait.

— Voulez-vous que je vienne ? demanda Sam, en larmes elle aussi.

— Mais non, il n'en est pas question.

— Je suis sérieuse. Rien ne m'oblige à rester ici. Ils ont survécu sans moi pendant tout l'hiver, ils peuvent continuer. J'ai fait la plus grosse partie du travail, il ne leur reste plus qu'à repérer les lieux de tournage et à établir un contrat avec une maison de production. Je pourrais être chez vous demain, si vous le souhaitez.

— Ma chérie, ce serait un plaisir de vous avoir. Je

vous aime beaucoup, vous le savez. Mais tout va mieux maintenant... Occupez-vous plutôt du tournage de vos films. Je suis désolée de ne pouvoir vous louer le ranch. Je crains que toute cette agitation soit néfaste pour Bill.

— Vous avez tout à fait raison. Si j'avais su ce qui vient de se passer, je ne vous l'aurais jamais demandé. Êtes-vous certaine que ça va aller ?

— Oui. Si j'ai besoin de vous, je vous appellerai.

— Promis ?

— Juré.

— Je suppose qu'il est chez vous ? fit Samantha, en espérant de tout son cœur qu'elle avait vu juste.

— Bien sûr que non. Il est têtu comme une mule. Il a préféré rester dans sa vieille baraque. C'est moi, maintenant, qui fais des allers et retours en catimini, au milieu de la nuit.

— C'est ridicule ! Faites semblant de lui prêter la chambre d'amis. Personne ne trouvera rien à y redire. Après tout, il est votre régisseur depuis vingt ans.

— J'y ai songé, mais il a refusé de peur de susciter des commérages, et je n'ai pas voulu le contrarier.

— Ah, les hommes ! explosa Sam, et cela fit rire Caroline.

— Sur ce point, nous sommes entièrement d'accord.

— Embrassez-le pour moi, et dites-lui de se reposer. Je vous rappellerai dans quelques jours pour avoir de ses nouvelles... je vous aime, Caroline, ne l'oubliez pas.

— Moi aussi je vous aime, ma chérie.

Leurs liens s'étaient renforcés. Car à présent, ayant manqué perdre l'homme qu'elle aimait, Caroline comprenait mieux encore l'immense chagrin de Samantha.

22

Pendant les dix jours qui suivirent, la vie de Samantha ne fut plus qu'un tourbillon. Elle survola en avion les grands lacs du Nord et les immenses plaines du Midwest, les plateaux du Colorado et les montagnes Rocheuses. Caroline lui avait affirmé que l'état de santé de Bill s'était nettement amélioré. Aussi ne se rendit-elle pas en Californie. À peine débarquée quelque part, la jeune femme louait une voiture : elle parcourut des centaines de kilomètres, dormit dans des motels minables au bord d'autoroutes fantomatiques, passa au peigne fin des régions entières, parla à tous les propriétaires qu'elle put rencontrer. Après chaque entretien, elle demandait à voir les cow-boys, dans l'espoir d'apercevoir Tate parmi eux. Mais en vain. Elle regagna New York désemparée. Mais si son enquête personnelle n'avait en rien progressé, sur le plan professionnel ce fut une réussite, car elle avait trouvé ce qu'elle cherchait — quatre ranchs splendides ceints de paysages majestueux. Des lieux de rêve, pour des films magnifiques. Mais dans le vol qui la ramenait à New York, le désespoir de n'avoir pas retrouvé Tate vint ternir sa joie. Mille suppositions se bousculaient dans son esprit. Elle se répétait sans cesse les répliques qu'ils avaient échangées lors de leur dernière querelle, comme si de simples mots mis bout à bout pouvaient lui permettre de découvrir où était allé Tate et pourquoi... Les coups de fil qu'elle passait à Caroline tous les soirs, où qu'elle fût, l'avaient soutenue moralement. Samantha commençait toujours par s'enquérir de la santé de Bill, après quoi elle faisait à son amie le compte rendu de ses visites. Pour terminer par la triste constatation que Tate était bel et bien introuvable. Cependant un espoir ténu subsistait, semblable à une faible lueur au bout d'un long tunnel. À force de donner son signalement aux propriétaires des ranchs — Samantha en connaissait à présent un nombre impressionnant — l'un d'eux finirait bien par reconnaître Tate... si toutefois il l'apercevait. À cette obsession lancinante, Caroline opposait ses propres déductions avec une patience à toute épreuve: personne n'était capable de débusquer un homme résolu à disparaître. Samantha devait l'oublier définitivement...

— Je ne renoncerai jamais, répondait obstinément la jeune femme.

— Allez-vous donc passer toute votre vie à attendre ?

« Pourquoi pas ? » pensait Samantha. Puis la conversation glissait sur Bill, pas tout à fait remis encore...

En bouclant sa ceinture de sécurité, alors que le Boeing amorçait sa descente vers la piste d'atterrissage, Samantha eut une pensée pour le vieux cowboy malade. Puis, inéluctablement, ce fut le visage de Tate qui envahit son esprit. Et elle envisagea avec effroi la lourde mission qui l'attendait le mois suivant. Trouver l'homme qui incarnerait le héros des quatre films — ils avaient finalement pris la décision d'utiliser le même comédien. L'acteur qui aurait le rôle devait être le symbole de la virilité. Il ne pourrait que ressembler à Tate.

Les auditions, qui débutèrent la semaine suivante, ne firent que confirmer ses craintes.

— La quarantaine, grand, les épaules larges, des mains belles mais fortes, une voix mélodieuse mais profonde, un regard d'aigle, et excellent cavalier en plus, avait-elle expliqué aux meilleures agences de casting.

Sans s'en rendre vraiment compte, elle avait décrit Tate. C'était Tate qu'elle voulait. Chaque fois que sa secrétaire annonçait l'arrivée d'un comédien, c'était Tate qu'elle s'attendait à voir apparaître. Alors, le cœur battant à tout rompre, elle bondissait pour accueillir le candidat. En le voyant, la déception l'envahissait car, bien sûr, ce n'était jamais Tate qui franchissait le seuil de l'agence. À longueur de journée, elle assistait à un véritable défilé de mannequins et d'acteurs. De grands blonds aux épaules de maître nageur, des géants bruns, hâlés et séduisants, des footballeurs reconvertis dans le show-business, et même un ex-joueur de hockey... Au début, aucun ne trouva grâce à ses yeux. L'un était trop efféminé, l'autre ressemblait à un danseur, un tel avait le menton trop prononcé. Au terme de quatre longues semaines, elle finit tout de même par opter pour l'un des candidats, quinze jours avant le début du tournage, fixé à la mi-juillet.

L'heureux lauréat était de nationalité britannique mais il imitait à la perfection l'accent traînant du Far-West. Il avait débuté en Angleterre en jouant Shakespeare à Stratford-on-Avon. Deux ans plus tôt, l'appât de rôles plus faciles et mieux rémunérés l'avait attiré à New York. Il avait été très remarqué dans des spots publicitaires où on le voyait vanter les mérites d'une boisson non alcoolisée, de sous-vêtements masculins, ou d'une marque d'outils. Le tout lui avait rapporté une petite fortune. Il était grand et athlétique, et, avec ses traits ciselés, ses pommettes saillantes, ses yeux bleu saphir et ses cheveux châtains, c'était exactement le genre de personnage qui fait rêver les femmes, mais auquel chaque homme peut s'identifier. On l'imaginait sans peine sur un splendide étalon, tout autant qu'au volant d'une grosse voiture rapide, et cela correspondait parfaitement au but que Samantha s'était fixé. Détail amusant, ce nouveau héros de western, censé incarner la force et la virilité, était un adepte des amitiés particulières.

— Comment ça, « gay » ? gémit Charlie, mis au courant par sa coéquipière. Est-ce que ça se voit ?

— Tâchez de vous débarrasser de vos préjugés, Peterson, railla Samantha d'un air faussement sévère. Henry est un grand acteur, ne l'oublie pas. Il crèvera l'écran.

— Alors, fais-moi plaisir. Ne tombe pas amoureuse de lui.

— J'essaierai.

Elle avait très vite sympathisé avec Henry Johns-Adams. À défaut d'être un nouvel amoureux, il serait au moins un compagnon de voyage agréable. Intelligent, poli, bien élevé, il possédait de surcroît une culture extraordinaire et ce sens de l'humour irrésistible si typiquement britannique. Cela la changerait des Adonis nombrilistes et égocentriques qu'elle avait rencontrés lors des spots précédents.

— Seras-tu des nôtres, Charlie ?

— Je n'en sais rien. Je n'ai pas très envie de quitter Mellie en ce moment. Si elle met son bébé au monde avant le premier tour de manivelle, je viendrai sûrement. Sinon, je préfère envoyer deux de mes assistants. Tu penses pouvoir te débrouiller ?

— Puisqu'il le faut... (Elle sourit.) Comment se sent-elle ?

— Grosse, moche, déprimée, constamment sur les nerfs. Mais je l'aime. Elle est presque au bout de ses peines. Le bébé devrait être là la semaine prochaine.

— Lui avez-vous trouvé un prénom, à ce petit garçon ?

Il tomba dans le panneau.

— C'est une fille, te dis-je... et, oui, elle a déjà un nom. Tu verras, c'est une surprise.

— Laisse-moi deviner. Sarah ? Charlotte ?

Charlie lui pinça la joue en riant avant de s'éclipser.

Mellie mit au monde son enfant ce week-end-là, avec une semaine d'avance. C'était une petite fille, enfin. Ils l'appelèrent Samantha. Charlie l'annonça à Sam le mardi suivant, juste après la fête nationale du 4 Juillet.

— C'est vrai ? fit-elle, les yeux pleins de larmes.

— Bien sûr. Veux-tu venir la voir?

— Quelle question! Naturellement. Mellie n'est pas trop fatiguée?

— Pas du tout. On dit que le quatrième vient facilement, et c'est la vérité. Elle est sortie en marchant de la salle de travail! Je n'en revenais pas, mais l'obstétricien m'a dit que c'était tout à fait normal.

— Mon Dieu... en marchant! s'extasia Samantha.

Comme pour toutes les femmes qui n'avaient jamais donné la vie, l'accouchement revêtait pour elle l'aspect de quelque cérémonie mystique.

Ils se rendirent ensemble à la clinique, à l'heure du déjeuner. Mellie rayonnait dans sa robe de chambre rose bordée de dentelle, et regardait avec une joie intense la forme minuscule assoupie dans ses bras. Pendant un long moment, Samantha demeura silencieuse, les yeux rivés sur le bébé au visage si doux.

— Comme elle est belle, Mellie, souffla-t-elle.

— Nous l'aurions appelée Samantha même si elle avait été un monstre, claironna Charlie.

Sam lui adressa une grimace. De nouveau, le silence se fit. Une ombre passa sur le visage de la jeune femme. Le chagrin de n'avoir pu fonder sa propre famille refaisait surface.

— Veux-tu la prendre un peu? proposa Mellie d'une voix douce.

Une extraordinaire aura de paix émanait d'elle, alors qu'elle se penchait sur l'enfant endormie dans ses bras, drapée dans une couverture d'un rose duveteux.

— J'aurais peur de la casser, murmura Samantha en s'asseyant sur le lit, sans quitter des yeux le nouveau-né.

— N'aie crainte, les nourrissons sont beaucoup plus résistants qu'ils n'en ont l'air.

D'un geste précis, Mellie déposa le petit paquet rose sur les genoux de sa visiteuse, puis tout le monde regarda, fasciné, le bébé s'étirer, puis se recroqueviller dans son nouveau cocon.

— Elle est si minuscule, si fragile...

— Erreur ! rectifia Mellie. Elle pèse trois kilos huit cents.

Un peu plus tard, les paupières de la petite Sam frémirent. Un vagissement strident fit sursauter son aînée, qui le rendit alors à sa mère.

De retour à l'agence, Samantha se mit à ruminer des idées noires. Sa vie n'était qu'un perpétuel naufrage. Elle ne pouvait pas avoir d'enfant, une blessure qui ne serait jamais cicatrisée. Déprimée, elle chercha un peu de réconfort auprès de son vieil ami.

— Alors, tu m'accompagnes ? lança-t-elle en passant la tête à travers sa porte entrebâillée.

— Exact. De toute façon, je serais venu.

— Ah oui ? s'étonna-t-elle.

— Il faut bien que quelqu'un t'empêche de violer notre infortuné cow-boy.

— Pas de danger !

Elle se retrouva dans son bureau, souriant encore à la plaisanterie de Charlie. Mais le souvenir du bébé qu'elle avait tenu un instant contre son cœur la poursuivit jusqu'à la fin de la journée.

23

— Êtes-vous prêts ? s'enquit Charlie.

Ils voyageaient sur une ligne intérieure, à destination de l'Arizona, et monopolisaient presque à eux seuls la première classe de l'appareil en raison de leur nombre. Le groupe se composait de sept techniciens envoyés par la production, de Sam, Charlie, leurs deux assistants, Henry Johns-Adams... et son petit copain. Plus un monceau de bagages et de matériel cinématographique. Pour couronner le tout, l'acteur anglais et son compagnon n'avaient pas trouvé mieux que d'emmener Georgie, leur petit caniche. « Pourvu que cette affreuse petite bête ne se fasse pas piétiner par les chevaux... » Samantha savait déjà que, si tel était le cas, elle pourrait dire adieu au tournage.

— Vous croyez qu'ils ont bien pris tous nos bagages ? s'alarma l'ami de Henry, une fois à bord de l'avion.

— Bien sûr, répondit Samantha.

— Mais nous en avons tellement.

— Ils en ont l'habitude, affirma-t-elle avec un sourire sécurisant. N'ayez crainte. Nous sommes en première classe.

En fait, rien n'était moins sûr. On pouvait aussi bien perdre une ruineuse valise Vuitton qu'un vulgaire sac de toile, sans oublier le matériel, dont chaque pièce coûtait une fortune. Écrasée par le poids de ses responsabilités, Sam se passa une main sur le front, comme pour effacer ses soucis. Jusqu'alors, elle avait dirigé avec son habituelle efficacité toutes les opérations : repérages, négociations avec les producteurs, gestion du budget, sélection du comédien, organisation de l'ensemble. À partir de maintenant et pour les quatre semaines à venir, son rôle consisterait à rassurer tout le monde, à ménager les susceptibilités et à apaiser les inquiétudes. Ses futures répliques, elle les connaissait déjà par cœur : « Le repas ? il arrive. » « La climatisation de l'hôtel ? Elle sera réparée avant midi. » « Il fera plus frais demain. » « La nourriture sera sûrement meilleure dans la prochaine ville. » La présence du petit ami anxieux et du caniche capricieux ne lui faciliterait sûrement pas la tâche. Au début, elle en avait voulu à Henry Johns-Adams de les avoir imposés à l'équipe. D'ailleurs, lorsqu'il lui en avait parlé, elle avait commencé par refuser. Mais l'acteur avait insisté et elle avait dû s'incliner. Pour qu'il tienne son rôle dans le film, elle lui aurait permis, s'il le lui avait demandé, de se faire accompagner par sa mère et par tous ses anciens camarades d'école.

Après le décollage, les hôtesses offrirent des boissons, Charlie se mit à raconter des histoires drôles, et l'ambiance se détendit nettement. Une fois à Tucson, ils seraient à environ trois cents kilomètres de leur premier lieu de tournage. Ils effectueraient le trajet, le lendemain, après un copieux dîner et une bonne nuit de sommeil, dans trois grosses camionnettes de location. Ils se mettraient au travail tôt le matin, ce qui les obligerait à être debout aux aurores. Et le soir, après les prises de vue, Sam poursuivrait ses recherches personnelles en allant discuter avec les employés des fermes des environs... Peut-être l'un d'eux aurait-il croisé Tate ou aurait-il entendu parler de lui. Ça valait la peine d'essayer. De toute façon, elle était prête à tenter l'impossible... Tandis que le jet plongeait vers l'aéroport, un sourire plein d'espoir étira ses lèvres. Un de ces jours, en franchissant le portail d'un ranch, elle apercevrait la haute silhouette d'un cow-boy nonchalamment appuyé contre une clôture. Elle s'approcherait et son désir le plus ardent serait exaucé. Elle crut revoir le visage tant aimé, les yeux verts, la bouche sensuelle...

— Descends de ton nuage, Sam.

Charlie lui tapotait le bras.

— Quoi ? chuchota-t-elle en sursautant.

— Voilà dix minutes que j'essaie d'attirer ton attention.

— Comme c'est gentil !

— Je voudrais savoir qui sont les conducteurs des deux autres camionnettes.

Tirée de sa rêverie, elle lui répondit.

Mais lorsque l'avion se mit à rouler sur la piste goudronnée et que les bâtiments de Tucson se profilèrent à contre-jour sur l'horizon pourpre, elle revit à nouveau le visage de Tate. Non, elle ne baisserait pas les bras. Elle continuerait à le chercher. Elle était venue ici pour ça.

Dans l'aérogare, Samantha retrouva ses dons de parfaite organisatrice. Elle donna des instructions, répartit les membres de l'équipe entre les voitures, distribua sandwiches, réservations d'hôtel et cartes de la région. Ensuite, avec Charlie, le coiffeur et la maquilleuse qui les attendaient sur place, Henry et son petit ami, les incontournables bagages Vuitton et le caniche, elle s'engouffra dans sa propre camionnette.

— Tout le monde est prêt? demanda Charlie en tendant à chacun une canette de jus de fruit glacée.

Il faisait une chaleur infernale en Arizona. Heureusement, la voiture était climatisée. Le voyage fut agréable. Henry les régala d'anecdotes tirées de ses tournées anglaises. Puis son petit ami prit la relève. Ils pleurèrent de rire lorsqu'il leur expliqua combien il est douloureux de se découvrir homosexuel dans un bled perdu du Middlewest. Leurs compagnons décrivirent ensuite la vie trépidante de Los Angeles, où ils avaient récemment coiffé et maquillé une rock-star.

Le premier drame, somme toute prévisible, eut lieu un peu plus tard. À la vue de la chevelure fraise-écrasée du coiffeur — rehaussée il est vrai d'une mèche bleu électrique sur le devant —, le patron de l'hôtel fit la grimace; ensuite, il foudroya d'un regard désapprobateur l'ami de Henry et interdit l'entrée de son établissement au caniche.

— Comment? s'indigna le petit ami. Je refuse de passer une nuit sans mon Georgie chéri. Je dormirai dans la voiture.

Un billet de cent dollars, glissé subrepticement par Charlie dans la main du propriétaire, ouvrit les portes de l'hôtel au caniche.

— Tu as l'air fatiguée, observa-t-il plus tard, affalé sur le canapé de la chambre de Samantha, qui feuilletait fébrilement son bloc-notes.

— Tu veux rire! répliqua-t-elle en lançant dans sa direction une boulette de papier. Pourquoi serais-je fatiguée simplement parce que je sillonne le pays à la tête d'une troupe d'excentriques ?

— Prends exemple sur moi. Je suis en pleine forme.

— Évidemment ! Tu ne fais rien.

— Ce n'est pas ma faute. Je ne suis qu'un pauvre directeur artistique alors que toi, ambitieuse comme tu l'es, tu brigues le poste de directrice de création !

— Est-ce que tu le penses vraiment ?

Charlie eut un large sourire.

— Non. Mais tu l'auras quand même, ce fichu poste, que tu le veuilles ou non. Tu as un talent fou, Sam. Un de ces jours, un concurrent te proposera un salaire mirifique, ou bien tu prendras la place de notre cher patron.

— Mais je n'en veux pas, Charlie. Enfin, plus maintenant.

— Il est un peu tard pour refuser la gloire, il me semble. (Il redevint sérieux.) Que veux-tu de la vie, Sam ?

Elle le regarda en soupirant.

— C'est une longue histoire.

— Je m'en doutais, murmura-t-il en soutenant son regard. Y a-t-il eu quelqu'un en Californie ? Dans ce ranch ? (Et, comme elle acquiesçait :) Que s'est-il passé ?

— Il m'a quittée.

— Oh, flûte ! (Après John, pensa-t-il, écœuré. Pas étonnant qu'elle ait été aussi déprimée à son retour.) Mais... il t'a quittée pour de bon ?

— Je l'ignore. Je suis en train d'essayer de le retrouver.

— Tu ne sais pas où il est ? Que vas-tu faire au juste ?

— Continuer à le chercher, déclara-t-elle, animée par une détermination à la fois farouche et tranquille.

— Tu es très forte, chérie.

— Parfois, j'en doute, dit-elle avec un nouveau soupir.

— N'en doute pas, objecta-t-il en la couvant d'un œil fier. Tu as traversé toutes ces épreuves la tête haute. D'aucuns ne s'en seraient pas relevés.

— À l'occasion, rappelle-le-moi.

— Je n'y manquerai pas.

Ils échangèrent un sourire chaleureux. Une chance que Charlie soit à mes côtés, songea-t-elle avec émotion. Leur amitié était indestructible, et leurs incessantes taquineries dissimulaient un profond respect mutuel. Finalement, elle n'avait que lui au monde. Charlie. Et aussi Harvey. Lorsqu'elle était rentrée de Californie, les deux hommes l'avaient accueillie comme une amie, pas comme une collègue. Ils lui avaient donné la preuve de leur confiance et de leur affection. Ils étaient toute sa famille. Samantha se leva et alla poser un baiser sur la joue de Charlie.

— Tu ne m'as pas donné de nouvelles de ma jolie petite homonyme. Comment va-t-elle ?

— Elle se porte à merveille, fait des claquettes, la lessive, se brosse les dents...

— Que tu es bête ! Non, sérieusement ?

— Eh bien, la petite Sam est adorable. Une fille, c'est vraiment différent d'un garçon.

— Quel observateur ! s'esclaffa-t-elle. Charlie, je meurs de faim, pas toi ? Nos amis doivent s'impatienter. Allons vite envahir le restaurant mexicain du coin.

— J'ai peur que la cuisine mexicaine ne déplaise à M. Vuitton et à Georgie-chéri.

— Ne sois pas méchant. De toute façon, il n'y a rien d'autre dans ce bled.

— Formidable.

La soirée fut parfaitement réussie. Ils dégustèrent des *tacos* succulents arrosés de bière fraîche. Les conversations et les rires fusaient de toutes parts. Pourtant, Samantha donna le signal du départ assez tôt. À l'hôtel, Charlie lui souhaita une bonne nuit avant de disparaître dans sa chambre, et peu après, elle éteignit sa lampe de chevet en bâillant.

24

Il était six heures du matin, le lendemain, quand l'équipe au complet se réunit dans la salle à manger pour le petit déjeuner. Mais ils ne débarquèrent finalement au ranch qu'à sept heures et demie. Ils avaient décidé de tourner en plein jour, peut-être au coucher du soleil. À midi passé, le réalisateur donna le signal de la première prise de vue, et Henry Johns-Adams apparut dans l'œil des caméras, monté sur une altière jument noire. Bien sûr ce n'était pas Black Beauty, mais elle était belle, et se comporta parfaitement, alors que l'acteur anglais recommençait inlassablement son parcours au galop entre deux collines. À la fin de la journée, si tout le monde se sentait épuisé, personne n'avait perdu sa bonne humeur. Samantha avait de bonnes raisons d'être satisfaite. Laissant là ses compagnons, elle se dirigea vers les écuries, deux bouteilles de bourbon dans les bras, à l'intention du régisseur. Pour le remercier, elle avait offert une caisse du même alcool au propriétaire du ranch ainsi qu'une magnifique gerbe de fleurs à son épouse. Elle bavarda un long moment avec le vieux cow-boy, lui narra son récent séjour au ranch Lord — ce qui parut l'impressionner —, glissa au passage le nom de Tate Jordan. Mais le contremaître n'avait jamais entendu parler de lui... Ç'aurait été trop beau de retrouver ses traces dès le premier jour, pensa Samantha. Elle tendit néanmoins sa carte de visite à son interlocuteur.

— Si jamais vous apprenez quelque chose au sujet

de cet homme, appelez-moi. Je souhaite le rencontrer pour une publicité.

Puis elle tourna lentement les talons et, peu après, elle ramena le groupe à l'hôtel, dans l'une des camionnettes.

Pendant les trois semaines qui suivirent, elle continua à interroger les employés des ranchs où ils séjournaient. « Auriez-vous entendu parler d'un certain Jordan ?... Tate Jordan ? » À chaque fois, la réponse était négative. On eût dit que Tate n'avait jamais existé. Et tandis qu'elle poursuivait inlassablement ce mirage, son visage devenait de plus en plus sombre. Pourtant, le tournage se déroulait au mieux. Le temps était magnifique, les paysages de rêve, baignés d'une lumière irréelle, l'acteur parfait, et l'équipe parfaitement soudée. Ils avaient réussi à filmer deux splendides aurores et plusieurs couchers de soleil fabuleux... Tous étaient ravis. Tous, sauf Samantha dont l'espoir ne cessait de s'amenuiser comme une peau de chagrin.

La veille du retour à New York, à Steamboat Springs, dans le Colorado, elle sombra dans le découragement. Elle venait de poser les questions d'usage aux employés du ranch et avait récolté les réponses habituelles. Le désespoir la submergea d'un seul coup. Elle n'avait pas retrouvé Tate. Elle ne le retrouverait pas, en tout cas pas cette fois-ci. Demain, elle regagnerait son appartement de la 63e Rue, et Dieu seul savait quand une nouvelle occasion de repartir explorer les ranchs américains se présenterait...

Debout, silencieuse, elle contempla les montagnes qui partaient à l'assaut du ciel. Dans son dos, un palefrenier chuchota qu'elle avait travaillé au ranch Lord. Un cow-boy enveloppa la jeune femme d'un regard empreint d'admiration.

— Je me disais aussi... J'ai bien remarqué, ce matin, que vous aviez une assiette remarquable.

— Merci.

Ses lèvres avaient souri, mais ses yeux demeuraient tristes, et l'homme se demanda ce qui pouvait tracasser une fille aussi superbe.

— Avez-vous vu le nouvel étalon ? demanda-t-il, désireux de la dérider. Il n'est ici que depuis une semaine.

— Non. Pourrais-je le voir ? demanda-t-elle poliment.

Elle n'en avait en réalité aucune envie. Elle avait hâte de regagner le petit motel où la troupe s'était installée, afin de boucler ses bagages. La série de films publicitaires était terminée, Tate restait introuvable, plus rien ne la retenait ici. Cependant, elle suivit le cow-boy en direction de l'écurie, un arrière-goût amer au fond de la gorge. Mais la vue de l'étalon l'arracha à ses réflexions moroses. C'était un animal magnifique, mince et nerveux, grand, plus grand encore que Black Beauty lui sembla-t-il. Avec sa robe anthracite, sa crinière et sa queue noir d'ébène, il semblait jaillir de la composition tourmentée d'un peintre romantique. Il piaffait avec impatience en secouant la tête. L'étoile blanche qui lui marquait le front s'étirait vers les yeux, lui donnant un air farouche.

— Oh ! il est somptueux.

Son guide redressa la tête, aussi fier que s'il avait été l'heureux propriétaire du cheval.

— N'est-ce pas ? jubila-t-il. Mais impossible à monter ! Hier, il a vidé tous ceux qui s'y sont essayés. (Il ébaucha une grimace.) Même moi.

— Il faut être patient, sourit Samantha. Surtout quand la monture en vaut la peine.

Du plat de la main, elle flatta l'encolure satinée de l'étalon, et celui-ci émit un hennissement plaintif, quémandant d'autres caresses. Ensuite, elle apprit à son compagnon que quelques mois plus tôt, au ranch Lord, elle avait eu le privilège de monter un pur-sang.

— Un pur-sang ! fit-il avec un sifflement d'admiration. Notez, Démon vaut tous les pur-sang du monde. Il est aussi rapide qu'un cheval de course, mais un peu trop fougueux pour un ranch. J'espère que M. Atkins ne le revendra pas, ce serait dommage. C'est une belle bête… (Il se tourna vers la jeune femme, mû par l'envie de lui faire plaisir.) Aimeriez-vous le monter, mademoiselle? Je vous préviens, vous risquez d'être flanquée par terre, mais d'après ce que j'ai vu ce matin, vous devriez vous en tirer avec les honneurs.

Il avait assisté à la dernière prise de vue. Lors d'une pause, Samantha avait pris la jument, afin de montrer quelques figures à Henry. Tout le monde avait suivi sa performance, fasciné par la manière dont elle poussait sa monture au bout de ses limites. Son talent avait laissé les cow-boys bouche bée et l'un d'eux l'avait comparée, plus tard, à un gracieux petit palomino.

— Vraiment? murmura-t-elle, enchantée tout à coup. Je peux le monter?

Ses yeux brillaient d'excitation. Satisfait, le cow-boy hocha la tête.

— Allez-y. Je vais chercher sa selle.

Peu après, sellé et harnaché, Démon se mit à piaffer et à lancer de petites ruades. Il portait bien son nom, à en juger par la force incroyable qu'il dégageait.

— Il a l'air plus nerveux que d'habitude. Allez-y doucement au début, mademoiselle… euh…

Il s'interrompit, le front plissé, cherchant fébrilement son nom.

— Sam, jeta-t-elle, avec un joyeux sourire.

Elle brûlait de monter l'étalon gris. S'accrochant au garrot, elle posa le pied à l'étrier, puis se hissa sur sa jambe gauche, portant le poids de son corps pardessus le cheval. Si Tate avait été présent, il lui aurait sûrement crié de descendre. Mais Tate n'était pas là. Le chagrin de l'avoir perdu l'envahit à nouveau. Toujours aussi violent… Elle balança la jambe par-dessus la selle avant de chausser l'étrier droit. Puis, comme si elle relevait un défi, elle éperonna Démon, et l'amena dans la cour. Aucune de ses embardées ne la désarçonna. Elle s'accrochait, les rênes bien en main.

Les cow-boys rassemblés devant les écuries contemplèrent la cavalière, puis se mirent à pousser des hourras et à applaudir. Soumis, Démon dépassa au trot l'équipe de tournage, et comme dans un rêve, elle aperçut Charlie, une lueur inquiète dans le regard, Henry qui agitait la main, son petit ami, et le caniche. Puis, sa passion des chevaux prenant le dessus, elle oublia le reste du monde. Il n'y avait plus qu'elle, l'étalon impétueux, les immenses étendues qui s'étiraient à perte de vue. Au bout d'un moment, le sentant frissonner d'impatience, elle relâcha la bride, et il partit au grand galop vers la montagne. Samantha l'encourageait à aller encore plus vite. Elle n'entendait plus que l'orgue du vent, et le martèlement des sabots. Grisée, elle l'éperonna à nouveau, et il décolla de terre.

Ceux qui assistaient de loin au spectacle retenaient leur souffle. La cavalière et sa monture semblaient survoler la prairie, chevelure blonde et crinière noire mêlées, flottant dans la lumière du crépuscule comme une flamme. Ils ne formaient plus qu'une seule créature. Mais soudain, l'un des cow-boys sauta la barrière du corral. Il fallait arrêter Démon. Et vite, le plus vite possible... Le cheval fonçait vers un ruisseau niché dans les prés, si profond et étroit qu'il était pratiquement impossible à déceler. Repéré à temps, il était relativement facile à sauter, mais si le cheval trébuchait, la jeune femme serait précipitée dans le ravin rocailleux qui s'ouvrait quelques mètres plus loin. Le régisseur suivit le cow-boy en agitant les bras et en hurlant, puis Charlie s'élança à son tour. Mais c'était trop tard. L'étalon s'arrêta net devant le ruisseau. Comme au ralenti, Samantha fut projetée dans les airs, effectua un vol plané d'une grâce effrayante, avant de disparaître de la vue des spectateurs horrifiés.

Charlie sauta dans la camionnette, mit pleins gaz, démarra dans un crissement de pneus. Arrivé à la hauteur du régisseur, il klaxonna, et celui-ci grimpa rapidement dans le véhicule, qui redémarra sur les chapeaux de roues et fonça sur la piste caillouteuse. Ils croisèrent l'étalon écumant, qui rentrait au galop à l'écurie. Un cri rauque échappa à Charlie, dont le pied écrasait l'accélérateur.

— Où est-ce ? cria-t-il à son passager, sans quitter des yeux le ruban poussiéreux de la route.

— Là-bas... Tout droit... Vous verrez un ravin... Ici !

Charlie freina brutalement : ils sortirent du véhicule, dégringolèrent une pente herbeuse. Puis, ensemble, ils se penchèrent au-dessus du précipice. Au début, ils ne virent rien, à cause des broussailles. Ce fut Charlie qui l'aperçut. Sa chemise blanche était déchirée, elle avait le visage, la poitrine et les bras lacérés, et gisait sur les rochers comme une poupée cassée, affreusement immobile.

— Oh, Seigneur !

En pleurs, Charlie dévala le sentier sinueux à la suite du régisseur. Ce dernier s'était déjà agenouillé auprès de Samantha et lui tâtait le cou.

— Elle est encore vivante. Retournez au ranch et prévenez le shérif. Qu'il vienne la chercher tout de suite en hélicoptère, avec un médecin ou une infirmière.

La petite ville de Steamboat Springs manquait cruellement de personnel médical, songea-t-il au même moment, angoissé. D'après l'angle anormal de ses membres, la jeune femme devait souffrir de fractures multiples, si elle ne s'était pas brisé les cervicales, et l'homme en costume de ville qui pleurait à ses côtés, les bras ballants, n'avait pas l'air de bien saisir la gravité de la situation.

— Allez-y, bon Dieu ! Il n'y a pas une minute à perdre !

Charlie essuya son visage ruisselant de larmes du revers de sa manche avant de bondir vers la camionnette.

— Satané cheval ! grommela-t-il en appuyant une fois de plus à fond sur l'accélérateur.

Les autres l'attendaient, dans un silence tendu. Il sauta à terre, leur donna des instructions, se dépêcha de retourner auprès de la blessée. Et lorsqu'il prit place vingt minutes plus tard à son côté dans l'hélicoptère, qui avait atterri à proximité, ses yeux brillaient d'un éclat fiévreux. Il avait laissé ses deux assistants sur place. L'équipe viendrait le rejoindre à l'hôpital plus tard dans la soirée.

Le trajet jusqu'à Denver lui parut interminable. Il n'y avait pas de médecin parmi les sauveteurs mais une infirmière, qui appliqua sur la bouche et le nez de Samantha un masque à oxygène. À l'évidence, sa vie était en danger, réalisa soudain Charlie, glacé jusqu'à la moelle. Il se mit à prier en silence... Pendant tout le trajet, le pilote ne cessa d'annoncer qu'il circulait en « code bleu ». Charlie chercha désespérément la signification de cet étrange mot de passe, et soudain, la mémoire lui revint. Ça voulait dire qu'on transportait un blessé grave, peut-être mortellement atteint... Enfin, l'hélicoptère se posa en douceur sur la pelouse de l'hôpital Sainte-Marie, et cessa de brasser l'air humide. Dans le silence qui suivit, les choses se précipitèrent. Un médecin surgit, entouré de deux aides-soignants qui déposèrent Samantha sur une civière. Sans même songer à remercier le pilote, Charlie leur emboîta le pas. Tout ce qu'il voyait de Sam, c'était la masse dorée de ses cheveux qui dépassait du drap blanc. Le chariot s'engouffra dans l'ascenseur, en sortit, traversa un nouveau couloir, disparut dans un tournant... Charlie courait derrière. Il avait du mal à croire que tout cela était réel. En fait, c'était un mauvais rêve. Un cauchemar dont il allait se réveiller. Il traversa le corridor encombré de chariots vides, entra en trombe dans une salle éclairée au néon. Non. Il ne rêvait pas. Samantha était bien là, étendue sur un lit étroit, reliée à différents moniteurs que deux infirmières surveillaient sans relâche. Bientôt, elle serait radiographiée — puis elle partirait sans doute pour le bloc opératoire. Les blessures de son visage, superficielles, pouvaient attendre.

— Va-t-elle s'en sortir? souffla Charlie d'une voix rauque.

— Pardon? demanda l'une des infirmières, sans cesser de vérifier les fonctions vitales de la patiente, qui s'affichaient sur les écrans.

— Est-ce qu'elle s'en sortira?

— Je ne sais pas, répondit-elle doucement. Êtes-vous un parent? Son mari, peut-être?

— Je... euh...

Il s'interrompit, réalisant tout à coup qu'ils le feraient sortir s'ils apprenaient qu'il n'était pas de la famille.

— ... suis son frère, parvint-il à achever.

Une vague de nausée lui souleva l'estomac. Et si Sam ne survivait pas à ses blessures? Et si elle mourait sans reprendre connaissance? Et si c'était la dernière fois qu'il la voyait? Elle respirait encore. Mais d'après l'infirmière, son pouls s'était affaibli. Brusquement, des aides-soignants en tenue bleu pâle entrèrent, et l'emmenèrent.

— Où allez-vous? cria Charlie.

Pas de réponse. Visiblement, on se refusait à le mettre au courant. Ou on n'avait pas le temps de s'occuper de lui. À travers ses larmes, il fixa la porte battante.

Il attendait depuis plus d'une heure et demie, dans une salle d'attente minuscule. Il n'avait ni bougé, ni fumé, ni même avalé une gorgée de café. Il demeurait là, figé, osant à peine respirer.

— Monsieur Peterson ?

Quelqu'un l'appelait. En apposant son nom sur les formulaires d'admission, tout à l'heure, il avait continué à se faire passer pour le frère de Sam.

— Oui ? (Il se redressa d'un bond.) Comment va-t-elle ? Est-elle... est-ce que...

— Elle est vivante. Mais dans un état critique, répondit le médecin.

— Que voulez-vous dire ? Que s'est-il passé ?

— Elle s'est cassé la colonne vertébrale en deux endroits, et souffre de plusieurs autres fractures — sans parler des lésions mineures. Nous avons bon espoir de soigner la fracture de la nuque mais celle du dos exige une intervention chirurgicale extrêmement délicate. Il faut opérer vite, afin de réduire la pression, sinon le cerveau risque d'être endommagé. Mais...

— Mais ?

Le praticien s'assit, et invita Charlie à en faire autant.

— Elle pourrait succomber pendant l'intervention. D'un autre côté, si nous n'opérons pas, elle mènera une existence végétative, et restera quadriplégique jusqu'à la fin de ses jours.

— Quadri...

— Atteinte de paralysie générale... Elle n'aura plus aucun contrôle de ses membres. Peut-être pourra-t-elle remuer la tête.

— Et si vous opérez ?

Charlie réprima une nouvelle nausée. Ils étaient en train d'évoquer l'avenir de Sam, comme s'il s'agissait d'un événement ordinaire : allait-elle pouvoir bouger les jambes, ou les bras, la tête ou le cou ? Au nom du ciel ! En face de lui, l'homme en blouse blanche parut peser ses mots avant de lui dire :

— Elle ne marchera plus jamais, mais nous avons peut-être une chance de sauver le reste si nous agissons vite. Au mieux, elle sera paraplégique, c'est-à-dire paralysée des membres inférieurs, mais aura une possibilité de conserver ses facultés intellectuelles... si toutefois elle survit à l'opération, ajouta-t-il après une hésitation. Monsieur Peterson, elle est dans un état critique. Nous pouvons la perdre d'un instant à l'autre. Je ne vous ferai aucune promesse.

— Tout ou rien, n'est-ce pas ?

— Plus ou moins. Car je dois vous dire également que, avec ou sans intervention, nous craignons qu'elle ne passe pas la nuit. Elle est au plus mal.

Abasourdi, Charlie acquiesça de la tête. La vie de Samantha ne tenait plus qu'à un fil et il allait devoir endosser une terrible responsabilité. Le désespoir le submergea et l'espace d'un instant il crut avoir perdu l'usage de la parole. « Pauvre Sam ! » songea-t-il, et des larmes lui montèrent aux yeux. Et lui qui s'était sottement fait passer pour son frère, et qui à présent devait prendre une décision...

— Je suppose que vous attendez une réponse, docteur ?

— Oui, monsieur.

— Quand ?

— Tout de suite.

Charlie se tut. Il était en proie à un atroce dilemme. Ne pas opérer signifiait la mort assurée, ou une survie quasi végétale. Sam ne serait plus rien, qu'un corps brisé. Et vide. Incapable de remuer un doigt, ou de formuler la moindre pensée. Mais opérer impliquait un risque mortel. Et si elle sortait vivante du bloc opératoire... qu'avait donc dit exactement, le médecin ? Ah oui ! elle « conserverait ses facultés mentales ». Elle serait peut-être clouée sur une chaise roulante, mais ce serait toujours Sam, pas une espèce de légume.

— Allez-y !

— Je vous demande pardon, monsieur Peterson ?

— Allez-y, opérez-la, opérez-la vite !

Sans s'en apercevoir, il avait haussé le ton. Le chirurgien s'éloigna rapidement. Charlie écrasa son poing contre la cloison.

Il avait acheté un paquet de cigarettes, en avait fumé plusieurs, avait bu quelques gobelets de café. À présent affalé dans un coin de la petite salle d'attente vide il avait l'œil rivé à la pendule électrique. Deux heures s'écoulèrent. Puis trois, quatre, cinq, six, sept. Une éternité. Il perdit la notion du temps. Vers deux heures du matin, il la crut morte. Effaré, il commença à mesurer les conséquences de son acte. Comment avait-il pu prendre une décision d'une telle gravité ? Pourquoi n'avait-il pas interdit au chirurgien d'opérer ? Pourquoi n'avait-il pas tenté de prévenir son ex-mari... ou sa mère ? Une main sur son épaule le fit sursauter. Il jeta autour de lui un regard terrifié.

— Monsieur Peterson ?

— Est-ce que...

— Votre sœur va bien.

Les larmes jaillirent d'un seul coup. Il s'empara des mains du médecin, suffoqué par les sanglots.

— Oh, mon Dieu... mon Dieu, murmura-t-il. Je croyais...

— Elle va bien, répéta l'autre doucement. Vous devriez rentrer vous reposer un peu. (Puis, se rappelant qu'il était new-yorkais :) Avez-vous pris une chambre d'hôtel ?

— Non...

— Essayez celui-ci, dit le médecin en griffonnant une adresse sur un bout de papier.

— Et Sam ?

— Je ne puis vous en dire davantage. Nous avons fait pour le mieux. Sa nuque est sauvée mais ses jambes... eh bien, comme vous le savez déjà, elle sera paraplégique. Heureusement, le cerveau n'a pas subi de lésions. Pour le reste, il faut attendre.

— Combien de temps ?

— Nous aurons chaque jour un peu plus d'informations à vous communiquer. Pour le moment, espérons qu'elle sera encore vivante demain.

— Et si elle vit, combien de temps restera-t-elle

ici ? demanda encore Charlie. Je veux dire avant que je puisse la ramener à New York ?

— C'est difficile à évaluer. Si tout se passe bien, dans trois ou quatre mois, vous pourrez la déplacer en ambulance aérienne.

Dieu du ciel, trois ou quatre mois !

— Et après ?

— C'est trop tôt pour en parler. Mais il faut compter au moins une année d'hospitalisation, monsieur Peterson. Peut-être davantage. Elle devra réapprendre un tas de choses. Si vous voulez bien, commençons par la tirer d'affaire. Ensuite, on verra.

Charlie hocha la tête. Le chirurgien s'en fut, et il se retrouva à nouveau tout seul, au milieu de la salle d'attente déserte.

Le reste de l'équipe arriva à trois heures du matin. Charlie s'était endormi, le menton sur la poitrine. Il ronflait doucement. Quelqu'un le réveilla. Lorsqu'il leur eut tout raconté, un lourd silence se fit.

Tous ensemble, ils se rendirent à l'hôtel indiqué par le médecin. Et là, dans la chambre impersonnelle qui surplombait Denver, en présence de Henry et de son petit ami, Charlie donna libre cours à son désespoir. Il pleura à chaudes larmes, sans retenue, sous le regard désolé des deux hommes. Le lendemain matin, ce fut Henry qui téléphona à l'hôpital. Samantha avait survécu à la nuit... Il pleura à son tour.

25

Le lendemain de l'accident, tous les membres de l'équipe repartirent, sauf Charlie. Après plusieurs entretiens téléphoniques avec Harvey, il avait décidé de rester au chevet de Samantha. Il ignorait comment la situation évoluerait, combien de temps il allait devoir rester là, laissant Mellie seule avec quatre enfants sur les bras. Mais il ne pouvait pas abandonner Sam à demi morte sur un lit d'hôpital. La nouvelle de l'accident avait bouleversé Harvey. Il n'avait fait aucune difficulté : Charlie pouvait prolonger son séjour à Denver. Mais il lui suggéra de prévenir la mère de Samantha. Celle-ci avait le droit de savoir que sa fille unique était en réanimation dans un hôpital des Rocheuses avec la colonne vertébrale brisée.

Charlie obtempéra : mais il ne put la joindre. Elle et son mari, lui répondit-on, étaient en vacances en Europe. Il ne restait plus qu'à attendre. De toute façon, Sam ne s'entendait guère avec sa mère et ne semblait pas porter son beau-père dans son cœur. Eh bien, il ne restait plus que Mellie à prévenir. Lorsqu'il lui annonça la mauvaise nouvelle, elle fondit en larmes.

— Oh, pauvre Sam. Charlie, tu dis qu'elle sera dans une chaise roulante mais comment fera-t-elle ? Elle est toute seule...

Les deux époux pleurèrent ensemble avant de raccrocher. Charlie rappela Harvey. Il lui avait demandé de se renseigner sur le chirurgien qui avait opéré la blessée. Évidemment, Harvey avait aussitôt appelé d'éminents spécialistes des os, et autres sommités du monde médical de New York, Boston et Chicago.

— Bénies soient vos relations, Harvey. Qu'ont-ils dit ?

— Que votre gars de Denver est un as.

En raccrochant le combiné, Charlie laissa échapper un long soupir de soulagement. Puis il recommença à attendre. On lui avait donné l'autorisation de voir Samantha cinq minutes toutes les heures. Mais elle n'avait pas encore ouvert les yeux, et ne reprit pas conscience ce jour-là.

Le lendemain, vers six heures du soir, alors qu'il

se penchait pour la énième fois sur le corps inerte et le visage enseveli sous les bandages, il remarqua quelques changements. L'un des bras de Sam n'était pas tout à fait dans la même position que la veille, sa respiration était plus légère, sa peau moins livide. En murmurant doucement son nom, il caressa ses longs cheveux blonds. Il se mit ensuite à lui raconter un tas de choses — que tout irait bien, que ses amis l'adoraient. Dans une minute, l'infirmière lui ferait signe à travers la paroi vitrée, et il devrait quitter la pièce. Mais juste avant la fin de la visite, les paupières de Samantha frémirent, ses yeux s'ouvrirent.

— Salut!

Ç'avait été un chuchotement à peine audible.

— Comment? Qu'est-ce que tu as dit? demanda Charlie, oubliant de baisser la voix.

— J'ai dit «salut».

Il résista à la tentation de pousser un cri de triomphe ou de se mettre à danser devant les moniteurs et la machine d'assistance respiratoire.

— Sam... mon Dieu, Sam, tu vas mieux! s'exclama-t-il en se penchant davantage sur elle.

— Que s'est-il passé?

Sa voix n'était qu'un murmure mais son regard interrogeait intensément son vieil ami.

— Tu as fait une chute de cheval.

— Black Beauty, dit-elle en fermant les yeux. (Pendant quelques secondes il se dit qu'elle allait à nouveau perdre conscience — mais elle reprit:) Non. Je m'en souviens maintenant, c'était l'étalon gris. Il y avait un ruisseau au fond du ravin... quelque chose...

Quelque chose qui avait fait basculer toute sa vie.

— N'y pense plus. C'est fini, maintenant.

— Pourquoi suis-je ici?

— Pour te soigner, Sam.

Gentiment, il lui avait saisi la main sur le drap d'une blancheur de marbre. Elle était revenue à elle, et c'était tout ce qui comptait pour le moment.

— Quand rentrerai-je à la maison? s'enquit-elle faiblement, les yeux toujours clos.

— Pas aujourd'hui.

— Demain, alors?

— On verra...

Des dizaines, des centaines de journées s'écouleraient sans doute avant qu'elle rentre chez elle. Mais cette pensée ne parvint pas à l'attrister. Samantha était vivante, et consciente, et c'était tout ce qui comptait pour le moment...

— Tu n'as pas prévenu ma mère, au moins? dit-elle en le fixant d'un air suspicieux.

— Bien sûr que non, mentit-il.

— Tant mieux. Je ne peux pas supporter son mari.

Charles eut un sourire ému. Le fait qu'ils puissent bavarder comme par le passé l'emplissait d'une joie indicible... Du coin de l'œil, il vit l'infirmière de garde à travers la vitre. Elle lui faisait signe. La visite était terminée.

— Je dois m'en aller. Je reviendrai demain, d'accord?

— D'accord.

Elle sombrait déjà dans une douce somnolence.

De retour à son hôtel, Charlie sauta sur le téléphone.

— Mellie, ça y est, elle a repris conscience.

— Que va-t-il se passer maintenant? s'enquit sa femme, encore terriblement inquiète.

— Je l'ignore, ma chérie. Mais je suis fou de joie! Je l'ai crue perdue.

— Moi aussi, dit Mellie.

Au bout de deux semaines, Charlie dut rentrer à New York. Mellie et Harvey réclamaient sa présence. Sa femme et ses gosses lui manquaient cruellement mais il n'avait pas le cœur d'abandonner Samantha. Cependant, rester trois mois de plus à Denver relevait de l'impossible. Un soir, alors qu'il s'efforçait de réserver une place dans le vol à destination de New York, une idée germa dans son esprit. Dès le lendemain, il en fit part au chirurgien.

— Qu'en pensez-vous, docteur ?

— C'est un gros risque, monsieur Peterson. Pourquoi devrait-elle regagner New York ?

— Tous ses amis sont là-bas. Elle n'a personne, ici.

— Et vos parents ? Ne peuvent-ils pas vous relayer ?

Charlie toussota pour s'éclaircir la gorge. Il continuait à se faire passer pour le frère de Samantha.

— Ils voyagent en Europe. Je ne crois pas être en mesure de les joindre avant un bon mois. (C'était faux, bien sûr. Mais de toute façon, Sam n'avait aucune envie de voir débarquer sa mère à l'hôpital.) Écoutez, docteur, mes affaires et mes obligations familiales m'interdisent de rester plus longtemps ici. D'un autre côté, je ne veux pas la laisser seule. Il faut absolument que je rentre, tâchez de le comprendre.

— Mais je comprends, monsieur Peterson, je comprends. Néanmoins, vous savez qu'elle est entre de bonnes mains...

— Bien sûr, docteur. Mais elle n'a pas encore réalisé la gravité de son état. Quand elle se rendra compte qu'elle a définitivement perdu l'usage de ses jambes, elle aura besoin de tout mon soutien.

Le praticien se frotta le menton, songeur.

— Au fond, vous n'avez pas tort. Voyons, elle est pratiquement hors de danger, si ce n'est qu'il faut éviter à tout prix des complications respiratoires.

Une pneumonie était la hantise du chirurgien. L'immobilité forcée dans un moule de plâtre fragilisait les poumons et il fallait tourner Samantha de chaque côté plusieurs fois par jour à l'aide d'un appareil auquel ils l'avaient suspendue et qu'elle avait surnommé son « barbecue » — parce qu'elle avait l'impression de n'être plus qu'un poulet à la broche, ajoutait-elle, avec son humour habituel.

— Bientôt, elle sera assez forte pour apprendre la

vérité, reprit le médecin. Et de toute façon si personne n'a le courage de la lui révéler, elle comprendra... Ce sera un traumatisme psychologique grave. Et, en effet, il vaudrait mieux que vous soyez près d'elle.

— Ne peut-on vraiment pas la transporter ?

— Je ne vois pas comment, à moins de louer un avion...

— C'est entendu. (Lors d'un de leurs nombreux entretiens téléphoniques, Harvey lui avait donné carte blanche.) Mon agence est prête à affréter un avion avec tout le nécessaire à bord : infirmière, médecin, appareils. Organisez le voyage, nous paierons la facture.

— Bon... bon... marmonna le chirurgien. À condition que son état reste stable pendant les prochains jours, j'arrangerai ça pour le week-end.

Charlie le regarda en croisant les doigts au fond de sa poche.

— Viendrez-vous aussi, docteur ? (Et comme l'autre acquiesçait :) Oh merci ! alléluia !

Sous le regard souriant du praticien, il s'en fut annoncer la bonne nouvelle à Sam.

— Nous rentrons chez nous, trésor !

— Oh... vraiment ? Je peux partir ? et mon « barbecue » ? Il nous coûtera cher en excédent de bagages, tu sais ?

Sous le ton enjoué de la plaisanterie perçait une pointe d'angoisse. Elle commençait seulement à comprendre qu'elle avait frôlé la mort. Elle ne s'était pas encore aperçue que ses jambes ne fonctionnaient plus, à cause du carcan de plâtre, mais cela ne saurait tarder, se dit Charlie, le cœur serré.

— Nous embarquons le « barbecue » et tout le reste. Dans un avion privé ! Harvey se fera un plaisir de payer la note.

— C'est de la folie ! Donnez-moi des béquilles ou un fauteuil roulant, et je prendrai un vol régulier.

— Écoute, Sam, tu reviens de loin. Tu es très vulnérable. Il ne faut prendre aucun risque, d'accord ?

— Alors, va pour l'avion privé, mon cher.

— Naturellement, tout dépendra de ton état de santé...

— J'irai bien, sois sans crainte. J'ai tellement envie de me retrouver chez moi, dans mon petit lit douillet.

Elle était sûre de réintégrer son appartement, réalisa-t-il avec un frisson. Sur le moment, il ne voulut pas la détromper. Plus tard, il en parla au médecin, qui tenta de le rassurer.

— Vous entendrez souvent ce genre de réflexion, monsieur Peterson. Le cerveau humain est ainsi fait : il n'accepte que ce qu'il est capable de maîtriser. Le reste, il le stocke quelque part dans l'inconscient jusqu'à ce qu'il puisse s'en occuper. Quelque part au fond d'elle-même, votre sœur sait bien qu'elle est trop mal pour rentrer chez elle, seulement elle n'est pas encore prête à envisager une autre solution. Mais rassurez-vous, le moment venu, elle fera face, tout comme elle assumera tôt ou tard sa paralysie. Monsieur Peterson, laissez faire ce merveilleux instrument qu'est le cerveau humain. Un jour viendra où Samantha acceptera sa nouvelle condition, je vous le promets.

— Comment pouvez-vous en être aussi sûr ?

Il y eut un silence, après quoi le médecin dit :

— Elle n'a pas le choix.

— À votre avis, pourrons-nous la ramener à New York ?

— Oui, tôt ou tard.

— Ce week-end, je veux dire.

— Nous verrons bien, n'est-ce pas ? sourit le chirurgien, avant d'entamer ses visites habituelles.

Les deux jours suivants furent plus longs qu'une éternité. Sam avait hâte de rentrer, mais les problèmes semblaient s'accumuler. Le plâtre avait provoqué des escarres, elle toussait légèrement, les antibiotiques provoquaient une éruption cutanée sur ses bras, les plaies de son visage, en voie de cicatrisation, la démangeaient horriblement.

— Mon Dieu, Charlie, je suis monstrueuse, explosa-t-elle en voyant son ami entrer dans sa chambre.

Elle avait parlé sur un ton agacé : il remarqua qu'elle avait les yeux rouges.

— Et moi je te trouve ravissante. Quoi de neuf ?

— Oh... rien... jeta-t-elle, maussade.

Elle n'était plus en réanimation. Les infirmières l'avaient installée dans une petite chambre toute blanche, presque entièrement occupée par le lit entouré d'appareils mais aussi de ravissantes gerbes de fleurs : celle de Henry et de Jack, son petit ami, celle de Harvey, et celle, bien sûr, de Mellie.

— Veux-tu entendre les derniers ragots de l'agence ?

— Surtout pas.

Elle avait fermé les yeux, et Charlie pria pour qu'elle ne fût pas plus mal. Mais en la regardant plus attentivement, il s'aperçut qu'en fait elle pleurait.

— Qu'est-ce qui ne va pas ? Allez, dis-le-moi...

Il lui avait pris la main entre les siennes. Samantha rouvrit enfin les yeux et les larmes se mirent à tracer des sillons brillants sur ses joues pâles.

— L'infirmière de nuit, celle qui porte une drôle de perruque rouge, tu sais, eh bien, elle a dit qu'à New York, je... je... (elle ravala un sanglot et serra la main de Charlie)... il paraît que je n'irai pas à la maison... que je serai transportée dans un autre hôpital, parvint-elle à achever. C'est vrai ?

Il aurait voulu la prendre dans ses bras et la consoler, comme il l'aurait fait pour l'un de ses enfants. Mais le plâtre et les machines l'empêchaient de l'approcher. Il se contenta de lui effleurer le front, du bout des doigts. Le moment était venu, songea-t-il avec effroi.

— Oui, c'est vrai.

— Oh, non ! Je veux rentrer chez moi, Charlie. Fais quelque chose !

Elle sanglota plus fort encore, tressaillit soudain de douleur.

— Ne pleure pas, petite bête, tu vas te faire mal.

Il imaginait parfaitement ce qu'elle devait éprouver. Et ce n'était pas fini. Il sentit une boule se former dans sa gorge. Sam avait encore un long chemin à parcourir. Un chemin semé d'embûches et d'obstacles. Elle venait à peine d'entamer le terrible voyage... Bon sang, pourquoi elle? se demanda-t-il tristement. Pourquoi sa vie s'était-elle brisée d'un coup, sous les sabots d'un étalon gris?

— Allons, ne pleure pas. Rentrer à New York est déjà un énorme pas dans la bonne direction, non?

— Oui. Je le suppose...

— Tu supposes bien.

— Je veux rentrer chez moi. Je ne veux pas aller dans un autre hôpital.

Il lui adressa un sourire taquin.

— Au moins, nous savons maintenant que tu n'es pas folle! s'esclaffa-t-il. Malheureusement, il faut que tu sois hospitalisée, Sam. Je viendrai te voir, Harvey et Mellie aussi. Tout le monde.

— Pas ma mère! sourit-elle à travers ses larmes. Oh, zut, Charlie, pourquoi est-ce que ça m'est arrivé?

Son sourire s'était effacé, de nouvelles larmes s'étaient mises à ruisseler sur son visage ravagé. Il lui tint la main pendant longtemps, ne sachant quoi dire.

— Je t'aime beaucoup, Sam. Nous t'aimons tous. Nous serons tous près de toi.

— Tu es mon meilleur ami. Je ne sais pas ce que je serais devenue sans toi, Charlie.

A cet instant, une infirmière entra, portant le plateau du déjeuner.

— Il paraît que vous nous quittez bientôt, madame Taylor?

— J'essaie... (Elle eut la force de sourire.) Mais je reviendrai, ne serait-ce que pour marcher le long d'un certain ravin de la région.

— Oh, je l'espère, dit l'infirmière avant de ressortir.

Un silencieux ouf! de soulagement gonfla la poitrine de Charlie. Quand Samantha avait évoqué la possibilité de marcher, il avait redouté la réaction de l'infirmière. L'espace d'un instant, il avait cru que cette dernière répondrait: « Marcher? vous n'y songez pas », mais Dieu merci, un nouveau drame avait été évité.

— Alors? quand rentrerons-nous? demanda Sam en avalant une cuillerée de soupe.

— Samedi prochain, ça t'irait?

— Parfaitement.

Le médecin avait vu juste, pensa-t-il. Elle paraissait prête à accepter l'idée de l'hospitalisation.

— Dans quel hôpital irai-je? reprit-elle, comme pour le conforter dans son opinion.

— Je ne sais pas. As-tu une préférence?

— Ai-je le choix?

— Je le saurai bientôt.

— Si c'est le cas, essaie Lenox Hill. Le quartier est charmant et c'est près du métro. Comme ça, mes amis pourront me rendre visite facilement. (Un sourire étira ses lèvres.) Mellie aussi... Tu crois qu'elle m'amènera le bébé?

Charlie s'éclaircit la voix.

— Je dirai que c'est le tien, afin qu'ils ne lui refusent pas l'entrée... On n'en est plus à un mensonge près, pas vrai?

— Ce ne sera pas tout à fait un mensonge, tu sais... Après tout, je l'ai tenue dans mes bras quelques heures après sa naissance, et elle porte mon nom.

Il se pencha pour déposer un baiser sur le front de la jeune femme. S'il avait tenté de prononcer le moindre mot, il aurait fondu en larmes.

26

Quand l'avion-ambulance quitta l'aéroport de Denver, le samedi suivant, Charlie retint son souffle. Le chirurgien qui avait opéré Samantha était à bord, ainsi qu'un jeune interne et une infirmière. Ils avaient embarqué du matériel de réanimation, et assez d'oxygène pour faire le tour du monde. Certes toutes les précautions avaient été prises, afin que le transfert se passe dans les meilleures conditions. Le chirurgien avait jugé les derniers examens entièrement satisfaisants, un autre médecin les attendait à Lenox Hill où ils se rendraient en ambulance, directement de l'aéroport. Dans le souci d'éviter la moindre complication, le pilote signalait régulièrement leur position aux contrôleurs du ciel, de manière à pouvoir se poser à n'importe quel moment, si l'état de la patiente venait à empirer subitement.

C'était une journée magnifique d'août et Samantha n'avait cessé d'évoquer leur retour, les yeux brillants d'excitation. Les sédatifs l'avaient tout d'abord assommée mais sa bonne humeur avait repris le dessus, et elle avait raconté deux ou trois histoires drôles, qui avaient fait rire tout le monde sauf Charlie : il était à bout de nerfs. Une fois de plus, il se demandait s'il n'avait pas commis une grave erreur en exigeant le transfert de Samantha. S'il lui arrivait quelque chose, il ne se le pardonnerait jamais. Il n'aurait pas dû tant insister. Il aurait mieux fait de la laisser à Denver, en sécurité dans sa chambre blanche... À mi-chemin, le médecin alla le rejoindre à l'arrière, alors qu'il contemplait l'azur d'un regard fixe. En posant la main sur son épaule, il dit à voix basse :

— Ça va, Peterson. C'est presque terminé. Tout se passe pour le mieux, elle s'en tire très bien.

Charlie grimaça un sourire.

— Pas moi. J'ai pris vingt ans en deux semaines.

— Oui. La famille des accidentés vit toujours une épreuve dure.

Le fait que le praticien continuât à le prendre pour le frère de Sam ne préoccupait plus Charlie. Après tout, ils formaient une famille de cœur. Une famille qu'ils avaient librement choisie. Il aurait agi de même pour Harvey. Et à sa place, Samantha aurait fait exactement la même chose... Son regard se posa sur la silhouette de son amie, toujours immobilisée dans son corset de plâtre, et entourée d'un tas d'appareils sophistiqués. Que lui réservait l'avenir ? Quelle serait dorénavant sa vie ? Si au moins elle avait quelqu'un... Mais son mari l'avait laissée tomber et ce fichu cow-boy avait disparu sans laisser d'adresse. Qui prendrait soin d'elle ? Personne. Pour la première fois depuis longtemps, son ressentiment à l'encontre de John Taylor resurgit. Si ce petit saligaud s'était comporté comme un époux digne de ce nom, Samantha ne serait pas seule au monde... Et elle n'en serait probablement pas là non plus, d'ailleurs !

— Ne la protégez pas trop tout de même, poursuivait le médecin. Ce serait une erreur. À un moment donné, il faudra qu'elle vole de ses propres ailes, si l'on peut dire. Elle n'est pas mariée, je crois ?

— Divorcée, grommela Charlie. J'y songeais, justement. Ce sera dur pour elle.

— Oui, pendant un certain temps. Mais elle s'y fera. D'autres sont passés par là, vous savez. Elle pourra mener une vie pratiquement normale, et même recommencer à travailler. Elle retrouvera vite des points de repère. Au bout d'un certain temps, ses seuls véritables problèmes seront d'ordre psychologique. À Lenox Hill, ils y sont très attentifs. Ils ne la laisseront pas sortir si elle n'est pas prête, aussi bien physiquement que moralement. Ne vous en faites pas, Peterson. Samantha est une femme remarquable. Belle, intelligente, et une forte tête, ce qui ne gâte rien. Il n'y a pas de raison pour qu'elle ne s'adapte pas. (Il tapota l'épaule de Charlie en souriant.) Je vous félicite, mon cher. Vous avez pris la bonne décision par deux fois. Ç'aurait été un crime de ne pas l'opérer et à présent, c'est vrai qu'elle sera mieux à New York, entourée d'amis.

Charlie lui jeta un regard reconnaissant.

— Merci, docteur.

Deux heures plus tard, ils atterrirent à l'aéroport Kennedy. Le transfert de l'avion à l'ambulance se déroula sans anicroche. Gyrophare allumé, le véhicule se lança à vive allure sur l'autoroute, et à peine une demi-heure plus tard, ils franchirent les grilles de l'hôpital de Lenox Hill.

Alors qu'ils étaient sur le point d'arriver, Samantha adressa un sourire à Charlie.

— C'est la façon la plus rapide de se déplacer, tu sais, pas de valise à récupérer, pas d'attente avant de trouver un taxi...

— La prochaine fois, laisse-moi faire la queue, d'accord ?

Son installation à Lenox Hill dura plus de deux heures. Le médecin qui s'occuperait dorénavant d'elle était là — grâce à Harvey, une fois de plus — et il discuta longuement avec le chirurgien de Denver. Celui-ci resterait quelques jours à New York, afin de s'assurer que tout allait bien pour sa patiente, avant de regagner sa ville par un vol régulier. Les autres membres de l'équipe devaient rentrer le jour même par l'avion-ambulance.

— Tu es sûre que ça va aller, Sam ? demanda Charlie, alors qu'une infirmière faisait une piqûre à la jeune femme.

Celle-ci, visiblement, luttait déjà contre le sommeil.

— Oui... sûr... ça ira... embrasse Mellie... et merci...

Cinq minutes plus tard, Charlie s'engouffra dans l'ascenseur avec le docteur. Dehors, il héla un taxi. Et enfin il arriva devant son immeuble de la 81e Rue. Où il prit sa femme dans ses bras comme un soldat qui revient de la guerre.

— Mellie. Mon amour...

Il réalisa tout à coup combien elle lui avait manqué. Il se sentait vidé. La tragédie qui avait failli coûter la vie à Sam et les responsabilités qu'il avait dû endosser avaient eu raison de ses forces. Maintenant, il craquait. Il n'avait plus qu'une seule envie. Rester seul avec Mellie. Celle-ci, fort opportunément, avait engagé une baby-sitter. Après que les enfants eurent réservé à leur papa un accueil aussi bruyant que joyeux, elle les renvoya dans leurs quartiers sous bonne escorte, attira son époux dans la chambre conjugale dont elle ferma la porte, fit couler un bain moussant, et le massa longuement. Ensuite, ils se couchèrent et ils s'aimèrent tendrement jusqu'à ce qu'il sombre dans une agréable torpeur.

Il se réveilla deux heures plus tard. En peignoir de soie carmin, plus jolie que jamais, Mellie avait posé sur la table basse un plateau avec le dîner. Du champagne, et un gâteau au chocolat sur lequel elle avait calligraphié à la chantilly « bienvenue à la maison, je t'aime ».

— Oh, Mellie, je t'aime tant, moi aussi...

Peu après, alors qu'ils entamaient le gâteau, elle dit :

— Est-ce que nous ne devrions pas téléphoner à Sam ?

— Non, pas ce soir.

Il avait besoin d'un peu de répit. Rien que cette soirée au cours de laquelle il se sentait si heureux dans les bras de Mellie. Pour la première fois depuis trois semaines les images atroces de l'accident, du cheval gris, du corps allongé sur les rochers aigus, ne vinrent pas le hanter. Il ne songea plus à Samantha, engoncée dans son plâtre, ni au fait qu'elle ne marcherait plus jamais. Il voulait juste s'imprégner de la douce chaleur de Mellie et l'aimer jusqu'à plus soif. Vers minuit, l'esprit en paix et le corps repu, il s'endormit après un bâillement étouffé.

— Fais de beaux rêves, mon chéri.

Les lèvres tendres de Mellie se posèrent un instant sur son cou, puis elle éteignit la lumière.

27

— Oui, maman, je vais bien... non, non, il n'y a aucune raison de te déplacer pour me rendre visite... oui, bien sûr, je suis toujours dans le plâtre mais je me sens beaucoup mieux... non, je ne veux pas être transférée à Atlanta. J'ai déjà été transportée de Denver à New York il y a trois semaines, cela me suffit amplement... comment ? Mais parce que je vis ici, maman. À Atlanta je ne connais personne... à part toi et George, bien sûr... mais non, maman, je ne le déteste pas, voyons...

Samantha plaqua la paume sur le récepteur, au moment où Mellie entrait dans sa chambre, en articulant silencieusement : « Ma mère ! »

— Franchement, maman, mon médecin est formidable, reprit-elle. Bien sûr qu'il est compétent !... Je le sais parce qu'il me l'a dit et aussi parce que sa mère l'aime beaucoup ! Je plaisantais, maman. Je t'en supplie, arrête, maintenant. Je vais bien et je te rappellerai... oui, tu peux me rappeler naturellement. Je viendrai à Atlanta plus tard, quand je me sentirai d'attaque... Non, je ne sais pas encore quand, je te le dirai en temps et en heure, je te le promets. Écoute, maman, je dois raccrocher maintenant, l'infirmière est là et... non, tu ne peux pas lui parler. Au revoir, maman.

Elle reposa le combiné et se tourna vers sa visiteuse. Excédée.

— Oh, Mellie, qu'ai-je donc fait au bon Dieu pour avoir une mère pareille !

— Elle doit se faire du souci pour toi, ma chérie. Il faut la comprendre.

— Je la comprends, mais elle me rend folle. Elle voudrait venir me voir avec son George, bien entendu, qui a l'intention de parler à mon médecin, et qui mettra l'hôpital sens dessus dessous, tel que je le connais. Mais qu'est-ce qu'un oto-rhino pourrait comprendre à une fracture de la colonne vertébrale ?

Mellie eut un sourire.

— Sinon, comment c'est, la vie, dehors ?

— Elle suit son cours. Comment te sens-tu ?

— Comme un oiseau en cage. Je m'ennuie à mourir. J'ai hâte de rentrer chez moi.

— Qu'en pense ton médecin ?

— Il me conseille la patience ! Un mot que je commence à prendre en grippe à vrai dire... Mais comment se porte ma petite Sam ?

Les deux femmes échangèrent un sourire attendri.

— Merveilleusement, dit Mellie. Elle est bien plus éveillée que ne l'étaient les garçons au même âge.

Le sourire de Samantha s'élargit.

— C'est à cause de son prénom. Dis-lui de se méfier des chevaux, quand elle sera plus grande... Seigneur, j'aimerais bien savoir combien de temps je vais rester immobilisée.

Mellie ne répondit pas. D'après Charlie, Samantha en avait encore pour un an. Elle allait devoir subir une rééducation longue et pénible. Mais tout cela, elle l'ignorait encore.

Un peu plus tard, ce jour-là, Sam reçut la visite de Harvey. Son patron s'assit sur une chaise inconfortable, près du lit, visiblement mal à l'aise si on en jugeait par la façon dont il triturait sa pipe éteinte.

— Harvey, ne soyez donc pas si nerveux. Je ne vous mordrai pas.

— Pouvez-vous me mettre ça par écrit ?

— Avec plaisir... Au fait, quand allez-vous me mettre à la porte de l'agence ?

Harvey eut un sourire malicieux.

— Ne comptez pas sur moi, mon petit. Vous êtes mon bâton de vieillesse, que vous le vouliez ou non ! Je viens de regarder le premier film que vous avez tourné dans l'Ouest... Superbe ! Vous pouvez en être fière.

— À ce point ? s'étonna-t-elle.

D'habitude, Harvey était plutôt avare en compliments.

— Mieux que ça. C'est le meilleur spot publicitaire que j'aie jamais vu. Un chef-d'œuvre. Il semble que les autres soient encore plus réussis. C'est simple. J'en suis ébloui.

Samantha lui sourit.

— Je dois avoir un pied dans la tombe, pour que vous me lanciez autant de fleurs, Harvey.

— Vous en jugerez par vous-même. Nous en avons fait des copies vidéo, afin que vous puissiez les regarder ici, avant qu'ils ne soient commercialisés. Je crois que je n'ai plus qu'à me retirer pour vous laisser ma place. Cela vous dirait, d'être directrice ?

— Pas de menaces, s'il vous plaît ! Je n'en veux pas, de votre poste. Gardez-le donc, sinon je reste ici.

— Mais il n'en est pas question ! s'exclama Harvey.

Il revint la voir régulièrement, deux fois par semaine. Charlie, lui, passait tous les jours à l'heure du déjeuner. Henry Johns-Adams lui rendit visite deux fois, et lui apporta à chaque fois une boîte de chocolats de chez Godiva — elle les trouva divins. Jack, le petit ami de l'acteur, lui avait envoyé une magnifique liseuse de chez Bergdorf qu'elle mourait d'envie d'enfiler, sitôt qu'elle serait débarrassée de son carcan de plâtre. Elle reçut même une carte postale signée Georgie, dans laquelle le caniche, par l'intermédiaire de ses maîtres, lui souhaitait un prompt rétablissement.

Les jours s'écoulaient lentement. Une semaine plus tard, Samantha reçut la visite qu'elle avait tant redoutée. Sa mère et son beau-père firent irruption dans sa chambre sans prévenir. Ils venaient de débarquer d'Atlanta et avaient déjà réussi à semer la panique parmi le personnel de l'hôpital. À peine arrivée, sa mère laissa exploser son mécontentement contre l'agence de publicité. C'était à cause de son employeur que Sam avait eu cet accident stupide. Qu'attendait-elle pour le traîner devant un tribunal ? N'importe quelle cour de justice digne de ce nom lui accorderait un dédommagement, qui mettrait Maxwell et compagnie sur la paille. Excédée, Samantha finit par la prier de retourner à Atlanta. Sur ce, sa mère éclata en sanglots et la traita d'ingrate. La scène laissa la malade épuisée. Le lendemain, ils revinrent à la charge de bon matin. Sa mère avait les yeux rouges. Tous deux arboraient des mines d'enterrement. En s'asseyant, sa mère fondit en larmes.

— Pour l'amour du ciel, maman, que se passe-t-il ?

Leur arrivée avait exacerbé sa nervosité. La veille au soir, elle avait appelé Caroline, qui lui avait appris que Bill avait eu une nouvelle attaque, plus grave que la précédente. Samantha en était d'autant plus désolée qu'elle était clouée sur son lit d'hôpital, et ne pouvait venir en aide à son amie. Elle s'était sentie inutile. Une charge pour tout le monde. À son tour, Caroline en apprenant l'accident s'était effondrée. Puis elle avait su trouver, comme toujours, les mots justes pour exprimer son optimisme. Mais sous les paroles apaisantes, on devinait une vive inquiétude. Sam avait raccroché un peu triste, après avoir promis de rappeler au plus vite.

Et à présent, pour couronner le tout, sa mère était revenue. Elle était toujours très élégante, dans son tailleur de lin bleu marine et son chemisier de soie immaculée sur lequel scintillaient trois rangs de perles assortis à ses boucles d'oreilles. Elle avait dû profiter de son séjour à New York pour aller faire quelques courses dans les boutiques de luxe. En tout cas, elle avait de jolies chaussures neuves. À soixante ans, elle était plutôt ronde, et sa chevelure, jadis aussi blonde que celle de sa fille, était à présent argentée. Son mari, ventripotent, la mine rose, les cheveux neigeux, ressemblait davantage à un capitaine au long cours qu'à un spécialiste des oreilles et de la gorge.

— Oh, Samantha, se lamenta sa mère en se laissant tomber sur une chaise en vinyle, alors que George lui tapotait la main.

Assaillie par un sombre pressentiment, Samantha regarda tour à tour ses visiteurs. Ces visages sombres... ces regards qui se dérobaient... un frisson la parcourut.

— Seigneur, qu'y a-t-il ?

— Oh, Sam...

— Bon sang !

Elle aurait voulu hurler, bondir hors du lit, taper du pied, mais le plâtre entravait ses mouvements. Un vague picotement parcourut ses jambes inertes, lourdes comme du plomb. Les infirmières prétendaient que c'était normal et jusque-là, elle s'était contentée de cette réponse réconfortante. Mais à présent, un doute sournois s'insinuait dans son esprit.

— Maman, que se passe-t-il à la fin ? interrogea-t-elle, sans plus dissimuler son énervement.

Sa mère se remit à pleurnicher. Ce fut son beau-père qui prit la parole.

— Samantha, nous avons eu une longue conversation avec ton médecin, ce matin.

— Lequel ? Il y en a au moins quatre.

« Oh, mon Dieu, partez, laissez-moi tranquille », pria-t-elle en silence. Elle n'avait absolument pas envie d'entendre ce que, manifestement, ils étaient venus lui annoncer.

— Deux, Sam, il y en a deux, dit son beau-père, qui avait toujours été un homme précis, le Dr Wong et le Dr Josephs, tous deux extrêmement compétents, à vrai dire.

Il l'avait enveloppée d'un regard plein de pitié.

— Que vous ont-ils raconté pour vous mettre dans cet état ? Quelque chose que je devrais savoir ?

Les sanglots de sa mère redoublèrent. Son beau-père baissa les yeux.

— En effet, dit-il. Et malgré notre chagrin, nous avons jugé qu'il était grand temps de te mettre au courant. Les médecins attendaient le moment propice pour cela. Mais puisque nous sommes là…

Il s'interrompit un instant, cherchant les mots adéquats. On aurait dit qu'il entamait un éloge funèbre. Il avait l'air d'un croque-mort, décida Samantha, pas d'un capitaine au long cours.

— … puisque nous sommes là, reprit-il, nous avons estimé qu'il était grand temps que tu apprennes…

— Quoi donc ? coupa-t-elle.

— La vérité, ma chère petite. La vérité.

Un vague signal d'alarme se mit à carillonner, quelque part dans l'esprit de Samantha. En fait, elle avait déjà deviné. Mais elle voulait continuer à vivre quelque temps dans l'ignorance, comme si de rien n'était. Trop tard. George sonnait le glas de ses illusions.

— Oh…

Ce fut tout ce qu'elle put dire.

— Voilà. Comme tu le sais, tu as eu une fracture de la colonne vertébrale. Deux, pour être exact. Mais l'une d'elles a donné beaucoup de fil à retordre à ton chirurgien. C'est déjà un miracle que tu aies survécu à un tel choc et grâce à Dieu, il n'y a pas eu de lésions au cerveau, comme c'était à craindre.

— Merci bien. Mais viens-en au fait, s'il te plaît.

Son cœur battait la chamade, mais au prix d'un effort surhumain elle parvint à conserver un masque d'indifférence.

— Eh bien, ce que tu ne sais pas encore c'est que... (Il eut une infime hésitation, avant de poursuivre :) Tu es maintenant paraplégique.

Un bref silence s'ensuivit.

— Ce qui veut dire ? demanda Sam.

— Ce qui veut dire que tu ne marcheras plus jamais. Tu recouvreras l'usage de tes bras, de ton buste, de tes épaules. Mais tu resteras paralysée en dessous de la ceinture. Cela saute aux yeux, il suffit de regarder les radios, poursuivit-il d'un ton professionnel. Tu devras utiliser un fauteuil roulant pour te déplacer. (Il aspira une large goulée d'air, le torse bombé, le menton haut.) Cependant, rassure-toi. Ta mère et moi veillerons sur toi. Tu viendras vivre avec nous, à Atlanta. C'est décidé.

— Non ! Jamais de la vie !

C'était un cri d'animal, qui fit tressaillir son beau-père et sa mère.

— Mais si, ma chérie, murmura cette dernière, une main sur celle de sa fille.

Samantha retira vivement sa main, comme si elle avait été brûlée au fer rouge. Une lueur farouche brilla dans ses yeux. Ces deux-là lui avaient sûrement menti. Personne d'autre ne le lui avait dit. C'était faux ! Et pourtant l'atroce révélation avait éveillé quelque chose en elle. Elle le savait, en fait. Elle l'avait toujours su, dès qu'elle avait repris conscience dans cette salle de réanimation, à Denver. Simplement, elle n'avait pas voulu y croire. Tout comme elle ne voulait pas entendre ce que sa mère et son beau-père étaient venus lui dire...

— Je ne veux pas, siffla-t-elle entre ses dents.

Ils ne comprirent rien à sa détresse, une fois de plus.

— Il le faudra pourtant, ma chérie. Tu seras aussi dépendante que l'est un tout petit enfant...

— Je ne veux pas ! Je me tuerai !

Elle hurlait, à présent.

— Samantha ! Comment oses-tu dire des choses pareilles ?

— Personne n'a le droit de m'indiquer comment je dois vivre. Je refuse de rester confinée dans une chaise roulante pour le restant de mes jours. Je refuse d'être une invalide dépendante des autres. Je n'irai pas vivre chez mes parents à trente et un ans. Je ne me laisserai pas faire, ça non. Jamais !

Toujours très professionnel, George tenta de la calmer. Elle hurla plus fort. Sa mère se tourna alors vers son mari, lui fit signe de se taire. Et, s'adressant à Sam, elle dit :

— Nous reparlerons de tout cela plus tard. Tu as besoin de réfléchir, ma chérie, de t'adapter à ta nouvelle situation. Nous aurons tout le temps d'en discuter. Nous sommes encore là demain. Et après tout, tu ne sortiras pas de l'hôpital avant mai ou juin.

— Quoi ? Oh, mon Dieu !

Samantha poussa une longue plainte.

— Ma petite fille...

— Dehors ! Allez-vous-en ! Partez !

Elle éclata en sanglots. Moins d'une minute plus tard, elle était à nouveau seule. Une infirmière la surprit en train de se taillader les poignets à l'aide d'un morceau de tasse en plastique.

Cette blessure guérit en quelques jours, mais celle que lui avaient infligée sa mère et son beau-père ne se referma jamais.

28

— Ça va, ma puce ?

Charlie secoua la neige de son manteau, le jeta sur une chaise. Des flocons scintillaient dans ses cheveux et sa barbe.

— As-tu avalé ta langue ?

Assise dans son fauteuil roulant, Samantha se borna à hausser les épaules.

— Qu'est-ce que tu espères ? Que je t'accueille avec des sauts de ballerine ?

— Oooh, à ce que je vois, nous sommes de charmante humeur aujourd'hui.

— Va te faire f...

— Ce serait avec plaisir, mais Mellie a une réunion de parents d'élèves et, en plus, je n'ai pas le temps. Je dois rencontrer un client à quatorze heures.

— Très drôle !

— Plus drôle que toi, en tout cas.

— Eh oui, Charlie, les infirmes ne sont ni joyeux ni marrants.

— Mais peut-être pas aussi pitoyables que tu crois, Samantha.

Cela faisait trois mois qu'elle était dans cet état. Depuis le jour où son beau-père s'était cru obligé de lui ouvrir les yeux. Débarrassée de son plâtre, elle portait un corset orthopédique et circulait dans un fauteuil roulant. Elle venait d'entamer le plus dur : les épuisantes et pénibles séances de rééducation. Et elle n'arrivait pas à surmonter son désespoir. Navré, Charlie repartit à l'attaque.

— Sam, cesse donc de te considérer comme une « pauvre handicapée », comme dit ta chère mère.

— À ton avis, une autre définition me rendra mes

jambes? s'écria-t-elle en bourrant ses cuisses de coups, comme si elles avaient été en caoutchouc.

— Non, bien sûr, répondit Charlie d'une voix à la fois gentille et ferme. Mais il te reste ton cerveau, tes bras, tes mains... et la parole! (Il sourit.) Avec tout ça, on peut aller loin, tu sais.

— Vraiment? ricana-t-elle.

Mais aujourd'hui, il n'avait pas l'intention de la laisser prendre le dessus.

— Tiens, je t'apporte un cadeau. De la part de Harvey...

— Encore une boîte de chocolats, je suppose!

Il ne la reconnaissait plus. Elle était aigrie, son humour avait cédé la place aux sarcasmes. Pourtant, d'après les médecins, un espoir ténu subsistait. Avec le temps, elle parviendrait peut-être à s'adapter. S'adapter, quel mot horrible! Surtout pour une femme aussi jeune, aussi jolie et aussi active que Samantha, pensa Charlie, dépité.

— Raté, ma belle! Il ne t'envoie pas des chocolats mais du travail.

— Du travail? répéta-t-elle, incrédule.

Il nota avec satisfaction qu'elle semblait intéressée.

— Parfaitement. Du travail. Tes médecins sont d'accord. Rien ne s'oppose plus à ce que tu reprennes le collier. Voilà un magnétophone, des stylos, du papier, et trois dossiers sur lesquels Harvey aimerait bien que tu jettes un coup d'œil.

Il allait tourner les talons, quand elle fit avancer son fauteuil pour se mettre en travers de son chemin.

— Et pour quelle raison devrais-je me mettre au travail?

Il regarda le visage courroucé levé vers lui, retint un geste apaisant. Il avait trop longtemps marché dans son jeu.

— Parce qu'il y a un bon moment que tu te tournes

les pouces, répondit-il. Tu es intelligente, Sam. Ce serait dommage de gâcher ton talent.

— Je ne dois rien à Harvey, lâcha-t-elle, mais sa voix s'était un peu radoucie.

— Tu lui dois énormément, au contraire. Cinq mois de vacances quand ton mari t'a quittée, et tout ce qu'il a payé quand tu as eu ton accident... Je te rappelle au passage que sans lui, tu croupirais encore à Denver. J'ajoute qu'il t'a mise en congé maladie au lieu de te licencier, et qu'il attend ton retour à l'agence. À ton avis, pourquoi est-ce qu'il a fait tout ça, Sam ?

— Tu l'as dit : à cause de mon talent.

— Quelle garce ! grommela-t-il, tout à coup en colère. Il a besoin de ton aide, bon Dieu. Comme moi, d'ailleurs. Vas-tu enfin cesser de pleurer sur ton sort ?

Elle resta immobile sur sa chaise, tête baissée.

— Laisse-moi le temps de m'habituer, Charlie.

Sa voix était douce, une larme miroitait au bord de ses cils.

— Excuse-moi, je me suis emporté. Tu sais combien je t'aime. J'ai du mal à te voir dépérir ainsi.

— Et moi, j'ai du mal à me prendre en main. Mon Dieu, Charlie, comment vais-je vivre ? Je ne vais tout de même pas finir chez ma mère, à Atlanta ! Ils n'arrêtent pas de me téléphoner, tu sais. Ils m'appellent leur « pauvre infirme ».

— Samantha, tu ne vivras plus jamais comme avant, c'est sûr. Mais de là à partir pour Atlanta... Tu deviendrais dingue, là-bas. (Il se pencha avec un sourire et lui prit le menton.) Sam, n'aie pas peur, Mellie et moi nous sommes là. Tu viendras vivre à la maison, s'il le faut.

— Je refuse d'être une charge pour qui que ce soit. Je veux m'assumer !

— Alors fais-le. N'est-ce pas le but de ta rééducation ?

— Oui... Mais ça va être si long...

— Combien de temps ? six mois ? un an ?

— Quelque chose comme ça.

— Eh bien, ça en vaut la peine, si ça t'évite d'aller vivre à Atlanta. Non ?

— Oh oui, alors, fit-elle en essuyant ses larmes sur sa manche de soie prune. Pour ça, je veux bien rester dans une salle de gymnastique pendant cinq ans !

— Alors, la cause est entendue. Termine ta rééducation et reviens parmi nous. Mais en attendant, étudie donc ces fichus dossiers. Pour Harvey.

Pour la première fois depuis très longtemps, Sam esquissa un sourire.

— Ce vieil exploiteur m'aura toujours, railla-t-elle. Passe-lui le bonjour.

— D'accord. Il viendra te voir demain.

— Qu'il n'oublie pas mes Mickey Spillane !

Elle et Harvey partageaient la même passion pour les romans policiers. Samantha en consommait des quantités incroyables. Charlie leva les yeux au plafond.

— Oh Seigneur !

En gémissant, il enfila son épais manteau, ses snow-boots, et mit son écharpe de laine cerise.

— Salut, Père Noël, lança-t-elle. Embrasse Mellie pour moi.

— Je n'y manquerai pas.

Seule à nouveau, Samantha resta un long moment immobile, les yeux fixés sur les dossiers. Noël approchait. Toute la matinée, elle n'avait cessé de ruminer de sombres pensées. L'année passée, elle était au ranch Lord, avec Tate. C'était le jour de Noël qu'il l'avait emmenée pour la première fois au chalet. Elle crut revoir la petite bâtisse blanche au bord du lac, le beau visage aux traits virils de Tate. Tate... Où était-il ?

Ce matin, elle avait eu Caroline au téléphone. Bill se remettait tout doucement de sa seconde crise cardiaque. Il n'était guère en forme. Au beau milieu de la conversation, Samantha n'avait pu s'empêcher de demander à Caroline si elle avait eu des nouvelles de Tate. Non, lui avait-elle répondu. Elle avait engagé un nouveau contremaître, jeune, marié, père de trois enfants. Puis, comme toujours, Caroline s'était appliquée à remonter le moral de Sam. Celle-ci lui avait avoué qu'elle n'avait jamais fourni autant d'efforts de sa vie. La rééducation, c'était vraiment difficile... Caroline l'avait encouragée. Mais à présent, clouée sur le fauteuil roulant, Sam se posait pour la énième fois les mêmes questions. Pour qui ? pour quoi ? à quoi bon ? Des heures durant, il fallait muscler ses bras et ses épaules, s'agripper à une barre d'acier, se soulever afin de s'extirper de son fauteuil, ou de son lit, ou des toilettes. Des exercices épuisants qui devaient, à terme, lui assurer une indépendance totale — c'est du moins ce que les médecins lui avaient promis. Sam soupira : si c'était vrai, alors, Charlie avait peut-être raison. Elle allait de nouveau pouvoir s'assumer. Et après tout, le seul fait qu'elle ait survécu à son terrible accident était peut-être un signe du destin...

Noël fut une nouvelle épreuve. Harvey arriva le premier, puis ce fut le tour des Peterson, et de leurs enfants. L'infirmière les autorisa à rester une grande partie de l'après-midi. Mellie lui mit dans les bras la petite Samantha, un bout de chou de six mois, joli comme un cœur. Mais leur départ laissa un vide terrifiant, et vers la fin de la journée, n'y tenant plus, Samantha pilota son fauteuil hors de sa chambre. Un long corridor s'ouvrait devant elle, avec une fenêtre au bout. Devant, il y avait un petit garçon assis dans un fauteuil roulant, identique au sien. Il s'abîmait dans la triste contemplation des flocons de neige tourbillonnant derrière la vitre.

— Salut, je m'appelle Sam, et toi ?

Son cœur se serra, lorsqu'il tourna lentement la tête vers elle. Il y avait des larmes dans ses yeux.

— Je ne peux plus jouer dans la neige, murmura-t-il.

— Moi non plus. Comment t'appelles-tu ?

— Alex.

— Eh bien, Alex, as-tu reçu de beaux cadeaux pour Noël ?

— Oui... un chapeau de cow-boy, et un pistolet. Seulement, je ne peux plus monter à cheval.

— Pourquoi ? demanda-t-elle sans réfléchir, et l'enfant la regarda comme s'il avait affaire à une demeurée.

— Mais parce que je suis sur une chaise roulante, expliqua-t-il patiemment. Une voiture m'a renversé, alors que je roulais à bicyclette, et je ne marcherai plus jamais... Qu'est-ce qui t'est arrivé, à toi ?

— J'ai fait une chute de cheval, dans le Colorado.

— C'est vrai ? s'exclama-t-il avec un subit intérêt, qui la fit sourire.

— C'est vrai. Et, tu sais quoi ? Je parie que je remonterai à cheval un jour. Toi aussi, d'ailleurs. J'ai lu l'autre jour un article dans un magazine, qui disait que des gens comme... comme nous peuvent parfaitement faire de l'équitation. Évidemment, il faut des selles spéciales.

— Et un cheval spécial aussi ? demanda-t-il, enchanté par cette perspective.

— Non, répondit-elle en riant, il suffit qu'il soit gentil.

Les yeux du petit garçon s'abaissèrent sur les jambes de Samantha, puis se levèrent de nouveau vers son visage.

— Il était gentil, le cheval qui t'a fait tomber ?

— Oh, non. C'était un méchant cheval. J'ai eu tort de le monter. En plus, j'ai fait un tas de bêtises avec lui.

— Comme quoi ?

— Galoper n'importe où, n'importe comment, en prenant de gros risques.

C'était la première fois qu'elle se l'avouait, la première fois qu'elle se remettait en cause, au lieu d'en vouloir à la terre entière. La première fois aussi que l'évocation de l'accident ne lui procurait aucune souffrance particulière.

— Aimes-tu les chevaux, Alex ?

— Et comment ! J'ai même été à un rodéo, une fois.

— Ah oui ? Moi j'ai travaillé dans un ranch.

— Ce n'est pas vrai, grommela-t-il avec une moue dégoûtée, les filles ne travaillent pas dans des ranchs.

— Mais si, je t'assure. Je l'ai fait, moi.

— Et ça t'a plu ? demanda-t-il, dubitatif.

— Énormément.

— Alors pourquoi as-tu arrêté ?

— Parce que je suis revenue à New York.

— Pourquoi ?

— Mes amis me manquaient.

— Ah bon... Est-ce que tu as des enfants ?

— Non, murmura-t-elle, la gorge nouée. Et toi ?

Elle lui sourit, et il pouffa de rire.

— Bien sûr que non ! Ce que tu peux être bête ! C'est ton vrai nom, Sam ?

— Je m'appelle Samantha. Sam est un diminutif.

— Alex aussi est un... euh... « minutif ». Mon vrai nom est Alexandre.

— Veux-tu faire un petit tour, Alexandre ?

Il la dévisagea, bouche bée.

— Maintenant ?

— Pourquoi pas ? Est-ce que tu attends de la visite ?

— Oh, non, papa et maman sont rentrés à la maison.

En fait, c'est eux qu'il regardait s'éloigner par la fenêtre.

— Dans ce cas, en route...

En riant, ils se dirigèrent vers les ascenseurs, sous les regards attendris des infirmières, qui agitaient la main. Ils sortirent au rez-de-chaussée, et ils mirent le cap vers l'unique boutique de l'hôpital. Samantha offrit des bonbons à Alex, acheta quelques revues pour elle, après quoi ils décidèrent de se payer des chewing-gums ainsi qu'un jeu de Monopoly. Ils remontèrent à leur étage, ravis de leur expédition.

— Tu veux voir ma chambre, Sam ?

— Bien sûr.

Il y avait un petit sapin de Noël tout illuminé de guirlandes, de lampions et de boules argentées, des dessins punaisés sur les murs et une collection de cartes de vœux, envoyées à Alex par ses petits camarades de classe.

— Je vais bientôt retourner à l'école, déclara celui-ci. D'après mon médecin, je n'ai pas besoin de m'inscrire dans une institution spécialisée. Si je fais bien ma rééducation, je serai comme les autres. Ou presque.

— Mon médecin me dit la même chose.

— Tu vas retourner à l'école aussi ? demanda-t-il, étonné.

Elle éclata de rire.

— Non, petit malin. À mon travail.

— Qu'est-ce que tu fais ?

— Des films publicitaires.

— Tu veux dire que c'est toi qui tournes tous ces films idiots qu'on voit à la télé ? s'écria-t-il, horrifié. Maman dit que les gens qui essaient de vendre n'importe quoi aux enfants sont des superpon... des irrespon...

— Des irresponsables. En fait, j'essaie de vendre des gadgets aux grandes personnes. Voitures, pianos, rouges à lèvres, parfums...

— Beurk !

— Comme tu dis ! Peut-être devrais-je retourner travailler au ranch.

Il acquiesça de la tête. Visiblement, les ranchs et les chevaux le passionnaient davantage que les spots publicitaires.

— Es-tu mariée ? voulut-il savoir, après un silence.

— Non. Personne ne veut de moi, je suppose, plaisanta-t-elle, mais il hocha la tête si sérieusement qu'elle pouffa. Et toi, pas encore marié ?

Il sourit.

— Non. Mais j'ai deux fiancées.

— Deux ? Quel chenapan !

Ils bavardèrent longtemps, prirent leur dîner ensemble. Plus tard, Sam revint l'embrasser dans son lit et lui raconter une histoire. Et lorsqu'il sombra enfin dans le sommeil elle regagna sa chambre, un sourire serein sur les lèvres, puis saisit l'un des dossiers déposés par Charlie et s'y plongea.

29

Le petit Alex quitta Lenox Hill début avril pour retourner chez ses parents, puis à l'école. Les lettres qu'il dictait à sa mère réconfortaient Samantha. Le petit garçon semblait s'être parfaitement bien adapté à sa nouvelle existence. Ses camarades de classe le considéraient comme « normal, ou presque », disait-il dans l'une de ses missives. « Je suis allé à un match de base-ball, dimanche, avec papa et une bande d'autres petits handicapés... C'était formidable », racontait-il dans une autre... Samantha conservait religieusement la correspondance de son nouvel ami. Leur amitié, cimentée par l'espoir commun de s'assumer pleinement, avait influé sur son moral. Au fil des jours et des semaines, la jeune femme se découvrit des ressources qu'elle ne soupçonnait pas. Et à la fin du mois son kinésithérapeute évoqua sa prochaine sortie de l'hôpital.

— Vous sentez-vous prête, Sam ?

Submergée soudain par une panique sans nom, elle secoua vigoureusement la tête.

— Non, pas encore.

— En êtes-vous sûre ?
— Je… voyez… mes bras ne sont pas encore assez musclés… ni mes épaules…

Elle s'inventait des excuses, naturellement, mille prétextes pour rester dans ce cocon où rien ne la menaçait. Un gentil sourire éclaira les traits du Dr Nolan. Sa patiente avait déjà fait d'énormes progrès. Le reste n'était plus qu'une question de temps. À un moment donné, elle réclamerait elle-même sa liberté, la fameuse indépendance qu'elle saurait gagner au terme de ses efforts. Pour le moment, Samantha se laissait bercer par le rythme sécurisant d'une routine paisible : sommeil, réveil, repas, séances de rééducation le matin, travail pour l'agence l'après-midi. Elle n'en demandait pas plus…

Les quatre spots publicitaires qu'elle avait tournés dans l'Arizona et le Colorado avaient remporté une bonne demi-douzaine de prix, dont un Clio, l'une des récompenses les plus convoitées aux États-Unis. D'autres scénarios, meilleurs encore, étaient nés de sa plume. Henry Johns-Adams, son compagnon et Charlie ne tarderaient pas à prendre le chemin de l'Ouest. Dès qu'ils auraient trouvé un lieu de tournage convenable… Afin d'avancer les repérages, Samantha décrocha un soir son téléphone et composa le numéro du ranch Lord. Caroline ne s'occupait plus que de la convalescence de Bill. La location du domaine lui apporterait un peu de distraction… Mais sitôt qu'elle entendit la voix de sa correspondante, Caroline fondit en larmes.

— Oh Sam… Il est parti. Il nous a quittés.
— Caro, ma chérie, ne pleurez pas…

Des sanglots retentirent à l'autre bout du fil. En perdant Bill, Caroline avait en même temps perdu sa raison de vivre. Ce n'était plus qu'une vieille femme brisée, écrasée par un deuil inattendu, démunie devant un avenir solitaire. C'était Sam qui, à présent, tentait de la consoler.

— Mais je n'ai plus personne, comprenez-vous ? plus de famille… et maintenant, Bill…

— Vous m'avez, moi, et vous avez le ranch. Et il y a un tas de gens qui vous aiment et qui tiennent à vous.

— Je ne sais pas, murmura Caroline avec lassitude. Je n'ai plus aucune envie, aucun désir. Je ne monte même plus à cheval. Je ne fais plus rien. Le nouveau contremaître se charge de tout. Sans Bill… (sa voix se fêla) tout ici est triste !

Bill avait été enseveli sur les terres du domaine, après une brève cérémonie religieuse à laquelle Caroline avait assisté comme devait le faire la propriétaire du ranch. Ils ne seraient jamais mari et femme. Bill King avait emporté leur secret dans la tombe.

Samantha continua d'appeler son amie tous les jours. Tate ne se manifestait toujours pas, du moins elle le supposait, car elle ne posait plus aucune question à son sujet, sachant que Caroline l'aurait avertie si elle en avait entendu parler. Sa longue quête n'avait abouti à rien. Aucune des nombreuses personnes qu'elle avait contactées au cours de ses voyages ne s'était signalée. De temps à autre, la jeune femme se demandait s'il était heureux et si, parfois, les souvenirs de leur bonheur trop bref le hantaient, lui aussi. Mais de toute façon, cela n'avait plus d'importance. Elle avait décidé de mettre fin à ses recherches. Pour rien au monde elle n'aurait imposé son infirmité à un homme. Même s'ils avaient encore été ensemble, elle aurait pris la fuite. Mais elle n'avait pas à le faire. Cela faisait plus d'un an qu'il avait disparu.

Ses médecins la poussèrent dehors au mois de mai, malgré les protestations de sa mère. Samantha quitta l'hôpital par une splendide journée ensoleillée. Charlie et Mellie la conduisirent à son nouvel appartement. Il était hors de question qu'elle réintègre celui de la 63e Rue. Elle ne pouvait plus gravir les cinq étages sans ascenseur... Par chance, un rez-de-chaussée donnant sur un jardinet ensoleillé s'était libéré chez les Peterson. L'immeuble disposait d'un portier et d'une rampe d'accès sans marches. Samantha l'avait loué sans même le visiter. De sa chambre d'hôpital, elle avait tout organisé par téléphone en donnant aux déménageurs des instructions concernant l'emplacement des meubles, à l'aide de plans.

— Laissez mes affaires personnelles dans l'entrée. Je les déballerai moi-même, avait-elle déclaré.

Il s'agissait d'un défi de taille, le premier de sa nouvelle existence. Des heures durant, elle ouvrit les malles et les cartons, puis suspendit ses vêtements en peinant, le front baigné de sueur. À un moment donné, en tendant les bras pour accrocher un petit cadre à un mur, elle bascula en avant et roula par terre. Elle parvint néanmoins à se hisser dans son fauteuil. Les rangements terminés, elle réussit à prendre un bain et à se laver la tête. Ensuite, drapée dans un peignoir de velours éponge, elle jeta alentour un regard victorieux.

Le lundi matin, elle se rendit à l'agence, vêtue d'une jupe et d'un col roulé noirs, et chaussée de bottes de daim à talons, noires également. Elle avait mis un nœud rouge vif dans ses cheveux. Les épreuves qu'elle avait endurées au cours de cette année terrible semblaient avoir glissé sur elle sans laisser de traces ; sa beauté resplendissait, elle paraissait rajeunie. Et elle était d'une rare élégance.

Sa mère, qui appela d'une voix larmoyante vers midi, s'entendit répondre par la secrétaire que « miss Taylor était en réunion ». Et lorsqu'elle rappela une heure plus tard, Samantha était partie célébrer son retour au *Lutèce*, en compagnie de Harvey et de Charlie... La vie avait repris le dessus. À la fin de la semaine, elle avait retrouvé toute son ancienne énergie. Et aussi sa faculté de persuasion. Le premier client qu'elle reçut se déclara enchanté. Le lendemain, il lui envoya un bouquet de roses-thé en la priant de dîner avec lui. Elle déclina poliment l'invitation... Mais elle savait, désormais, que son charme opérait toujours. Les hommes se retournaient sur son passage, à la fois éblouis et troublés par cette belle sirène clouée sur une chaise roulante. Pourtant, l'idée d'une rencontre amoureuse la rebutait. Elle avait omis d'en parler avec le psychiatre de l'hôpital... il y avait, alors, tant d'autres obstacles à franchir, tant d'autres réalités à accepter. La fin de ses deux grands amours l'avait rendue terriblement méfiante. Elle affirmait qu'elle avait choisi la solitude, sans toutefois réussir à convaincre son entourage.

Elle fêta la signature de son premier contrat en compagnie de Charlie et de Harvey. Les traits éclairés par un de ses rares sourires, le patron de l'agence leva sa flûte de champagne.

— À Samantha, dit-il. Qu'elle vive encore cent ans sans manquer un seul jour au bureau.

Après quoi ce fut au tour de la jeune femme de porter un toast. À la fin du repas, ils étaient un peu éméchés, et Sam plaisanta en disant que si cela continuait, elle n'arriverait pas à conduire son fauteuil roulant. Sur le chemin du retour, elle manqua en effet d'écraser deux piétons. Charlie se mit à la pousser en riant, mais il heurta de plein fouet un policier.

— Bon sang, Charlie ! Regarde où tu vas !

— Ce n'est pas moi, c'est lui... D'ailleurs, je crois qu'il a bu un verre de trop... pendant le service ! C'est inadmissible.

— Exact ! approuva Harvey.

Ils entrèrent dans l'agence pliés en deux de rire.

Le samedi, Sam invita le petit Alex à déjeuner. Ils commencèrent par s'empiffrer de hot-dogs et de frites, dehors, au soleil, après quoi elle l'emmena au cinéma. Ils prirent place côte à côte, dans l'aile réservée aux handicapés. Les yeux écarquillés, le petit garçon fixa l'écran géant. À la fin de la journée, au moment où ils se disaient au revoir, elle eut un drôle de pincement au cœur... Et lorsque la maman d'Alex enlaça son petit garçon, Samantha sentit une boule se former au fond de sa gorge. Décidément, certains jours, la solitude était insupportable. Au lieu de rentrer directement chez elle, elle prit l'ascenseur et alla sonner chez les Peterson où elle passa une heure à jouer avec le bébé. Soudain, alors que la « grande Samantha », faisait rouler son fauteuil à travers la pièce, la « petite Sam » se redressa cahin-caha et ébaucha deux ou trois pas incertains, les bras en croix, avant de s'affaler sur le tapis.

— Mellie ! Mellie, viens vite !

Mellie arriva juste à temps pour voir sa fille renouveler l'exploit.

— Mais elle marche ! exulta-t-elle. Charlie, viens voir ! Sam marche.

La silhouette de Charlie s'encadra aussitôt dans le chambranle. Son regard chercha fébrilement Samantha. L'espace d'un instant, il avait cru qu'un miracle s'était produit. Mais son amie était toujours assise dans son fauteuil roulant, et tournait vers lui un visage rayonnant.

— Oui. Sam marche, chuchota-t-elle.

30

Crane, Harper et Laub gagnèrent un nouveau Clio cette année-là, pour un spot publicitaire conçu par Sam. Vers la fin de la même année, elle rapporta deux gros clients supplémentaires à l'agence. Les sombres prédictions de sa mère ne s'étaient pas réalisées. La « pauvre infirme » menait sa barque dans un tourbillon d'activités diverses et variées : réunions de travail, déjeuners d'affaires, sorties avec des amis, cinéma tous les samedis après-midi en compagnie du petit Alex, qui venait de fêter ses sept ans. Samantha n'était pas vraiment malheureuse. Mais le bonheur ne se résume pas en une simple absence de malheur, elle en avait conscience. Et lorsqu'elle essayait de faire le bilan de sa vie, elle se rendait bien compte qu'elle ne savait pas très bien où elle allait.

Harvey menaçait toujours de prendre sa retraite. Le 1er novembre, il fit venir Samantha dans son bureau. Lorsqu'elle entra il lui indiqua distraitement un fauteuil, le nez dans ses dossiers.

— Asseyez-vous, Sam.

— Merci, Harvey, c'est déjà fait.

Il leva sur elle un regard embarrassé.

— Je vous demande pardon. Ne m'énervez pas, Sam. J'ai quelque chose à vous dire ou, plutôt, à vous demander.

— Songeriez-vous enfin à m'épouser? ironisa-t-elle.

C'était leur plaisanterie favorite. Harvey était marié et heureux en ménage depuis trente-deux ans.

— Pas d'ironie, Sam, l'heure est grave, dit-il avec une expression déterminée. Je prends ma retraite fin décembre. Et cette fois-ci pour de bon!

— Qu'est-ce qui vous arrive, patron?

Elle continuait à sourire. Ce n'était pas la première fois que Harvey évoquait sa prétendue retraite. Mais, de l'avis de Samantha, il aimait trop la vie active pour y renoncer. Elle-même avait cessé de briguer le poste directorial depuis son accident. Elle était parfaitement satisfaite de sa situation. Son salaire n'avait cessé d'augmenter et, durant les rudes épreuves qu'elle avait traversées, ses collègues l'avaient entourée d'attentions. Vis-à-vis de l'agence, elle était d'une profonde loyauté. Tout cela lui suffisait amplement.

— Prenez donc quelques vacances dans une île

paradisiaque avec Maggie, proposa-t-elle. Aux Antilles, par exemple, ou à Tahiti... Vous en reviendrez tout bronzé, prêt à retrousser vos manches pour vous jeter dans la bataille.

Il prit un air de gosse entêté.

— Mais non, voyons! Je vais avoir soixante ans, un âge critique, où l'on se pose un tas de questions. Je me demande, par exemple, ce que je fais encore dans la pub. Franchement, qui s'intéresse aux spots publicitaires? Qui se souvient, un an plus tard, des films que nous avons tournés? J'ai peur de rater la fin de ma vie de couple avec Maggie en restant collé à ce fichu bureau, à travailler d'arrache-pied. Je fête mon anniversaire mardi prochain, et je me dis que ça ne peut plus durer. Alors c'est décidé. Je me retire. Si la place vous intéresse, elle est à vous. En fait, elle est à vous même si elle ne vous intéresse pas.

Samantha le regarda, l'air pensive.

— Joli discours, fit-elle après un silence.

— Il est sincère.

— Harvey, vous avez sans doute raison. Mais...

Son esprit voguait à des milliers de kilomètres de là, au ranch Lord. Elle pensait à Bill King, à Caroline, au temps qu'ils avaient perdu. À force de déployer des efforts surhumains pour garder leur liaison secrète, ils avaient manqué un tas d'occasions d'être ensemble, et à présent, c'était trop tard. Il ne restait plus que Caroline, qui ne cessait de décliner depuis la mort de Bill, huit mois plus tôt. Samantha aurait voulu lui rendre visite, mais elle n'avait encore osé entreprendre aucun déplacement. Son accident l'avait rendue casanière, les distances l'effrayaient, elle appréhendait les voyages.

— Mais quoi? dit Harvey. Vous ne voulez pas devenir directrice du département création?

— Franchement, je n'en sais rien. Autrefois, oui, c'était mon but. Mais depuis un an, ma vie a tellement changé que j'hésite. Je ne suis pas sûre de pouvoir assumer tout ce que cet emploi implique : les insomnies, les migraines, les ulcères, et j'en passe... Je n'ai même pas eu le courage de rendre visite à mon amie, en Californie, et pourtant, ce n'est pas l'envie qui m'en manque. Peut-être que je ne suis plus la personne adéquate pour ce poste. Avez-vous pensé à Charlie ?

— Il est déjà directeur artistique. Et il est excellent dans son propre domaine.

— Il serait également excellent en tant que directeur de création.

— Certainement. Mais vous l'êtes aussi ! Promettez-moi d'y réfléchir.

— D'accord. Quand voulez-vous ma réponse ?

— Dans une quinzaine de jours.

Ils abordèrent d'autres sujets, après quoi Sam regagna son bureau. Elle avait l'intention de donner une réponse à Harvey dans les délais convenus. Mais dix jours plus tard, une lettre vint bouleverser tous ses plans.

Samantha lut et relut la lettre que l'avoué de Caroline lui avait envoyée. Des larmes traçaient leurs sillons sur ses joues. Accablée, elle dirigea son fauteuil vers le bureau de Charlie, qui leva le nez de ses maquettes.

— Ça ne va pas ?

Quelle question stupide, pensa-t-il au même moment. Évidemment que ça n'allait pas ! Il suffisait de regarder le visage blême de Samantha, ses yeux rougis, ses larmes. Sans un mot, elle lui tendit une lettre, qu'il parcourut d'un air consterné.

— Tu savais qu'elle avait fait de toi sa légataire universelle ?

Elle secoua la tête négativement.

— Non, pas du tout. Mais Caroline n'avait personne au monde. Oh, mon Dieu, c'est affreux. Que dois-je faire ?

— Ça va aller, Sam. Calme-toi.

Caroline Lord était morte la semaine précédente dans son sommeil ou plutôt, comme le fit remarquer Charlie, elle s'était laissée mourir. Sans Bill King, la vie n'avait plus aucun attrait pour elle. Personne ne s'était donné la peine d'avertir Samantha, pas même son vieil ami Josh. Elle en fut ulcérée, puis furieuse. Ensuite, son indignation s'apaisa... Ce n'était jamais que de simples cow-boys, ils n'avaient tout simplement pas pensé à l'appeler à New York. Samantha héritait de la propriété, conformément aux dernières volontés de Caroline.

— Mais pourquoi a-t-elle fait une chose pareille ? Pourquoi m'avoir laissé le domaine, alors que je suis incapable de le gérer ?

Elle avait dirigé sa chaise roulante vers la fenêtre et regardait par la vitre. Les souvenirs d'une autre époque, si lointaine et si proche à la fois, émergèrent dans sa mémoire. Elle crut revoir son amie Barbara, puis Bill, Caroline et, bien sûr, Tate.

— Qu'est-ce que tu veux dire ?

Elle tourna son regard embué vers Charlie.

— Seigneur, ne fais pas mine de ne pas comprendre ! J'ai l'air de me débrouiller parfaitement. Mais je suis infirme ! Que veux-tu que je fasse là-bas ? Que je regarde les autres monter à cheval ? Ce ranch doit revenir à quelqu'un de bien portant.

— Un cheval a quatre jambes, Sam, il n'a nul besoin des tiennes. Tu seras davantage toi-même sur un cheval que sur ton fauteuil roulant.

— Oooh ! Ce n'est vraiment pas drôle.

Mue par la colère, elle fit rouler sa chaise hors de la pièce, et alla s'enfermer dans son bureau, où Charlie la suivit, insensible à sa mauvaise humeur.

— Laisse-moi tranquille, hurla-t-elle, dès qu'il eut franchi le seuil. Ma meilleure amie vient de mourir, et tu voudrais que je me réjouisse à l'idée de pouvoir monter à cheval ? Je me demande comment ce serait possible, du reste. Va-t'en! Charlie, est-ce que tu m'entends?

Il la dévisagea sans broncher.

— C'est toi qui vas m'entendre. Je suis désolé qu'elle soit morte. Il n'en demeure pas moins qu'elle t'a fait un cadeau somptueux. Et pour exaucer ton rêve le plus cher, Sam. Permets-moi de te dire le fond de ma pensée. Je t'ai bien observée depuis ton retour. Tu es toujours très dynamique, très inspirée, très efficace. Mais, au fond, tu te fiches pas mal de la publicité. Tu n'as pas envie de rester ici, je le sens... Je l'ai senti il y a longtemps, depuis que tu es tombée amoureuse de ce cow-boy. Tu n'as jamais cessé de rêver à ce ranch. Et voilà, ton amie te l'offre sur un plateau d'argent et tu fais la fine bouche. Tout à coup, tu décides de jouer les infirmes... Par lâcheté? Je l'ignore. Mais en tout cas, je ne te laisserai pas faire!

— Vraiment? Et comment t'y prendras-tu?

— Je te harcèlerai nuit et jour jusqu'à ce que tu recouvres ton bon sens. Je t'y emmènerai, même si je dois t'y traîner de force, afin de te prouver que j'ai raison... Tu sais, personnellement, je n'ai jamais compris l'amour des gens pour la nature. Je suis un citadin. Les grands espaces du Far-West ne m'attirent pas plus que la brousse africaine ou le Sahara. Toi, c'est différent. J'ai bien vu combien tu étais heureuse dans ces ranchs, au cours du tournage de l'année dernière. À la vue du moindre cheval, de la moindre vache, tes yeux se mettaient à briller comme des escarboucles... Et tu veux me faire croire que ça ne représente plus rien pour toi? Je sais que tu parles au petit Alex des cours d'équitation destinés aux handicapés. Il me l'a dit. Comme il m'a dit que tu lui as promis qu'un jour vous monteriez ensemble à cheval. Et voilà, l'occasion vient de se présenter. Tiens, tu pourrais transformer le ranch Lord en un lieu d'accueil pour des personnes comme Alex et toi!

Elle le regarda intensément. Les larmes avaient cessé de couler sur ses joues.

— Mais comment ? Je n'y connais rien...

— Tu connais les chevaux. Et tu sais ce que ça veut dire d'être sur une chaise roulante. Tu apprendras le reste. Si tu es bien entourée, tu n'auras plus qu'à gérer ton affaire. Et Dieu sait que tu es bonne organisatrice.

— Tu es fou !

— Peut-être, rétorqua-t-il avec un sourire. Mais cela ne te ferait pas de mal d'être un peu folle, aussi.

Dans le regard de la jeune femme, la consternation avait cédé la place à l'étonnement.

— Je ne saurais pas par où commencer.

— Commence donc par te rendre sur place, afin de faire le tour du propriétaire.

— Mais... quand ?

— Dès que tu as le temps.

— Toute seule ?

— Si tu veux.

De nouveau, elle détourna la tête. Ses yeux fixaient le vide. Ce serait dur de revoir le domaine sans Caroline. Le verger, le haras, la cour, la grande maison, tout lui rappellerait ceux qu'elle avait aimés et qui avaient disparu.

— Je ne veux pas y aller seule. Je n'y arriverai pas.

— Alors, fais-toi accompagner par quelqu'un.

— Qui ? Ma mère ?

— Que Dieu nous protège de cette furie. Je suggère quelqu'un de moins... comment dire... agressif. Comme Mellie, par exemple.

— Et les enfants ?

— Eh bien, tu n'as qu'à tous nous emmener. Les gosses adoreront, nous aussi, et je pourrai continuer à te bombarder de mes bons conseils. Allez ! Je m'invite.

— Charlie, c'est sérieux ?

— Absolument. Il s'agit de la décision la plus

importante de ta vie. Je serai aux premières loges. Quand tu la prendras.

Un pâle sourire apparut sur les lèvres de Sam.

— Dans ce cas... que dirais-tu de Thanksgiving? C'est dans trois semaines environ.

Il réfléchit un instant, puis sourit.

— Marché conclu. J'appelle Mellie tout de suite.

— Espérons que cela lui fera plaisir, soupira Samantha.

— Je te parie dix dollars qu'elle sera ravie. Sinon, j'irai tout seul!

Mellie se montra en effet enchantée, et les garçons poussèrent des cris de joie. Le voyage fut préparé dans le plus grand secret. Samantha fit les réservations dans une agence de voyages, sans passer par sa secrétaire. Ils avaient décidé de passer quatre jours au ranch, mais elle omit de le signaler à Harvey, de crainte de l'inquiéter. Il attendait toujours sa réponse au sujet du poste de directrice. Ce n'était pas le moment de lui annoncer qu'elle avait fait un héritage en Californie.

31

La voiture de location avalait les derniers kilomètres d'autoroute. À mesure qu'à l'horizon se profilait le paysage familier des collines, Samantha se réfugiait dans le silence. Mais personne ne s'en aperçut à l'intérieur du véhicule. Les garçons, excités comme des puces, sautillaient sur la banquette arrière — heureusement, leur sœur n'était pas là, Mellie l'ayant laissée à la garde de sa mère. Jusqu'alors, tout s'était passé sans incident.

Samantha avait tout organisé par téléphone depuis New York. Pas plus tard que ce matin, elle avait prié

Josh de passer la journée de Thanksgiving en famille plutôt que de venir les chercher à l'aéroport. Il était prévu que Mellie et Charlie dorment dans les appartements de Caroline, les garçons dans l'une des chambres d'amis, et Samantha dans celle qu'elle avait occupée lors de son dernier séjour. Au téléphone, Josh n'avait cessé de lui répéter combien il avait été soulagé d'apprendre que c'était elle l'héritière. À son avis, elle était faite pour diriger un ranch. Il espérait de tout cœur qu'elle ne s'empresserait pas de le revendre et s'était déclaré prêt à lui apporter son aide. Ce serait bientôt le meilleur ranch de l'Ouest, avait-il conclu, et Samantha avait eu un sourire un peu triste. Elle avait lancé un « à ce soir » qui se voulait désinvolte et s'était hâtée de rejoindre les Peterson et leurs enfants dans le hall de leur immeuble. Il avait fallu deux taxis pour les transporter tous à l'aéroport. À bord du vol à destination de Los Angeles, les hôtesses leur avaient servi des sandwiches à la dinde, mais Mellie avait promis aux enfants de leur préparer une vraie dinde croustillante le soir même, au ranch.

Et maintenant, au terme d'un voyage épuisant, les garçons chantaient à tue-tête, tandis que Mellie parlait à son mari d'une voix douce. Mais Samantha n'entendait rien. Trop absorbée par ses souvenirs. Tandis que le break loué s'approchait du ranch Lord elle crut apercevoir Caroline et Bill, puis Tate. Comme dans un rêve, les scènes d'un bonheur lointain, inaccessible, défilaient dans son esprit : leurs moments de bonheur dans le chalet près du lac, leurs étreintes chez Tate, leurs cavalcades à travers les prairies ondoyantes, lui sur le pinto, elle sur l'intrépide étalon noir... Elle se revit en train de traverser le verger à toutes jambes, dans le brillant clair de lune... Elle eut l'impression qu'un nuage noir l'engloutissait, quand le break franchit la frontière du domaine.

Ils prirent une route secondaire bordée d'ormes

bruissants. Tendue, attentive, Samantha guettait le ranch. Un tournant. Un autre. Un autre encore…

— C'est là, dit-elle à mi-voix en indiquant la bifurcation d'un doigt tremblant.

Le break passa le portail monumental, suivit l'allée sinueuse et la grande maison se dressa tout à coup devant leurs yeux. Elle apparaissait toujours par surprise, au détour du chemin, mais aujourd'hui, avec ses volets clos au rez-de-chaussée et son étage sans la moindre lumière, elle semblait réellement lugubre.

— Josh m'a dit qu'il laisserait la porte ouverte. Charlie, veux-tu y aller ? L'interrupteur est juste à droite.

Elle le suivit du regard, s'attendant à voir jaillir sous le porche la silhouette élancée de Caroline, la main levée pour l'accueillir, mais Charlie réapparut seul. Tous sortirent de voiture en silence — même les garçons s'étaient tus — pour s'approcher de la demeure.

— Sam, où sont les chevaux ?

— Dans les écuries, chéri. Je vous les montrerai demain.

— Oh, Sam, on ne peut pas les voir tout de suite ?

Elle échangea un sourire avec Charlie, par-dessus les têtes des petits garçons.

— D'accord. Dès que nous aurons déchargé la voiture.

En fait, elle n'avait nulle envie d'y aller. S'il n'avait tenu qu'à elle, elle serait remontée dans le break et aurait repris la route de Los Angeles… Non. Elle ne voulait pas revoir Navajo et encore moins Black Beauty. Tout ce qu'elle souhaitait, c'était retrouver Caroline, Bill, Tate, et cette vie qui lui était désormais à jamais interdite. Mais Charlie poussa son fauteuil vers l'entrée et l'aida à gravir les marches. Peu après, elle se dirigea vers son ancienne chambre. Les garçons la rattrapèrent et, se forçant à sourire, elle leur indiqua leurs quartiers, puis revint au salon pour montrer à Charlie et à Mellie la direction des appartements de Caroline. Elle n'avait pas le cœur à les accompagner. Ni le courage de contempler la chambre désertée.

— Ça va? s'enquit gentiment Mélinda.

— Oui, Mellie, très bien.

— Tu as l'air fatiguée.

Elle n'était pas fatiguée. Elle était malheureuse.

— Non, ça va, je t'assure.

Ça n'allait pas, naturellement. Seule dans le salon, elle contempla tristement la nuit qui enveloppait lentement les collines de ses voiles mauves. Elle revécut alors, avec une douloureuse précision, son dernier départ du ranch. À cette époque, elle avait le cœur lourd mais encore empli de l'espoir absurde de retrouver Tate. La chimère se dissipait dans les ultimes lueurs du crépuscule. Et elle sut tout à coup qu'elle ne le reverrait plus, qu'il était à jamais sorti de sa vie, au même titre que Caroline. Soudain, la silhouette d'un petit homme aux jambes arquées et aux cheveux poivre et sel se profila dans la nuit tombante. Il arrivait par le jardin, semblable à quelque bon esprit de la forêt. Josh! Un sourire illumina le visage fin de Samantha. Elle manœuvra rapidement son fauteuil jusqu'à la porte d'entrée. Mais en la voyant, il se figea, le visage décomposé, et sans savoir pourquoi, elle fondit en larmes.

— Oh, mon Dieu, Sam.

Josh se pencha et la serra contre son cœur. Leurs larmes se mêlèrent. Pendant longtemps, on n'entendit que leurs sanglots. Puis, au bout d'un moment, le vieux cow-boy se redressa en reniflant.

— Pourquoi ne m'a-t-on pas averti?

— Je pensais que Caroline...

Il secoua la tête, le regard rivé sur les jambes inertes de la jeune femme.

— Comment est-ce arrivé?

Samantha ferma un instant les paupières. Les yeux de Josh lui avaient renvoyé son reflet. À présent elle se voyait telle qu'elle était en réalité : une infirme clouée à jamais sur une chaise roulante. Une bonne à rien. C'en était fini de l'altier palomino à la crinière blonde qui autrefois avait sillonné le ranch au galop. Non, elle ne pourrait jamais diriger le domaine, c'était impossible. Devant son infirmité, les cow-boys réagiraient tous comme Josh. Elle était bel et bien impotente, et peu importait ce que les médecins lui avaient fait croire, à New York.

— Sam...

— Ça va aller, Josh, dit-elle, en respirant profondément. J'ai fait une chute de cheval dans le Colorado lors d'un tournage, il y a quinze mois. J'ai commis une erreur. Une erreur terrible, comme vous pouvez le constater.

C'était loin dans le temps, à présent — mais elle se souviendrait toujours de ces images. L'étalon gris nommé Démon, leur course folle, puis, cette horrible sensation d'être catapultée dans le vide, alors que le sol se précipitait vers elle à une vitesse hallucinante...

— Mais pourquoi avez-vous fait une chose pareille ? demanda-t-il, les yeux humides.

Elle avait poussé sa monture à bout, il l'avait compris.

— Je l'ignore, soupira-t-elle. Un instant de folie, je suppose. Je pensais qu'après avoir monté Black Beauty, j'étais capable de maîtriser n'importe quel étalon.

Elle se garda d'ajouter que la disparition de Tate n'avait pas été totalement étrangère à son geste insensé.

— Est-ce que vous... Qu'est-ce qu'ils...

Josh butait sur les mots, incapable de formuler sa pensée, mais elle l'avait compris.

— Je ne marcherai plus. Je pensais que Caroline vous avait mis au courant.

— Non. Elle ne m'a rien dit.

— Elle était sans doute trop préoccupée par la

maladie de Bill. J'ai voulu venir quand il a eu sa première attaque, mais j'avais du travail. Ensuite, j'ai passé dix mois à l'hôpital. Après, je n'ai pas osé... La peur d'affronter la réalité, sans doute. Je m'en veux terriblement de n'avoir pas revu Caroline, Josh. Elle a dû être si triste après la mort de Bill ! Et moi, je n'ai rien fait pour l'aider...

Elle saisit les mains du vieux cow-boy entre les siennes.

— Elle n'avait pas besoin d'aide, vous savez. Je crois qu'elle n'a pas voulu lui survivre...

Savait-il, donc ? Le savaient-ils tous ? S'étaient-ils tous prêtés à cette farce sinistre pendant vingt ans ? Elle le dévisagea, et il ajouta :

— Ils étaient comme mari et femme.

— Oui. Ils auraient dû se marier.

— Oh ça, fit-il en haussant les épaules. On ne peut transgresser certaines lois... Mais vous ? Qu'allez-vous faire ? Allez-vous vendre la propriété ?

— Je n'en sais rien encore. Je ne vois pas très bien comment j'arriverais à diriger un ranch comme celui-ci. Peut-être qu'après tout, ma place est à New York.

— Est-ce que vous vivez avec vos parents ? s'enquit-il avec intérêt.

— Non. Je vis seule. Dans le même immeuble que les amis qui m'ont accompagnée ici. Il fallait que je trouve un appartement en rez-de-chaussée, sans marches. À part les escaliers, rien ne m'est interdit...

— Eh bien, c'est formidable.

Il était modérément enthousiaste, mais elle ne lui en tint pas rigueur. Il lui fallait du temps pour s'adapter. De nouveau, il la regarda, l'air songeur, comme s'il pesait le pour et le contre.

— Vous seriez sans doute capable de vous débrouiller ici aussi, articula-t-il, en guise de conclusion. Nous vous aiderons... Il n'y a aucune raison que vous ne montiez plus à cheval. À condition d'être prudente, hein ?

Un sourire encourageant éclairait ses traits burinés.

— Ce serait merveilleux, mais j'ai peur, Josh. Je ne sais plus très bien où j'en suis. C'est pourquoi je suis venue, pour prendre une décision.

— Vous avez bien fait. Écoutez, Sam, j'ai une vieille selle que j'arrangerai pour vous... mais sachez que je refuse de la poser sur Black Beauty. Je vous interdis de monter ce fichu animal.

— Essayez donc de m'arrêter, s'écria-t-elle en riant.

— Avec plaisir ! J'aimerais bien tenir l'imbécile qui vous a permis de monter sur ce maudit étalon gris.

— Quelqu'un qui admirait mes talents de cavalière...

— Cette manie de faire l'intéressante ! bougonna-t-il.

Tate aurait dit la même chose.

— Au fait, Josh, vous n'auriez pas entendu parler de Tate Jordan, par hasard ?

— Non, on ne l'a plus jamais revu. Dieu seul sait où il est passé. Dommage, il aurait fait un excellent contremaître.

« Et un parfait mari », songea-t-elle, mais elle dit :

— Et celui qui est en place ? Comment est-il ?

— Très compétent, mais il part. Il l'a annoncé hier matin. Il a eu peur que vous ne vendiez la propriété. Je crois qu'il a trouvé un job dans un autre ranch. Notez, je le comprends. Il a des bouches à nourrir.

— Comptez-vous partir aussi, Josh ?

— Non. Mes racines sont ici. Je vis au ranch depuis trop longtemps pour songer à m'en aller.

— Si je me décide à rester, accepteriez-vous de devenir contremaître ?

Les prunelles sombres du vieux cow-boy s'illuminèrent.

— Vous ne plaisantez pas ? Non ? Oh, c'est ma femme qui sera contente !

— Sam ?

Charlie venait de réapparaître dans le salon. La jeune femme fit les présentations.

— Charlie est mon collègue et ami. C'est un artiste, dit-elle.

— Combien de temps restez-vous ? demanda Josh.

— Jusqu'à dimanche.

— Savez-vous monter à cheval ?

— Non, hélas.

— Nous sommes là pour vous apprendre. Sam m'a dit que vous avez amené vos enfants avec vous.

— Oui. Les trois garçons.

Josh haussa un sourcil.

— Combien en avez-vous ?

— Quatre. Nous avons laissé notre petite fille chez ma belle-mère.

— Quatre, ce n'est rien, remarqua Josh. J'en ai six.

— Que Dieu me protège ! s'exclama Charlie, avec une grimace comique qui provoqua l'hilarité générale.

Mellie et les garçons arrivèrent, puis le petit groupe se dirigea joyeusement vers les écuries. Les jeunes Peterson ne tardèrent pas à se couvrir de brins de paille. Samantha s'arrêta devant le box de Black Beauty. Il était encore plus beau que dans son souvenir.

— Belle bête, pas vrai ? lança Josh avec fierté. Il est à vous maintenant.

— Il sera toujours à Caroline, répondit-elle doucement. Mais je le monterai volontiers.

Elle souriait, mais pas Josh.

— Il n'en est pas question, miss Taylor !

— Il sera toujours temps d'en débattre demain matin.

Le vieux cow-boy les raccompagna jusqu'au porche. Il ôta son stetson et leur souhaita une bonne nuit, puis s'en fut après avoir jeté un regard affectueux à la nouvelle propriétaire. Charlie, Mellie et leurs enfants allèrent se coucher. Sam, elle, resta dans le salon, près de la baie vitrée. À contempler la nuit criblée d'étoiles. Les fantômes du passé reculaient devant une sensation nouvelle... On aurait dit que les murs, les meubles, les objets lui souhaitaient la bienvenue. Elle avait encore Josh, se dit-elle, rassérénée. Et si elle venait vivre ici, l'amour de Caroline pour Bill et ses propres souvenirs avec Tate ne seraient pas tout à fait morts.

32

Ils s'étaient mis à deux pour la soulever, tandis que deux autres cow-boys avaient immobilisé le cheval. Josh n'avait pas choisi Black Beauty, bien sûr, pas même Navajo. Pour ce premier essai, il avait jeté son dévolu sur Pretty Girl, une jeune jument fine et racée, douce et docile, mais cette fois-ci Samantha n'en fut guère vexée. La peur la tenaillait. Yeux fermés, elle se laissa sortir de son fauteuil roulant. Mais une fois perchée sur la selle, elle posa un regard émerveillé sur l'assistance.

— Oh, mon Dieu, je m'envole.

— Pour le moment, vous êtes assise, corrigea Josh, tout sourire. Allez, faites-la bouger un peu.

— Je suis terrifiée, murmura-t-elle.

Le vieux cow-boy s'empara de la bride et tira gentiment le cheval, qui se mit au pas.

— Ça va aller, Sam. Nous allons faire le tour du corral.

— J'ai l'impression d'être un petit enfant.

— C'est à peu près ce que vous êtes. Il faut apprendre à marcher, avant de courir.

Peu après, il lâcha la bride. Sam prit toute seule le trot.

— Josh, regardez!

La joie lui coupa le souffle. Il y avait une éternité qu'elle n'avait pas quitté sa chaise. À présent, elle se sentait pousser des ailes. Le vent dans ses cheveux, le doux balancement de son bassin, la vitesse qui la grisait peu à peu, l'emplissaient d'une félicité indescriptible. Bientôt, elle éprouva de nouveau des sensations oubliées. Elle claqua doucement les rênes et la jument se lança au galop dans le pré. Une heure s'était écoulée lorsqu'elle revint devant l'écurie. Et lorsque Josh et ses aides la firent redescendre, elle rayonnait.

— Comment ça s'est passé? questionna Josh, après qu'elle se fut réinstallée dans son fauteuil roulant.

— Mieux que je ne l'avais imaginé. À vrai dire, j'étais morte de peur.

— Ç'aurait été étonnant que vous n'ayez pas la frousse, après ce qui vous est arrivé.

— Mais après, ç'a été comme si... comme si j'étais redevenue une personne normale, chuchota-t-elle, encore sous le coup de l'émotion. (Son sourire s'effaça tout à coup :) Cela faisait si longtemps...

Songeur, Josh se frotta le menton.

— Vous recommencerez très vite. Si toutefois vous vous décidez à garder le ranch.

Elle pencha la tête de côté. Indéchiffrable.

— Je n'ai cessé de tourner dans ma tête un projet que Charlie et moi avons évoqué à New York, dit-elle finalement. Que diriez-vous si je transformais le ranch en une sorte de centre d'accueil pour des gens... comme moi? (Elle avait machinalement censuré le mot « handicapés ».) Des enfants, surtout. Le but de l'opération consisterait à leur enseigner l'équitation. À les ramener progressivement à une existence normale. Oh, Josh, c'est affreux d'être cloué sur une chaise. On se sent différent. Alors qu'à cheval, on a l'impression d'être comme tout le monde. *Presque* comme tout le monde, rectifia-t-elle en souriant. Mais avec de l'entraînement cela peut encore s'améliorer. Naturellement, il faudrait sélectionner les chevaux, et mettre au point des techniques d'apprentissage. Est-ce que cela vous tenterait ?

Des larmes, qu'elle ne remarqua pas, brillaient dans les yeux de Josh. Il fit mine d'examiner les écuries.

— Ça demanderait des transformations, marmonna-t-il, mais c'est possible, oui.

— M'aideriez-vous ?

Le vieux cow-boy hocha la tête.

— Je ne connais pas grand-chose aux... gens comme vous. (Il avait failli dire « infirmes ».) En revanche, j'ai une bonne connaissance des chevaux. Je suis capable d'apprendre l'équitation à un aveugle. Mes gosses montaient dès l'âge de trois ans. Oui, je crois que j'aimerais bien essayer.

— Moi aussi. Mais je dois réfléchir. Trouver l'argent nécessaire pour les travaux, embaucher des thérapeutes, des infirmières, un médecin probablement, des employés qualifiés. Sans oublier qu'il faut persuader les parents de me confier leurs enfants.

Elle se parlait à elle-même, en fait. Mellie et Charlie l'interrompirent, afin de poser à Josh une foule de questions sur le ranch.

Le dimanche arriva trop vite. L'heure du départ avait sonné. Ils avaient tous de la peine à cacher leur émotion. Devant le break qui devait les ramener à l'aéroport, Josh saisit la main de Samantha. Son regard, inquiet, interrogateur, sonda le sien.

— Alors ? Allez-vous le garder ?

Sinon, il ne la reverrait peut-être plus jamais, il le savait. Et cela, il ne pouvait l'accepter. Il n'avait plus qu'une seule envie : aider cette courageuse jeune femme à transformer la propriété en centre de rééducation pour des enfants paraplégiques.

— Je n'en sais rien encore, répondit-elle avec franchise. Mais je vous tiendrai au courant.

— Faites vite.

— Pourquoi ? s'alarma-t-elle. Vous a-t-on proposé un autre emploi ?

— Si je réponds « oui », est-ce que ça vous stimulera suffisamment pour conserver le ranch ?

— Quel vieux renard vous faites, Josh ! s'exclama-t-elle en riant.

— Je ne veux pas que vous abandonniez le domaine, déclara-t-il sobrement.

— Moi non plus, je ne veux pas l'abandonner. Mais je n'y connais rien. Donnez-moi le temps d'y réfléchir.

Le voyage du retour fut aussi paisible que l'aller avait été agité. Épuisés par la vie au grand air, les turbulents petits Peterson restèrent cois pendant tout le vol, alors que leurs parents somnolaient. Samantha, elle, était soucieuse. Mille questions se posaient à elle. En vendant quelques chevaux, arriverait-elle à payer les travaux ? Était-ce vraiment ce qu'elle désirait, au fond ? Était-elle prête à renoncer à son train-train new-yorkais pour se lancer dans cette aventure ? Maintenant ? Tout cela l'accapara durant l'interminable trajet, à tel point qu'elle n'eut pas le temps de penser à Tate.

Elle quitta Mellie, Charlie et les enfants dans le hall de leur immeuble, et retrouva son appartement où elle passa une partie de la nuit à griffonner inlassablement des notes sur un calepin. Elle était toujours plongée dans ses réflexions le lendemain, à l'agence, quand Charlie fit irruption dans son bureau.

— Directrice ou cow-girl ? plaisanta-t-il, mais elle porta l'index à ses lèvres.

— Chut !

Il se laissa tomber dans un fauteuil.

— Ah, je vois. Tu hésites ! Si cela peut t'aider, je suis prêt à t'expliquer ce que je ferais à ta place.

— Non, merci ! (Elle s'efforça de garder son sérieux, mais il lui adressa une grimace qui la fit rire.) Je préfère me forger ma propre opinion.

— Surtout ne dis rien à ta mère. La chère femme risquerait de te faire enfermer.

— Peut-être n'aurait-elle pas entièrement tort.

— Peut-être même aurait-elle plutôt raison.

Un léger tambourinement à la porte interrompit leurs rires. La secrétaire de Harvey entrouvrit le battant.

— Madame Taylor, M. Maxwell désire vous voir.

— Dieu en personne ! s'exclama Charlie, ébahi.

Samantha suivit la secrétaire.

Elle pénétra dans le bureau directorial. Assis derrière son plan de travail élégamment incliné, Harvey arborait l'expression d'un coureur au terme d'un marathon. Les traits tirés, le front moite, il se penchait sur une pile de documents dont il leva à peine le nez.

— Bonjour, Sam.

— Bonjour, Harvey.

Il rédigea à la hâte une note en marge d'un feuillet, tourna son attention vers l'arrivante et commença l'entretien par des banalités.

— Avez-vous passé un bon Thanksgiving ?

— Excellent, oui. Et vous ?

— Moi aussi. Avec qui l'avez-vous célébré ?

La question mit Samantha mal à l'aise.

— Avec les Peterson.

— Ah, bien. Chez vous ou chez eux ?

— Chez moi, répondit-elle, écrasée de culpabilité — mais après tout ce n'était pas totalement faux.

— Je vous admire, vous savez. Vous vous êtes merveilleusement bien remise.

— Merci.

Elle était très sensible à ce genre de compliment. Ils échangèrent un sourire, puis Harvey enchaîna :

— Ce qui m'amène tout naturellement à vous demander votre réponse.

La jeune femme soupira.

— Oui, je sais, et je vous demande pardon. Mais j'ai besoin de temps avant de faire un choix définitif.

Harvey haussa le sourcil, étonné.

— Un choix définitif? répéta-t-il. (De quel choix s'agissait-il?) Si ce sont les déplacements qui vous posent problème, suivez mon exemple : engagez une assistante compétente. Le reste ira de soi... Enfin, Sam, voilà des années que vous faites mon travail, en plus du vôtre.

Elle agita un index faussement vindicatif sous son nez.

— Voulez-vous signer vos aveux?

— Jamais de la vie! (Il s'appuya au dossier de son fauteuil confortable, esquissa un petit sourire implorant.) Allez, mon petit, donnez-moi donc une réponse. J'ai envie de rentrer à la maison.

— L'ennui c'est que... moi aussi, Harvey.

Elle le fixa avec tristesse et il fronça les sourcils, ne comprenant visiblement pas de quoi elle voulait parler.

— Mais vous êtes ici chez vous, non?

— Non, monsieur, justement... Je m'en suis rendu compte ce week-end.

L'expression de Harvey devint chagrine. Était-elle en train d'insinuer qu'elle voulait démissionner? L'idée ne l'avait même pas effleuré.

— Comment? N'êtes-vous pas heureuse à l'agence?

Elle eut un haussement d'épaules qui acheva de le dérouter.

— Si... non... je n'en sais rien... cela n'a rien à voir avec l'agence mais plutôt avec New York... ou avec la vie que je mène depuis pas mal de temps...

Il l'interrompit en levant la main.

— Minute! Ne me dites pas que vous comptez retourner chez votre mère. Ce serait un enterrement de première classe!

— Oh, non, rit-elle, plutôt finir mes jours au pôle Nord qu'à Atlanta.

— Alors que se passe-t-il ?

— Je vous ai caché quelque chose, articula-t-elle, en lui lançant un coup d'œil embarrassé. Mon amie Caroline m'a couchée sur son testament. J'ai hérité de son ranch.

Il la regarda, interloqué.

— Ah oui ? Et vous allez le revendre ?

— Je ne crois pas, non...

— Vous voulez le garder ? s'écria-t-il, incrédule. Mais pour quoi faire ?

— Un tas de choses, dit-elle. (Puis elle le regarda droit dans les yeux. Elle allait la lui donner, sa réponse.) Je vais peut-être au-devant d'un affreux fiasco, mais ça vaut la peine d'essayer : j'ai envie de créer un centre pour jeunes handicapés, là-bas. Une sorte d'école où ils apprendront à se sentir indépendants, à circuler autrement qu'en chaise roulante. À cheval, par exemple... Mais vous devez me prendre pour une folle.

Il eut un sourire un peu triste.

— Pas du tout. Si vous étiez ma fille je vous aurais souhaité bonne chance et je n'aurais pas ménagé mes efforts pour vous aider, moralement et matériellement. Mais est-ce réellement votre désir ? En êtes-vous sûre ?

— Je ne l'étais pas jusqu'à ce matin. Mais à présent, oui Qu'allez-vous faire de votre poste ? Le proposerez-vous à Charlie ?

— Je suppose que oui. Il s'en tirera parfaitement bien.

— Êtes-vous certain de vouloir prendre votre retraite ?

Il hocha solennellement la tête.

— Oui, Sam, aussi certain que vous l'êtes à propos du ranch. Naturellement, comme vous, j'ai scrupule à m'aventurer en terrain inconnu. On ne sait jamais si on a pris la bonne décision.

— Mais on ne le saura jamais si on ne se jette pas à l'eau.

— C'est vrai. À votre avis, Charlie acceptera-t-il le poste ?

— Il en sera ravi.

— Alors, il est à lui. À condition qu'il accepte de travailler quinze heures par jour, plus les week-ends, sans oublier qu'il devra vivre, penser, s'alimenter, voire respirer comme un publicitaire. C'est, finalement, tout ce dont je ne veux plus.

— Moi non plus. Mais Charlie, lui, adore ça.

— Alors, allez vite lui annoncer la bonne nouvelle...

— Je peux ?

Cela revêtait à ses yeux une importance quasi symbolique.

— Pourquoi pas ? Vous êtes sa meilleure amie... (De nouveau, il l'enveloppa d'un regard chagrin.) Quand nous quittez-vous ?

— Fixez-moi un délai raisonnable.

— C'est à vous de voir.

— À la fin de l'année, alors ?

C'était dans cinq semaines. Harvey parut l'approuver.

— Ainsi, nous prendrons notre retraite en même temps. Maggie et moi viendrons vous rendre visite au ranch. Je suis suffisamment handicapé par mon grand âge pour avoir le droit de compter parmi vos pensionnaires, non ?

— Absolument pas ! s'esclaffa-t-elle en manœuvrant son fauteuil vers lui et en l'embrassant sur la joue. Vous êtes du genre à rester jeune jusqu'à cent ans, Harvey.

— L'anniversaire tombe dans une semaine, justement. (Il lui effleura le front d'un baiser tendre.) Je suis fier de vous, mon petit. Vous êtes une fille formidable. (Il s'éclaircit la voix, fit mine de se replonger dans ses dossiers, afin de dissimuler son émotion.) Allez donc dire au barbu qu'il a un nouveau job.

Sans un mot de plus, elle sortit, le visage illuminé

d'un large sourire. Peu après, elle poussait la porte du bureau de Charlie Peterson. Au milieu de l'incroyable capharnaüm qui constituait son décor familier, Charlie, à quatre pattes, cherchait sa raquette de tennis sous le divan. Il avait rendez-vous pour une partie à midi, mais n'avait réussi à mettre la main que sur les balles.

— Qu'espères-tu trouver dans ce fouillis ?

Il leva la tête en tirant sur sa barbe, signe indéniable de désarroi.

— Hein ? Ah, c'est toi... Tu n'aurais pas une raquette de tennis à me prêter, par hasard ?

Venant de tout autre que son grand ami, ce genre de réflexion l'aurait mise en colère.

— Mais oui, bien sûr. Et des patins à roulettes, aussi.

— Seigneur, quelle plaisanterie de mauvais goût, gémit-il, les yeux au plafond, quel manque de distinction !

Il était irrésistible. Samantha éclata de rire.

— Tu auras besoin des deux, bientôt.

Il la regarda, bouche bée.

— Des deux quoi ?

— Du bon goût, idiot, et de la distinction.

La mâchoire inférieure de Charlie faillit se décrocher.

— Qu'est-ce que tu me chantes ?

— La douce chanson de la promotion. Le refrain émouvant de l'ascension vers les cimes.

— Comment ? s'écria-t-il, médusé, le cœur battant à tout rompre. (C'était à Samantha que revenait ce poste, à moins que...) Sam ?

— Oui, monsieur le directeur ?

Il se redressa vivement.

— Mon Dieu... Est-ce qu'il... Suis-je... bégaya-t-il.

— Oui.

— Mais toi ? fit-il, outré à l'idée que Harvey ait pu lui refuser cet emploi à cause de son infirmité.

— Ne t'en fais pas pour moi. J'irai en Californie

où je dirigerai ce fameux centre de rééducation pour enfants handicapés. Et si tu es sage, tu viendras chaque été avec Mellie, les garçons et...

Il la souleva presque dans ses bras, sans la laisser finir sa phrase.

— Bravo ! Bravo, Sam, enfin ça y est ! Comme je suis heureux pour toi... Quand as-tu pris ta décision ?

— Je suis incapable de te le dire, dit-elle en riant, alors qu'il l'embrassait sur la joue. Peut-être il y a cinq minutes, dans le bureau de Harvey... Ou alors hier dans l'avion, ou plus tôt encore, en discutant avec Josh. Je ne sais pas quand exactement. Mais je l'ai prise et c'est tout ce qui compte !

— Quand pars-tu ?

— Le 1er janvier. Au moment même où tu accéderas à ton nouveau poste.

— Oh, Seigneur, directeur de la création ! Moi ! Et, je n'ai que trente-sept ans !

— N'aie crainte, tu en parais cinquante.

— Oh, merci ! sourit-il.

En exultant, il saisit le combiné pour appeler Mellie.

33

— Eh bien, est-ce que ça avance ? À quand l'ouverture ? demandait Charlie, chaque fois qu'il avait Samantha au téléphone.

Il l'appelait une fois par semaine et en profitait pour se plaindre de la quantité sans cesse croissante de dossiers qui s'empilaient inexorablement sur son bureau.

— Dans quinze jours.

— Formidable. Champagne, caviar, cotillons et serpentins !

Elle sourit. Charlie ne manquait jamais de l'encourager, tout en se lamentant sur son propre sort. La jeune femme s'était attelée à la tâche, dès son arrivée, et depuis cinq mois, elle travaillait quinze heures par jour. Les travaux avaient été considérables : il avait fallu abattre des corps de bâtiments, transformer les pavillons, ajouter des rampes d'accès partout, creuser une piscine. Elle avait vendu tout le bétail, à part quelques vaches censées produire du lait et amuser les futurs pensionnaires du ranch. Elle avait contacté des infirmières, des médecins, des thérapeutes, sillonnant le pays de long en large, elle qui redoutait tant les voyages. Elle avait commencé par contacter son chirurgien de Denver, qui lui avait fourni les noms des meilleurs orthopédistes de la côte Ouest. Le reste avait suivi : elle s'était rendue à Los Angeles et à San Francisco, à Dallas et à Houston, à San Diego, à Phoenix et à Las Vegas. Dans chaque ville, elle avait rencontré les plus grands spécialistes. Il fallait convaincre ses interlocuteurs que sa fondation offrait des avantages supérieurs à ceux des institutions spécialisées traditionnelles.

Et elle obtint gain de cause. Ses arguments étaient irréfutables. Elle arrivait au rendez-vous avec une secrétaire, montrait les photos du ranch Lord — elle n'avait pas changé le nom de la propriété —, citait les références du personnel, les siennes, proposait un programme de rééducation intensive dans un cadre enchanteur. Naturellement, l'équitation représentait son point fort. Sur un cheval, l'enfant handicapé retrouvait une liberté de mouvement inespérée. En chevauchant, il apprenait en même temps l'indépendance. Les spécialistes lui réservèrent un accueil chaleureux. Certains voulurent la présenter à leurs épouses, d'autres la recommandèrent à des collègues ; l'un d'eux, à Houston, voulut l'inviter à dîner dans un restaurant de luxe mais elle déclina l'offre poliment. Le bilan fut très positif : elle s'était assuré le soutien de quarante-sept médecins dans six villes différentes. Et tous avaient promis de lui adresser des patients.

En attendant, les aménagements allaient bon train, surveillés par Josh, promu contremaître. À présent, son nom figurait sur la plaque de bronze qu'il s'était empressé de fixer sur la porte de son bureau. Samantha avait mis un temps fou à constituer son équipe. Elle avait sondé chaque candidat, essayant de se faire une opinion sur ses aptitudes : sa connaissance des chevaux, sa façon d'aborder l'infirmité, ses qualités humaines en général. Elle avait éliminé méthodiquement les grincheux, les impatients, les imprudents. Maintenant, sur les douze employés du ranch, dix étaient nouveaux. Jeff, le préféré de Samantha, était un jeune homme de vingt-quatre ans. Grand et large d'épaules, il arborait une tignasse poil de carotte, des yeux verts, un sourire éclatant. Sa réserve frisait la timidité. Il parlait peu de sa vie privée mais devenait intarissable dès qu'il était question du futur centre de rééducation. D'après son curriculum vitae, il avait travaillé dès l'âge de seize ans dans plusieurs ranchs disséminés dans trois États différents. Lorsque Samantha lui demanda pourquoi il avait changé d'endroit si souvent, il répondit qu'à l'époque son père voyageait beaucoup… Aujourd'hui il était seul, ajouta-t-il sans autre explication. Elle se renseigna, bien sûr, auprès de ses deux derniers employeurs, qui ne tarirent pas d'éloges à son sujet. Ce fut ainsi qu'elle confia à Jeff Pickett le poste d'assistant-régisseur, ce qui parut enchanter le vieux Josh.

Cependant, les problèmes financiers s'accumulaient. Le peu d'argent laissé par Caroline avait fondu comme neige au soleil dès les premières semaines. La vente des troupeaux avait rapporté de quoi poursuivre les travaux. Josh avait eu ensuite la bonne idée de vendre le matériel agricole, tracteurs, outils, camions, ce qui leur avait permis de terminer la construction de la piscine et la rénovation de six pavillons... À présent le manque de fonds se faisait à nouveau cruellement sentir. Elle reçut l'aide de deux ou trois associations pour handicapés, et fit un emprunt à la banque.

Le mois précédent, Harvey lui avait téléphoné. Son ancien patron participait, en compagnie de son épouse, à un tournoi de golf à Palm Springs où il passait des vacances de rêve entouré de vieux amis. Il exprima le désir de visiter le ranch où il vint quinze jours plus tard avec Maggie. Enthousiasmé, il insista pour investir cinquante mille dollars dans l'affaire. C'était un don du ciel, lui dit Samantha, alors qu'il rédigeait le chèque, qui correspondait exactement à la somme dont elle avait besoin. Désormais, elle pouvait terminer les travaux, assurer l'entretien des lieux, rémunérer le personnel pendant les semaines à venir.

L'ouverture avait été fixée au 7 juin. Dans quelques jours, l'équipe des thérapeutes serait au complet, et ils attendaient l'arrivée de quelques chevaux spécialement dressés. Les jacuzzis avaient été installés, la piscine remplie, les pavillons étaient prêts à accueillir les trente-cinq enfants attendus.

— Quand pourrai-je venir ? questionna Charlie.

— Quand tu veux... Mais je serai débordée.

Elle le fut, en effet.

Chaque matin, Samantha croulait sous les paperasses : formulaires administratifs à remplir, courrier de parents et de médecins. Le téléphone n'arrêtait pas de sonner. L'après-midi était consacré aux enfants. Elle s'était chargée des leçons d'équitation, secondée par Josh et par Jeff. Les chevaux, munis de selles spéciales, attendaient paisiblement dans le corral. Samantha avait réparti les enfants par groupes de deux ou trois. Elle fit preuve d'une patience sans limites. La frayeur initiale — l'élève s'accrochait désespérément au garrot, tandis que Josh faisait avancer au pas la monture docile — se transformait peu après en exaltation. Grisé par sa subite liberté de mouvement, le petit cavalier poussait des cris de joie... Les battements de cœur de Sam s'accéléraient alors et, en détournant la tête, elle essuyait une larme furtive.

Les enfants l'adoraient. Tout comme les cow-boys, deux ans plus tôt, ils se mirent à l'appeler Palomino, à cause de sa longue crinière couleur de blé. Lorsqu'elle déambulait sur son fauteuil à travers le ranch, afin de passer en revue ses pensionnaires, ceux-ci l'accueillaient par des : « Palomino ! Palomino ! » Rien ne lui échappait. Elle tenait à tout vérifier, les séances de rééducation dans la piscine, comme les chambres, au moment où chaque enfant s'escrimait à faire son lit, ou la bibliothèque, à l'heure de la lecture. Nuit et jour, elle était là, présente, prête à materner, à consoler, à stimuler. Dans la vaste salle à manger, logée dans l'ancienne salle commune, on déployait des ruses de Sioux pour se mettre près de Samantha, à table. Le soir, autour du feu de camp, on se disputait le privilège de lui tenir la main... Le plus âgé des élèves avait seize ans. À son arrivée au ranch, il était indiscipliné, tourmenté, hostile. En un an et demi, il avait subi une demi-douzaine d'opérations à la suite d'un accident de moto qui lui avait brisé la colonne vertébrale et avait coûté la vie à son frère aîné. Très vite il se lia d'amitié avec Jeff, qui devint son mentor, et peu à peu il retrouva le sourire... La benjamine de la classe d'équitation avait sept ans, d'immenses yeux bleus, et la larme facile. Bégayant affreusement, Betty souffrait d'une malformation congénitale des membres inférieurs. Elle avait peur des chevaux. Pourtant, au fil des jours, elle réussit à surmonter sa terreur grâce à Samantha, à qui elle vouait un véritable culte.

Parfois, en se voyant entourée de tous ces enfants, la jeune femme éprouvait un sentiment d'une douceur indescriptible. À mesure que l'été avançait et que le nombre de pensionnaires augmentait, elle en vint à se demander par quel miracle la vue du malheur ne la rebutait pas. Elle qui, autrefois, ne supportait pas le moindre défaut physique, frayait à présent avec les pires handicaps, sans en être incommodée. Au contraire. Pour elle, tous ces petits déshérités de la vie irradiaient de beauté. À travers eux, Samantha était parvenue à s'accepter. Elle avait appris à côtoyer ce qui, jadis, lui aurait paru inadmissible : des prothèses mal ajustées, des fauteuils roulants coincés, des couches pour des filles et des garçons de quatorze ans. Leur soif d'affection remuait la fibre maternelle qu'elle avait jadis si profondément enfouie en elle. Pour une femme qui avait tant souffert de sa stérilité, tous ces enfants constituaient enfin la réponse à ses prières... À la fin du mois d'août, le ranch abritait cinquante-trois élèves. Malgré ses problèmes d'argent, Samantha s'était débrouillée pour affréter un bus spécialement aménagé, qui faisait la navette entre le centre, les familles, et les différentes écoles. Car, dans son esprit, il était hors de question que l'existence de ces « enfants pas comme les autres » se déroule uniquement à l'intérieur du ranch, à l'abri du monde extérieur. Son rôle consistait à insuffler à ses pensionnaires la force qui leur était nécessaire pour gagner le bien le plus précieux au monde : la liberté.

Elle avait pensé à tout. À leur confort et à leur éducation, comme à la façon dont ils aborderaient, plus tard, leur vie d'adulte. Lorsque Charlie et Mellie lui rendirent visite à la fin de l'été, ils furent très impressionnés.

— A-t-on parlé de toi dans les journaux ? demanda Charlie, tandis qu'ils regardaient un groupe de petits cavaliers qui revenaient d'une promenade dans les collines.

— Je ne veux pas de publicité, répondit-elle.

— Non?

New-yorkais jusqu'au bout des ongles, rompu aux artifices des apparences, il affichait une franche surprise.

— Non! sourit-elle. Je veux simplement aider les enfants.

— Et tu y réussis à merveille. Je n'ai jamais vu des gosses aussi heureux. Ils doivent adorer le ranch.

— Oui, du moins je l'espère.

En fait, ils en étaient enchantés, comme leurs parents, les médecins et les employés du centre. Ici, dominait la volonté de ne plus dépendre de son entourage. Et peu à peu, ce rêve se muait en réalité. Chacun y mettait du sien, aussi bien les patients que les thérapeutes. Samantha, quant à elle, avait enfin trouvé une raison d'être. En général, la réussite couronnait tous ces efforts. Rares étaient les cas difficiles. Parfois, un pensionnaire se réfugiait dans un mutisme hostile, refusant de coopérer. Mais personne ne se laissait abattre. Les éducateurs persévéraient sans jamais baisser les bras.

Curieusement, en dépit de la gravité des handicaps, le ranch Lord débordait de joie. De toutes parts fusaient les rires et les plaisanteries. Et Samantha n'avait jamais été aussi heureuse, aussi détendue. Quand par hasard son chemin croisait celui d'un autre propriétaire de ranch, elle ne songeait plus à lui demander s'il connaissait un certain Tate Jordan. Sa passion s'était enfin apaisée...

Elle se sentait en paix avec elle-même, en harmonie avec les autres. Charlie regrettait, toutefois, qu'elle soit seule et décidée à le rester. Elle en parlait avec une sorte de conviction qui coupait court aux objections les plus pertinentes. Ses «poussins» la comblaient, selon ses propres termes. Le reste ne comptait pas. Mais Josh, lui, partageait l'avis de Charlie.

— C'est une honte! grommelait-il.

À trente-deux ans, elle était toujours d'une beauté étourdissante. Et ce n'était pas les hommes qui manquaient autour d'elle : thérapeutes, médecins, parents d'élèves esseulés. Mais aucun n'avait su éveiller son intérêt. Elle semblait s'évertuer à décourager les plus audacieux, évitant soigneusement toute amitié qui pouvait conduire à un sentiment plus profond. On eût dit qu'une porte s'était refermée à jamais. Une page avait été tournée. Les égarements du cœur appartenaient à une vie antérieure. Maintenant, elle avait découvert un autre genre d'amour, d'une intensité et d'une qualité insoupçonnées. L'amour des enfants, qui le lui rendaient bien.

Par une journée moite d'octobre, Jeff Pickett vint la chercher. Le petit garçon envoyé par le juge pour enfants de Los Angeles venait d'arriver, annonça-t-il. D'après l'assistant social avec lequel Samantha s'était longuement entretenue au téléphone, il s'agissait d'un de ces cas difficiles auxquels elle s'était déjà tant de fois heurtée. Ils étaient convenus d'en parler plus longuement de vive voix, après quoi elle n'avait plus eu le temps d'y penser. Les pensionnaires étaient à présent plus de soixante, et elle avait pris la décision de fixer le nombre des inscriptions à cent dix. Elle était en train d'en débattre avec Josh et quelques éducateurs près des jacuzzis, quand Jeff avait fait irruption. Il arborait une expression singulière que, sur le moment, elle ne parvint pas à analyser. Mais elle comprit ce qui le tourmentait lorsqu'elle posa le regard sur le petit arrivant, qui l'attendait dans son bureau.

Il était affalé sur une méchante chaise roulante bancale, minuscule silhouette tassée, et comme brisée. Elle vit d'abord ses immenses yeux bleus, ses cheveux blonds, puis remarqua ses bras maigres, couverts d'ecchymoses ; il serrait contre sa poitrine un ourson en peluche élimée. Elle s'arrêta net, le cœur serré, la gorge sèche. Il paraissait si fragile, si différent des autres. Le ranch Lord avait déjà accueilli des enfants malheureux, des gosses récalcitrants qui avaient peur des chevaux, qui pleuraient et tempêtaient ou trépignaient à l'idée d'aller à l'école. Cependant, ils avaient tous un point commun : leurs parents les aimaient. En règle générale les pères et les mères avaient même tendance à surprotéger leur progéniture. Mais cet enfant n'avait rien connu de tel, elle en était sûre. Elle approcha son fauteuil du sien, tendit les bras vers lui, mais il s'esquiva avec un gémissement, les doigts agrippés à l'ourson. Il était terrorisé.

Le regard de Samantha croisa celui de l'assistant social, avant de se poser à nouveau sur le garçonnet.

— Ça va aller, Timmie, dit-elle d'une voix douce. Personne ne te fera du mal. Je m'appelle Sam, et voici Jeff.

Ce disant, elle ébaucha un geste en direction du jeune homme aux cheveux roux, mais l'enfant ferma hermétiquement les yeux en poussant un cri horrifié.

— Tu as peur, Timmie ? fit-elle dans un murmure si tendre qu'il rouvrit un œil avant d'acquiescer en silence. Moi aussi j'ai eu peur quand je suis arrivée ici pour la première fois, tu sais, surtout des chevaux. Ce sont eux qui t'effraient ? (Et comme il baissait la tête :) Allez, dis-le-moi, mon chéri, qu'est-ce qui te fait peur ?

— Toi, marmonna-t-il d'une toute petite voix fêlée.

Surprise, elle fit signe à Jeff, à l'assistant social et à la secrétaire de s'éloigner.

— Pourquoi as-tu peur de moi, Timmie ? Je ne te ferai aucun mal. Regarde-moi, je suis sur un fauteuil roulant, moi aussi.

Silence... Au bout d'un moment interminable, il osa la regarder.

— Qu'est-ce qui t'est arrivé ? chuchota-t-il.

— J'ai eu un accident. Mais je vais bien, maintenant. Je peux faire un tas de choses.

— Moi aussi. Je sais préparer tout seul mon dîner.

L'obligeait-on à le faire ? Qui était cet enfant, et pourquoi avait-il l'air aussi perturbé ?

— C'est très bien. Qu'aimerais-tu préparer pour ce soir ?

— Des spaghettis... En boîte.

— Ici aussi, nous avons des spaghettis.

— Je sais, fit-il, maussade. Il y en a toujours en prison.

Le cœur de Samantha bondit. Elle lui prit la main. Cette fois, il ne se déroba pas. Mais de l'autre main, il serra un peu plus l'ours en peluche miteux.

— Ici ce n'est pas une prison, Timmie. C'est un centre d'accueil, une sorte de grande maison, comprends-tu ?

Il resta sur ses gardes. D'après l'assistant social il avait six ans, mais n'en paraissait pas plus de quatre. Samantha savait déjà qu'il avait eu la polio à un an et que ses jambes et ses hanches étaient entièrement paralysées.

— Ma maman est en prison, l'informa-t-il.

— Oh... j'en suis désolée.

— Pour trois mois.

N'y avait-il donc ni père, ni grand-mère, ni oncle, ni tante pour s'occuper de lui ? Personne n'aimait donc ce petit ?

— Est-ce la raison pour laquelle tu es ici ? Resteras-tu avec nous pendant que ta maman est absente ?

— Je ne sais pas.

— Veux-tu apprendre à monter à cheval ?

— Je ne sais pas.

— Je t'apprendrai. J'aime beaucoup les chevaux. Il y en a de très jolis au corral. Tu choisiras celui qui te plaît le plus. Tu veux bien ?

— Je ne sais pas... Qui c'est, celui-là ? demanda-t-il à mi-voix en lançant un regard inquiet en direction de Jeff.

— Jeff.

— C'est un flic ?

— Pas du tout, répondit-elle, décontenancée. (Puis, se décidant à utiliser son langage :) Nous n'avons pas de « flics » ici. Jeff s'occupe des chevaux et des enfants.

— Est-ce qu'il les bat, les enfants ?

— Mais non ! s'écria-t-elle, choquée. Personne ne te battra, je t'en donne ma parole.

Il hocha la tête d'un air dubitatif. Sûr qu'elle mentait.

— Si nous restions un peu ensemble ? proposa-t-elle, désireuse de le convaincre. Tu verras comment j'apprends aux enfants à monter, après quoi nous irons nager dans la piscine.

— Tu as une piscine ? demanda-t-il, et pour la première fois une lueur d'intérêt dansa dans ses prunelles.

— Bien sûr... Mais avant tout, nous allons voir ta chambre.

Un bain lui ferait le plus grand bien. Il était couvert de crasse, vêtu de guenilles. Il n'avait pas dû se laver depuis plusieurs semaines.

— Attends-moi ici, dit-elle en lui tendant des feuilles de papier et des crayons de couleur.

— Où tu vas ? fit-il, soupçonneux.

Sa peur reprenait le dessus.

— Le monsieur qui t'a accompagné ici m'a demandé de signer des papiers. J'en ai pour cinq minutes. Ensuite, je te montrerai ta chambre et la piscine, d'accord ?

— D'accord.

Il commença à sortir les crayons de leur boîte. Samantha dirigea son fauteuil vers l'assistant social et le pria de la suivre. À mi-voix, elle demanda à Jeff de rester.

L'assistant social s'exécuta. C'était un homme d'une cinquantaine d'années, qui en avait vu d'autres. Le cas de Timmie n'avait rien d'exceptionnel pour lui. Mais sitôt dans le bureau adjacent, Samantha laissa exploser son indignation.

— Seigneur, mais qui donc s'occupe de ce petit ?

— Personne. Sa mère est en prison depuis quinze jours. Elle n'a même pas parlé de l'enfant à la police. Les voisins pensaient qu'elle l'avait envoyé quelque part. Bref, personne ne s'en est inquiété. En fait, il était tout seul dans l'appartement. Il se nourrissait de conserves et regardait la télévision à longueur de journée... Nous avons tout de même pu parler à la mère. (Il marqua une pause et alluma une cigarette dont il exhala la fumée avec un soupir.) C'est une héroïnomane, malheureusement. Voilà des années qu'elle subit des cures de désintoxication, suivies de rechutes. Comme beaucoup de droguées, elle se procure l'argent de ses doses en se prostituant. Elle a omis de le faire vacciner, ce qui explique la polio. Elle ignore qui est son père et, du reste, elle s'en fiche. C'était sans doute un client.

— Pourquoi ne lui a-t-on pas retiré la garde de l'enfant ?

— On va peut-être le faire. Le juge s'apprête à examiner son dossier de plus près. De toute façon, elle ne tient pas spécialement à son gamin. Elle se considère comme une victime du sort, accablée par un petit infirme dont elle n'a nulle envie de s'occuper, au fond.

Il s'interrompit un instant et fixa Samantha.

— Autant que vous le sachiez, Timmie a été maltraité. Les bleus sur ses bras sont dus aux coups de parapluie qu'elle lui assenait. Elle a failli lui casser les reins.

— Oh, mon Dieu ! C'est monstrueux ! On ne devrait même pas envisager de lui rendre son fils. Timmie a-t-il été suivi par un psychiatre, au moins ?

— Non. Nos services ont conclu que ce n'était pas nécessaire. Timmie est physiquement handicapé. Mais mentalement, il est normal. Enfin, aussi normal qu'on puisse l'être dans ce cas.

Elle retint un cri de révolte. Ainsi personne n'était en mesure de défendre un pauvre enfant contre les mauvais traitements que lui infligeait sa propre mère. Cela dépassait son entendement.

— Elle sortira dans deux mois, poursuivit son interlocuteur. En attendant, vous pouvez le garder.

Comme s'il se fût agi d'une voiture de location, se dit Samantha, écœurée. Une location de soixante jours. Elle eut une nausée.

— Et après ? demanda-t-elle.

— Elle le reprendra. Sauf si la justice en décide autrement ou si elle n'en veut plus. Dans ce cas, vous pourriez peut-être le garder ici.

— Et l'adoption ?

— Aucun tribunal ne peut obliger sa mère à l'abandonner... Par ailleurs, les gens cherchent à adopter des bébés. Qui voudrait s'encombrer d'un gosse de six ans, en chaise roulante ? Tôt ou tard il finira dans une institution.

Samantha, navrée, regarda l'assistant social qui se dirigeait déjà vers la sortie.

— Nous sommes heureux de l'accueillir, lui dit-elle. Nous le garderons aussi longtemps que ce sera nécessaire, que nous soyons payés ou non.

— Prévenez-nous s'il y a un problème. Nous pourrons toujours le faire transférer dans un orphelinat.

— Dans une « prison », comme il dit ?

— Où voulez-vous mettre ces gosses, quand leurs parents sont derrière les barreaux ?

Ils se saluèrent, puis l'homme sortit. Samantha fit pivoter son fauteuil pour regagner la pièce d'à côté, où Timmie dessinait consciencieusement des arabesques brunes sur une feuille.

— Tout va bien ?

— Où est le flic ?

Son air buté de petit malfrat fit rire Samantha.

— Il est parti. Et ce n'est pas un flic mais un assistant social.

— C'est pareil.

— Bon. Viens voir ta chambre, maintenant.

Elle tenta de faire avancer le petit fauteuil en

même temps que le sien, ce qui ne fut pas facile, car les roues se bloquaient constamment.

— Comment arrives-tu à circuler dans cette caisse à savon ?

Il lui jeta un regard étrange.

— Je ne sors jamais de la maison.

À son tour elle le dévisagea, consternée.

— Jamais ? Pas même avec ta maman ?

— Non. Elle dort beaucoup. Elle est très fatiguée.

Comme tous les drogués, elle devait en effet passer le plus clair de son temps à planer.

— Je comprends. Mais ici, il va falloir que nous te trouvions un nouveau moyen de locomotion. (Le centre ne disposait d'aucun fauteuil de rechange, mais elle en gardait toujours un dans le coffre de son break.) Je vais t'en prêter un très beau, un peu grand pour toi, et nous t'en achèterons un neuf demain... Dites, Jeff, ajouta-t-elle à l'adresse de son assistant, pouvez-vous aller le chercher ?

Peu après, le garçonnet était installé dans le grand fauteuil gris et Samantha lui expliqua comment le diriger. Ensuite, ils sortirent, longèrent l'allée principale du ranch. Samantha en profita pour lui montrer la piscine et les pavillons. Ils firent une brève halte au corral. Plusieurs chevaux se promenaient à l'intérieur de l'enclos. L'un d'eux attira le regard de Timmie, qui se tourna pour considérer Samantha d'un air surpris.

— Celui-là, il a les mêmes cheveux que toi, s'écria-t-il.

— Oui, je sais. C'est un palomino. Les enfants m'appellent Palomino, parfois, à cause de cette ressemblance.

— Ah bon ? Tu es un cheval, alors ?

— Parfois, je fais semblant d'être un palomino, oui. Tu ne fais jamais semblant, toi ?

Le petit garçon fit non de la tête. Ils reprirent alors le chemin de sa chambre. C'était une pièce spacieuse, ensoleillée, peinte en bleu ciel et jaune d'or.

Une courtepointe multicolore recouvrait le lit, des dessins de chevaux encadrés décoraient les murs. En entrant, Timmie eut un mouvement de recul.

— Qui habite ici ? interrogea-t-il, de nouveau sur ses gardes.

— Toi.

— C'est vrai ? s'exclama-t-il en ouvrant des yeux grands comme des soucoupes.

— Vrai ! Est-ce que la chambre te plaît ?

Il laissa errer un regard interloqué sur le petit bureau sans chaise, la commode, les tableaux aux murs.

— Oooh ! fut tout ce qu'il put répondre.

Elle lui indiqua la commode, dont elle ouvrit les tiroirs.

— Tu rangeras tes vêtements là-dedans.

— Quels vêtements ? demanda-t-il d'une voix blanche. Je n'en ai pas.

— Tu n'as pas de valise ?

Elle réalisa soudain qu'il était arrivé sans aucun bagage. Timmie regarda tristement son tee-shirt horriblement taché, qui avait dû être bleu autrefois, et son pantalon usé jusqu'à la trame.

— Non, murmura-t-il doucement en étreignant l'ourson loqueteux. Je n'ai rien, à part Teddy.

— Ce n'est pas grave, mon chéri. Nous te prêterons des habits et, plus tard, j'irai en ville t'acheter le nécessaire. Des jeans, des chemises, tout ce dont tu as besoin, d'accord ?

— Oui, sûr… souffla-t-il distraitement, tout à l'exploration de sa jolie chambre.

— Maintenant, tu vas te laver, déclara-t-elle en se dirigeant vers la salle de bains où elle ouvrit en grand les robinets.

L'eau se mit à couler dans la baignoire munie de barres d'aluminium, comme les toilettes. Tout avait été spécialement aménagé pour les handicapés.

— Un bain ? pour quoi faire ? s'étonna Timmie.

— Tu verras comme c'est bon.

— Et qui va me laver ? Toi ?

— Si tu préfères que ce soit Jeff...

Un cri échappa au garçonnet.

— Nooon ! Toi !

— Alors, allons-y, sourit-elle, prête à se lancer dans cette nouvelle aventure.

Il lui avait fallu dix mois avant de parvenir à prendre un bain toute seule. Et c'était la première fois qu'elle allait donner un bain à un paraplégique — ce qui n'était pas une mince affaire. Elle lui montra comment entrer dans la baignoire en prenant appui sur les barres transversales. En se hissant, il glissa. Elle voulut le rattraper, faillit basculer en avant... Finalement, elle parvint à l'installer dans l'eau moussante et parfumée. Lorsqu'il en ressortit, Sam était presque aussi trempée que lui. Alors qu'elle le rasseyait dans son fauteuil, elle perdit l'équilibre, et roula sur le sol mouillé. À la grande surprise de Timmie, elle éclata de rire, au lieu de se fâcher.

— Mon Dieu, quelle idiote, hein ?

— Je croyais que tu devais me montrer comment faire !

— D'habitude, ce n'est pas moi la préposée au bain.

— Que fais-tu ici, alors ?

— J'enseigne l'équitation aux enfants.

Il eut un hochement de tête songeur. Il était difficile de deviner ses véritables sentiments. Apparemment, il avait moins peur. Et lorsque Jeff arriva avec une pile de vêtements empruntés aux autres pensionnaires, et lui enfila de nouveaux habits, Timmie eut presque l'air heureux. Samantha lui sourit. Elle devait aller changer ses vêtements trempés, mais n'avait pas le cœur de le laisser seul.

— Veux-tu venir voir ma maison ? proposa-t-elle.

Il répondit par un hochement de tête hésitant.

La vaste demeure possédait sa propre rampe d'accès, à présent. Timmie la suivit à travers le salon, puis le couloir, jusque dans sa chambre. Elle s'était attribué la belle pièce toute blanche que Caroline avait décorée de couleurs vives. Elle ne se rendait presque jamais dans les anciens appartements de la maîtresse du ranch, qu'elle utilisait en fait comme chambre d'amis. Timmie la regarda tirer de la penderie un jean et un chemisier propres.

— Tu as une belle maison, remarqua-t-il en triturant son inséparable ourson. Qui dort dans les autres chambres ?

— Personne.

— Ah bon ? Tu n'as pas d'enfants ?

— Non. Sauf ceux dont je m'occupe.

— Pas de mari non plus ?

— Non, pas de mari.

Ses petits pensionnaires lui posaient souvent ces questions. D'ordinaire, l'interrogatoire en restait là. Mais Timmie semblait momentanément avoir oublié sa timidité maladive.

— Pourquoi ? Tu es pourtant très jolie.

— Merci... Mais c'est comme ça.

— Et tu ne voudras pas te marier plus tard ?

Avec un soupir, elle considéra son petit invité. Débarrassé de sa crasse, c'était un adorable petit garçon.

— Non, Timmie, je ne crois pas. Je mène une vie spéciale.

— Maman aussi, dit-il, tout à coup assombri.

Évidemment, il était hors de question d'aborder avec lui ce sujet épineux. Que savait-il exactement des activités de sa mère ? se demanda-t-elle avec tristesse, mais elle sourit.

— En fait, je n'ai pas une seule minute à consacrer à un mari, tu comprends ? Le ranch, les leçons d'équitation, les enfants qui sont pensionnaires ici accaparent tout mon temps.

Il continua à la fixer intensément, avant de pointer l'index sur sa chaise roulante.

— C'est à cause de ça ?

Elle eut un curieux pincement au cœur. Du haut de ses six ans, ce petit venait de percer son secret avec l'habileté d'un vieux sage. Elle détourna le regard.

— Non, bien sûr que non.

Coupant court aux questions qui ne manqueraient pas de suivre, elle le fit sortir de la chambre, prétextant qu'elle voulait se changer.

Un quart d'heure plus tard, ils étaient à nouveau dehors. Ils visitèrent les écuries, l'immense salle commune, regardèrent deux vaches qui broutaient paisiblement l'herbe grasse du pâturage, se rendirent enfin à la piscine où Samantha commanda un copieux déjeuner pour Timmie. À cette heure de la journée, le ranch était tranquille. La plupart des enfants étaient partis à l'école, dans le bus du ranch, et ils ne reviendraient pas avant trois heures et demie de l'après-midi. Ceux qui se trouvaient là firent bon accueil à Timmie, et du coup il finit par se sentir presque à l'aise. Lorsque le bus revint, il observa les autres enfants sans toutefois participer à leurs jeux, se contentant de suivre des yeux un groupe de filles et de garçons, qui se poursuivaient allégrement sur leurs fauteuils roulants.

Jeff lui présenta Josh, et Timmie serra solennellement la main du vieux cow-boy. Ensuite, il assista au cours d'équitation de Samantha... Celle-ci le trouva à la même place, tout près de la clôture, lorsqu'elle eut terminé.

— Oh, Timmie, tu es encore là ? Je croyais que tu étais retourné dans ta chambre.

Il se contenta de secouer la tête, l'ourson serré sur la poitrine, ses grands yeux bleus écarquillés, traversés d'une lueur d'inquiétude. La seule idée de se retrouver seul quelque part, fût-ce dans une jolie chambre, le terrifiait.

— Veux-tu venir avec moi dans la grande maison ?

Il eut un sourire soulagé. Samantha sentit sa menotte se glisser dans la sienne.

Ils passèrent un long moment dans le salon, heureux d'être ensemble. Elle lui lut des contes de fées qu'il écouta attentivement, en berçant sa peluche. La cloche annonçant le dîner sonna, les tirant brutalement de leur univers enchanté.

— Je peux m'asseoir près de toi, Sam ?

Une fois de plus, la peur crispait le petit visage et, de nouveau, elle dut le rassurer. De surcroît, après cette première journée au ranch, il était éreinté. À plusieurs reprises, pendant le repas, il bâilla à s'en décrocher la mâchoire. Et, avant que le dessert soit servi, il s'endormit, l'ourson contre son cou. Dans le grand fauteuil gris, il paraissait si petit que Samantha eut un sourire attendri. Elle le couvrit de son chandail de laine et le ramena dans sa belle chambre bleu et jaune. Là, elle le souleva dans ses bras et le posa tout doucement sur le lit... Elle lui retira ses vêtements, ses appareils orthopédiques et le changea.

Après lui avoir mis un pyjama bleu pâle, elle éteignit la lumière. Sa main caressa les cheveux fins et soyeux et, l'espace d'un instant, la nostalgie de l'enfant qu'elle n'aurait jamais la submergea. Mais ce désir ne serait jamais exaucé, elle le savait. Samantha borda Timmie puis se pencha pour l'embrasser sur le front, comme s'il avait été son propre petit garçon. Alors, il remua dans son sommeil et murmura :

— Bonne nuit, maman... je t'aime.

Des larmes embuèrent les yeux de la jeune femme. Tête baissée, elle fit rouler son fauteuil hors de la pièce dont elle referma la porte sans bruit.

34

Très vite, Timmie apprit à monter le joli petit palomino qu'il avait aperçu le jour de son arrivée au ranch. Le petit garçon aimait beaucoup cette jument nommée Daisy. Et il adorait Samantha. Il témoignait à la jeune femme un profond attachement. Chaque matin, il allait frapper à la porte de la grande maison. Parfois Samantha était encore au lit, ou se préparait un café dans la cuisine. Elle mettait alors un peu plus de temps à lui ouvrir mais dès qu'elle apparaissait, le petit visage de Timmie s'illuminait, puis il dirigeait joyeusement le beau fauteuil moderne qu'elle lui avait offert à l'intérieur. Il la suivait partout, comme un petit chien affectueux. Ils prenaient le petit déjeuner ensemble. Timmie lui narrait ses rêves, ses conversations secrètes avec Daisy, et leurs fous rires faisaient revivre la vaste demeure. Au fil des jours, Timmie avait embelli. La misérable petite créature crasseuse s'était métamorphosée en un garçonnet adorable. La nourriture riche, l'air pur, l'exercice avaient rosi ses joues autrefois si pâles. Les marques des mauvais traitements avaient disparu et la peau de ses bras était désormais lisse et hâlée. Ses yeux bleus étincelaient. Mais il refusait catégoriquement d'aller à l'école avec les autres enfants de son âge. Il ne voulait pas quitter le ranch. Il voulait rester près de Sam. À la fin du mois, l'assistant social lui rendit visite. Frappé par la transformation de l'enfant, il prit Samantha à part.

— Félicitations, murmura-t-il. Ce n'est plus le même gosse.

— En effet. Il est aimé et cela se voit.

Il la regarda tristement.

— Il n'en sera que plus malheureux par la suite. Vous en êtes consciente, j'espère ?

— Pardon ?

— Un jour, il rentrera chez lui. Il retrouvera sa mère héroïnomane, et ses repas de pain rassis et de bière. Y avez-vous pensé ?

Si elle y avait pensé ! Elle n'avait fait que ça !

— Justement, monsieur Pfizer, je voudrais vous en parler. Peut-on empêcher ce retour ?

— Et le garder ici ? (Elle hocha la tête, mais il eut une moue dubitative.) Le juge a demandé à l'État de payer les frais de séjour durant l'incarcération de la mère. Je ne crois pas qu'il acceptera de prolonger...

— Vous m'avez mal comprise, coupa-t-elle.

Un soupir lui gonfla la poitrine et elle aspira une grande goulée d'air. Le moment était venu de poser la question qui la tourmentait depuis quelque temps. Elle n'avait rien à perdre. Au contraire, elle avait tout à gagner... oui, tout à gagner, se répéta-t-elle, afin de se donner du courage. Car, pour la troisième fois de sa vie, elle aimait. À ceci près qu'elle avait jeté son dévolu sur un petit garçon de six ans. Le trop-plein de tendresse que John et Tate avaient repoussé s'était reporté sur Timmie, qu'elle chérissait de toutes ses forces.

— Monsieur Pfizer, j'aimerais l'adopter.

Enfin ! C'était sorti. Le fonctionnaire s'assit lourdement sur une chaise.

— Je vois, souffla-t-il. Madame Taylor, vous ne devez pas vous faire trop d'illusions. Sa mère souhaitera probablement le récupérer.

Un éclair passa dans les yeux de Samantha.

— Et pourquoi rendrait-on cet enfant à une mère droguée, qui le maltraite ?

L'assistant social s'épongea le front, puis alluma une cigarette. Bon sang ! Il ne manquait plus que ça. Cette femme était de bonne foi. Elle aimait l'enfant, qui le lui rendait bien, cela se voyait comme le nez au milieu de la figure. Mais elle allait se compliquer la vie inutilement. Elle n'avait pas une chance sur mille d'obtenir gain de cause.

— C'est sa mère naturelle. Aux yeux de la justice, il s'agit d'un point très important.

— Ah oui ? fit-elle d'une voix où la froideur le disputait à une peur panique.

— Je dirais même capital.

— Il doit y avoir quelque chose à faire, cependant.

— Oui. Un procès ! Embauchez un bon avocat, et citez-la à comparaître. Mais attention, vous risquez de perdre. La loi favorise les parents naturels. Bien sûr, si l'enfant acceptait de témoigner… Son opinion pèserait lourd dans la balance, malgré son jeune âge. Au fait, est-il au courant de vos intentions ?

— Pas encore.

— Eh bien, posez-lui la question et passez-moi un coup de fil. S'il déclare qu'il préfère retourner chez sa mère, il faut le laisser partir. Mais s'il désire rester… (Il laissa sa phrase en suspens et suivit d'un regard songeur les volutes de fumée de sa cigarette.) J'irai parler à la mère personnellement, reprit-il. Et j'espère, pour le bien de Timmie, qu'elle ne fera aucune difficulté. Cela pourrait s'arranger à l'amiable, finalement — moyennant finances, bien sûr.

Il écrasa son mégot et sourit à Samantha.

— Timmie serait bien plus heureux avec vous, madame Taylor.

Ça, c'était l'évidence même. En fait, Timmie serait plus heureux n'importe où plutôt que chez sa mère, se dit Samantha.

Ils sortirent pour rejoindre le petit garçon. Timmie était dans le corral. À l'instar des parents qui voient pour la première fois leur enfant handicapé à cheval, Martin Pfizer, le fonctionnaire blasé, essuya une larme. Le bonheur de cet enfant, qu'il savait éphémère, fit battre plus vite son vieux cœur pourtant endurci. Timmie était littéralement transformé. Bien nourri, habillé comme un petit prince, il rayonnait.

Son rire flûté résonnait à tout bout de champ, et il couvait Samantha d'un regard empreint d'adoration. Le plus étrange, c'était qu'ils se ressemblaient comme mère et fils, avec leurs yeux d'azur et leurs cheveux blonds. Au moment de prendre congé, l'assistant social serra chaleureusement la main de la jeune femme.

— Madame Taylor, j'attends votre appel.

Il ébouriffa les cheveux de Timmie, avant de monter dans sa voiture.

Samantha aborda le sujet le soir même, après le dîner. Elle avait retiré les prothèses de Timmie, l'avait baigné puis mis au lit. Alors qu'elle boutonnait le petit pyjama de pilou lavande, elle se jeta à l'eau.

— Timmie...

— Oui ?

Il était tout ouïe, comme chaque fois qu'elle l'appelait.

Quelque chose se noua dans la poitrine de Samantha. Elle s'efforça de réprimer le tremblement de ses mains. Et s'il ne voulait pas d'elle ? S'il disait, non merci, je veux retourner chez maman ? S'il la rejetait, lui aussi ? Elle n'était pas sûre de pouvoir surmonter son refus...

— Écoute, reprit-elle laborieusement, je me suis demandé... eh bien... (Son regard se planta dans celui de l'enfant.) Cela te plairait-il de rester ici ? Pour toujours, je veux dire.

Les yeux bleus s'écarquillèrent.

— Avec toi ?

— Oui, mon chéri.

— Oh, chouette !

Il n'avait pas saisi tout ce que cela impliquait. Sans doute pensait-il simplement à un séjour prolongé. Elle toussota pour s'éclaircir la gorge. Le petit garçon lui avait entouré le cou de ses bras fluets, et elle se recula, afin de mieux l'observer.

— Timmie, ce ne serait pas comme les autres enfants...

Sa voix dérapa. Le regard de Timmie se fit étonné. Mon Dieu, que c'était difficile! Aussi difficile qu'une demande en mariage. Elle se força à poursuivre:

— Je voudrais t'adopter, si le tribunal m'y autorise, Timmie. Mais il faut que tu le veuilles aussi.

Il la regarda, ébahi.

— Tu veux de moi?

— Bien sûr, idiot, murmura-t-elle en le serrant dans ses bras, les yeux humides. Bien sûr que je veux de toi. Tu es le plus beau, le plus gentil, le plus intelligent petit garçon du monde.

— Et maman?

— Justement, tout le problème est là.

— Viendra-t-elle me voir?

— Je ne sais pas, mon chéri. Peut-être.

Elle le sentit trembler dans ses bras.

— Pourra-t-elle venir me battre?

— Oh non! s'écria-t-elle. Je ne la laisserai pas te faire du mal.

Des sanglots secouèrent soudain les épaules menues de Timmie. Comme si son désir de rester auprès de Samantha lui avait délié la langue, il se mit à lui raconter le calvaire qu'il avait tu pendant si longtemps. La solitude, la faim, les sévices qu'il avait subis, la cruauté de sa mère. Sa confession le laissa épuisé. Elle le borda en le cajolant et, apaisé, il finit par s'endormir.

— Je veux être avec toi, Sam, chuchota-t-il avant de fermer les paupières.

Exactement les mots qu'elle voulait entendre.

35

Sam téléphona à Martin Pfizer le lendemain matin. Elle lui rapporta la réponse de Timmie, ainsi que les souffrances que sa mère lui infligeait. Le fonctionnaire de l'État l'écouta jusqu'au bout sans l'interrompre.

— C'est triste à dire, mais ça ne me surprend pas, conclut-il. Je verrai ce que je peux faire.

Moins de vingt-quatre heures plus tard, il sut qu'ils avaient perdu la partie. Il avait passé plus de deux heures au parloir du pénitencier où la mère de Timmie purgeait sa peine. Il avait tenté en vain de la raisonner. Mais elle entendait récupérer son fils. Il était inutile d'insister. Ulcéré, l'assistant social rappela Samantha.

— Madame Taylor ? Elle refuse. J'ai tout essayé, ruse, menaces, douceur. Elle veut son enfant.

— Pourquoi ? Elle ne l'aime pas.

— Elle prétend que si. Ayant été une enfant maltraitée, elle aussi, elle confond amour et violence.

— Elle finira par le tuer.

— Peut-être. Peut-être pas. Mais vous savez comme moi que présumer de l'avenir n'a jamais constitué un argument valable dans un tribunal.

— À votre avis, monsieur Pfizer, puis-je lui intenter un procès pour obtenir la garde de Timmie ?

— Si vous y tenez… mais ne vous faites pas trop d'illusions. Elle est la mère du petit, ne l'oubliez pas. Par ailleurs, vous êtes célibataire. Handicapée de surcroît, ajouta-t-il rapidement, presque à contrecœur. Ce sera un mauvais point pour vous.

— Le fait que Timmie soit heureux avec moi et malheureux avec sa mère n'entre pas en ligne de compte ?

— Pour vous et moi oui, naturellement. Pas forcément pour un juge. Il va falloir le convaincre. Prenez donc un avocat, madame Taylor, et entamez une procédure. Si vous perdez, tant pis. Si vous gagnez, vous aurez le gamin.

Il n'avait pas l'air d'y croire. Et il ne semblait pas avoir compris le fond du problème : l'affection sans limite qui liait Timmie à Samantha.

— Merci, monsieur Pfizer.

Elle raccrocha, en proie au désarroi, passa la soirée à tourner en rond dans le salon, sur son fauteuil roulant, folle d'angoisse... Dès le lendemain matin, elle téléphona à l'ancien avoué de Caroline.

— Un procès pour obtenir la garde d'un petit garçon, Samantha ? s'étonna l'homme de loi. J'ignorais que vous aviez des enfants.

Elle grimaça un sourire.

— Je n'en ai pas. Pas encore.

— Je vois.

Il ne voyait rien du tout, mais lui donna le nom de deux avocats de Los Angeles. Il ne les connaissait pas personnellement, dit-il, mais elle pouvait se fier à leur réputation. Elle le remercia, mit fin à leur conversation, sauta à nouveau sur le combiné. Le premier était en vacances à Hawaii, l'autre n'était pas encore rentré de la côte Est. Il était attendu le lendemain et sa secrétaire promit à Samantha qu'il la contacterait dès son retour. Elle passa vingt-quatre heures sur des charbons ardents. Le téléphone restait muet. Il sonna à cinq heures de l'après-midi.

— Madame Taylor, c'est maître Warren à l'appareil.

Au seul son de sa voix profonde et mélodieuse, il était impossible de deviner son âge. Samantha lui brossa un tableau clair et précis de la situation. Elle n'omit aucun fait, aucun détail.

— Eh bien, votre affaire est effectivement compliquée, déclara-t-il, un peu perplexe. Si vous le permettez, j'aimerais voir l'enfant. (Elle ne lui avait pas caché que Timmie était handicapé, tout comme elle, et qu'il avait accompli d'énormes progrès depuis son arrivée au ranch.) Dans un cas comme le vôtre, la plaidoirie doit reposer, entre autres, sur l'environnement — mais au fait, tenez-vous à ce que je vous représente ?

Il lui avait fait bonne impression.

— J'y tiens, affirma-t-elle. Croyez-vous que j'ai une chance de gagner, monsieur Warren ?

— Nous en reparlerons plus longuement demain, si vous n'y voyez pas d'inconvénient. D'un point de vue strictement légal, je ne suis pas très optimiste. D'un autre côté, dans des affaires où l'affectivité, voire l'émotion, entre en ligne de compte, on ne sait jamais.

Le cœur de Samantha cessa de battre.

— Autrement dit, c'est perdu d'avance.

— Perdu, non ! Simplement, cela ne sera pas facile. Mais vous le saviez déjà.

— L'assistant social me l'a dit, c'est vrai. Mais, enfin, maître, on croit rêver. Cette femme est droguée, et elle bat son enfant.

— C'est aussi sa mère, madame Taylor.

— Est-ce suffisant ?

— Non, bien sûr. Mais mettez-vous à sa place. Si vous aviez un fils, ne voudriez-vous pas le garder, même si vous étiez intoxiquée ? ou malade ?

Un soupir échappa à Samantha.

— Ne tient-on pas compte de l'intérêt de l'enfant ?

— Vous venez d'énoncer notre meilleur argument. Maintenant, donnez-moi votre adresse et dites-moi comment on se rend chez vous... Votre propriété se situe à proximité de l'autoroute 12, si j'ai bien compris ?

Elle lui fournit toutes les indications.

Il arriva le lendemain, à midi, au volant d'une rutilante Mercedes vert foncé. Il descendit de voiture, très élégant dans son pantalon brun, sa veste de cachemire beige et sa chemise crème égayée d'une cravate de soie Hermès. Il devait avoir quarante-cinq ans environ. Une montre Piaget ornait son poignet gauche, il avait des cheveux grisonnants, des yeux gris acier. Il se présenta : Norman Warren. Un sourire involontaire effleura les lèvres de Samantha. Autrefois, elle avait fréquenté ce genre d'homme sophistiqué.

— Vous êtes de New York, n'est-ce pas ? demanda-t-elle.

— Mais oui. Comment l'avez-vous deviné ?

— Moi aussi je suis de New York, bien que cela ne se voie plus beaucoup.

Norman Warren l'enveloppa d'un regard admiratif. Elle avait troqué ce jour-là son sempiternel tee-shirt de flanelle contre un pull-over lilas, qui mettait en valeur le léger hâle de sa peau fine. Ses bottes de cow-boy bleu marine s'harmonisaient parfaitement à son jean. Il s'était attendu à tomber sur une pauvre infirme et c'était une femme belle à couper le souffle qui l'accueillait.

Troublé, l'avocat saisit la main qu'elle lui tendait. Après un échange de propos aussi plaisants qu'anodins, elle le précéda dans la maison. Elle avait préparé une légère collation : saumon fumé sur toast, salade, café. Plus une tarte aux pommes qu'elle avait dérobée à la cafétéria, lorsqu'elle y avait accompagné Timmie. Ç'avait été la croix et la bannière pour convaincre l'enfant de déjeuner sans elle.

— J'attends quelqu'un, mon lapin, une grande personne.

— Et pourquoi je ne peux pas le rencontrer ?

Il s'était mis à bouder, en dépit des efforts de Jeff pour le dérider, et des marques d'affection des autres pensionnaires. Ceux-ci considéraient Timmie comme la mascotte du ranch. C'était le plus jeune et sa ressemblance avec Samantha l'avait entouré d'une aura particulière.

— Tu le verras plus tard, quand je lui aurai parlé.

— De quoi ?
— D'affaires. Et... Timmie, ce n'est pas un « flic ».
Le rire perlé de Timmie avait retenti. Elle arrivait toujours à le faire rire.
— Oh, Sam, tu as lu dans mes pensées ?
— Mon petit doigt me l'a dit. Sois sage, maintenant, je reviens te chercher.
Rassuré, il avait acquiescé. Samantha tenait toujours ses promesses.
Durant le repas, elle narra à Norman Warren le passé de Timmie. Il posa des questions, auxquelles elle répondit avec sa franchise habituelle. Après le café, l'avocat demanda à voir le petit garçon. Il était sous le charme de cette étonnante et superbe jeune femme en pull-over lilas. Il la suivit dans la salle commune avec l'impression de pénétrer dans une sorte de paradis terrestre. La gaieté des enfants, le luxe ambiant, la verdure, la beauté même du domaine, tout plaidait en faveur de Samantha. Timmie le surprit agréablement. On lui avait décrit un petit martyr et ce fut un enfant resplendissant qui se présenta à lui. Et lorsque, plus tard, Timmie sur son palomino et Samantha sur Pretty Girl se lancèrent au grand galop dans la prairie verte, Norman ne put cacher son émotion. Il resta dîner. Au moment de repartir, il fit part de ses regrets à la maîtresse de maison.
— J'aurais voulu rester pour toujours.
Elle émit un rire aérien.
— Désolée, mais je ne peux pas vous adopter... Heureusement pour vous, rien ne vous prédispose à devenir un de nos pensionnaires. Mais revenez quand vous en avez envie, vous serez toujours le bienvenu. La prochaine fois, nous ferons un tour à cheval.
— J'ai la phobie des chevaux, avoua-t-il à mi-voix.
— Cela s'arrangera.
— Jamais de la vie ! Je tiens à mes névroses !
Ils éclatèrent de rire, échangèrent une poignée de main puis il monta dans sa superbe voiture. Sous le

porche, Samantha suivit du regard l'homme sur lequel elle fondait désormais tous ses espoirs. Ses honoraires étaient élevés mais elle avait accepté sans discuter. Il lui inspirait confiance. Il était intelligent, fin, et semblait aimer Timmie. Au cours du dîner, il avait développé son plan d'attaque. Elle avait une chance d'obtenir la garde de l'enfant, avait-il dit. S'ils échouaient en première instance, ils feraient appel. Mais finalement, il y avait beaucoup d'arguments en sa faveur. Il insisterait sur l'amour qui, à l'évidence, l'unissait à Timmie. D'après lui, le fait qu'ils se déplaçaient tous deux en fauteuil roulant leur attirerait immanquablement la sympathie de la cour.

Elle accompagna Timmie à sa chambre. Il fixa sur elle un regard attristé.

— Tu crois qu'il peut nous aider ?

Elle l'avait mis au courant du rôle que jouerait prochainement maître Warren.

— Je l'espère, mon poussin.

— Sinon ?

— Je t'enlèverai, et nous irons nous cacher dans les collines.

Elle s'efforçait de plaisanter et se dépêcha d'éteindre la lampe de chevet, afin qu'il n'aperçoive pas ses larmes.

— Chic, alors ! s'exclama-t-il, ravi.

Cette nuit-là, elle ne trouva pas le sommeil. À nouveau, le doute s'était insinué dans son esprit. « Sinon ? » avait demandé Timmie. Allons. La machine était en route. Ce n'était pas le moment de flancher. Elle ne supporterait pas de le perdre. « Jamais nous ne nous séparerons ! » se répéta-t-elle, encore et encore, les yeux grands ouverts dans l'obscurité. Et finalement, elle réussit à s'en convaincre.

36

Noël fut une journée de paix. Pour la première fois de sa vie, Timmie reçut des cadeaux. Un monceau de paquets enrobés de papier doré contenant des vêtements, des jeux, des puzzles, une voiture de pompier, un casque rutilant, et même un sweater pour son ourson. Pour les enfants qui ne passaient pas les fêtes en famille les cadeaux s'amoncelaient aussi, sous le grand sapin magnifiquement décoré, au milieu de la salle commune. À la demande de Sam, l'un des éducateurs se déguisa en Père Noël et lorsqu'il déambula parmi les fauteuils roulants, au milieu des applaudissements et des cris de joie, elle crut revoir Tate Jordan. Il y avait si longtemps… Les souvenirs l'envahirent d'un seul coup. Elle revécut le moment au cours duquel Tate avait planté l'étoile d'or et d'argent au sommet de l'arbre gigantesque. Puis elle se rappela John. Son ex-mari avait eu un deuxième bébé avec Liz, qui avait cessé de travailler. John continuait seul son émission. Les rares fois où Samantha l'avait regardé, elle avait eu l'impression de voir un parfait inconnu. Un bel homme, certes, mais si superficiel, si vide…

— Sam, puis-je vous poser une question idiote ? demanda Josh, le soir du réveillon.

— Oui, laquelle ?

— Ce Père Noël m'a rappelé Tate Jordan… Étiez-vous amoureuse de lui ?

Elle le regarda droit dans les yeux.

— Oui, Josh.

— C'est pour ça qu'il est parti ?

— Je le suppose. Il ne voulait pas s'engager. Et je

lui avais dit que je n'avais pas l'intention de jouer le même jeu que Bill et Caroline. Mais d'après lui, une grande dame comme moi ne devait en aucun cas épouser un simple cow-boy.

— Je m'en doutais, murmura-t-il.

— Un jour, il a découvert par hasard qui était mon ancien mari. Il a conclu que, comparé à lui, il ne valait pas grand-chose. C'est bête.

— C'est même stupide, s'emporta Josh. Il était mille fois mieux que ce clown... oh, pardon !

— Ne vous excusez pas. Je suis de votre avis.

— Il ne vous a jamais donné signe de vie ?

— Jamais. Pourtant, je l'ai cherché dans tous les ranchs possibles et imaginables.

Le vieux cow-boy posa sur elle un regard attristé.

— Dommage. C'était un homme bien, et il vous aimait, j'en suis sûr. Peut-être reviendra-t-il un beau matin pour saluer Bill et Caroline, et alors, vous le retrouverez.

Le sourire de Sam s'effaça, une expression douloureuse crispa ses traits.

— J'espère que non. Ce serait trop affreux.

Il comprit qu'elle faisait allusion à ses jambes.

— Croyez-vous que cela le rebuterait ?

— Je ne crois plus rien, Josh, cela m'est égal, à présent. Seul le centre de rééducation compte à présent pour moi.

— Vous êtes folle ! À vingt-huit ans !

Elle lui dédia un sourire affectueux.

— Vous me flattez — j'en ai trente-trois.

— C'est pareil. Quand vous en aurez soixante, vous verrez la différence.

— La soixantaine vous sied à merveille, le taquina-t-elle.

— C'est vous qui usez de flatterie, à présent ! Écoutez, Sam, vous êtes vraiment trop jeune pour jouer les vieilles filles. Quelle menteuse vous faites ! ajouta-t-il en baissant le ton. Vous racontez aux gosses qu'ils sont comme tout le monde, mais vous vous considérez comme une infirme.

Il avait dû toucher une corde sensible, car elle adopta un air distant, mais il poursuivit néanmoins :

— Je ne suis pas tombé de la dernière pluie, vous savez. J'ai vu comment vous regardait cet avocat de Los Angeles. Ce monsieur vous fait la cour et, au lieu de l'encourager, vous lui offrez du thé glacé.

Elle le regarda avec étonnement.

— Qu'est-ce que vous avez contre le thé glacé ?

— Rien de particulier. En revanche, je reproche un tas de choses aux belles jeunes femmes qui se prétendent vieilles et laides, maugréa-t-il.

Elle ne désirait pas en entendre davantage. Afin de couper court à la conversation, elle manœuvra son fauteuil vers le groupe d'enfants, qui ouvraient leurs cadeaux en riant aux éclats.

Pendant les vacances de Noël, le ranch tourna au ralenti. Samantha en profita pour passer ses journées en compagnie de Timmie. Ils devinrent vraiment inséparables. Un besoin impérieux d'être ensemble les animait. L'audience avait été fixée au 28 décembre.

— As-tu peur ? demanda le petit garçon, la veille du jour où ils devaient se rendre au tribunal.

Samantha était en train de le border. Depuis quelque temps, afin d'être plus près de lui, elle l'avait installé dans une pièce attenante à sa propre chambre à coucher. Du bout des doigts, elle effleura la petite joue rose.

— Pour demain ? Oui, un peu, et toi ?

— Oh, oui, admit-il, j'ai peur qu'elle me donne des coups.

L'effroi se lisait dans ses grands yeux bleus.

— Elle ne te touchera pas. Je serai là.

— Tu n'y seras plus, si elle m'emmène.

— Cela n'arrivera pas.

Et si cela arrivait ? Cette seule pensée la glaçait. Elle n'avait pas voulu mentir à Timmie. Lors de leurs promenades à travers le ranch, elle l'avait mis au courant des incertitudes qui la rongeaient, quant à l'issue du procès. En cas d'échec, elle ferait appel, si toutefois il était d'accord, avait-elle ajouté. Leur destin était entre les mains de la justice.

— Tout va bien se passer, mon chéri. Tu verras.

Mais le lendemain, tandis que Josh poussait leurs fauteuils le long de la rampe menant au palais de justice de Los Angeles, elle n'en était plus aussi sûre. Ils se tenaient la main, comme deux naufragés dans un canot de sauvetage ballotté par la tempête. Et lorsque la porte de l'ascenseur se referma sur eux, elle se sentit suffoquer. Norman Warren les attendait devant la porte de la salle d'audience. À sa vue, Samantha reprit confiance. Il était rassurant, dans son élégant complet veston. Vêtue d'une robe de laine bleu pâle sous un manteau de mohair assorti et chaussée de bottines Gucci, Samantha avait l'air tout aussi respectable. Après avoir salué sa cliente avec chaleur, l'avocat enveloppa d'un regard bienveillant Timmie, très beau dans son costume bleu marine et son col roulé lavande, achetés tout exprès pour l'occasion. La similitude des couleurs rendait la ressemblance entre la jeune femme et le petit garçon encore plus frappante : même blondeur, mêmes grands yeux bleus.

L'audience devait se tenir dans une petite salle où le juge arriva peu après. C'était un homme d'une soixantaine d'années, avec un sourire paisible et des lunettes rondes cerclées d'écaille. Il avait une longue expérience des problèmes de garde, et passait pour être très équitable. On le disait, aussi, très attentif au sort des enfants. Il s'assit derrière son bureau, puis balaya la salle presque vide du regard, s'attardant sur Samantha, sur Timmie, puis sur la frêle jeune femme qui venait de se glisser dans la pièce par une porte latérale, escortée de son avocat. Elle portait une jupe grise, un chemisier blanc et ressemblait davantage à une collégienne qu'à une droguée ou à une prostituée. La mère de Timmie n'avait pas plus de vingt-deux ans mais paraissait encore plus jeune. D'une beauté fragile, elle semblait incapable de faire face aux dures réalités de l'existence. On avait immédiatement envie de la chérir et de la protéger. Cela expliquait la culpabilité que Timmie ressentait à son égard, même quand elle le martyrisait. Elle avait l'air si perdue qu'il finissait toujours par tout lui pardonner... jusqu'à ce qu'elle recommence.

Le juge ouvrit l'audience par un vigoureux coup de marteau. Ils se trouvaient en présence d'un cas original, déclara-t-il ensuite, compte tenu de la rencontre d'un enfant handicapé avec une mère adoptive elle-même handicapée. Cependant, poursuivit-il, il ne fallait pas perdre de vue l'unique but de ce procès, à savoir l'intérêt de l'enfant. Enfin, il demanda gentiment à Timmie s'il désirait sortir, mais le petit garçon secoua vigoureusement la tête. La veille, Samantha et lui en avaient discuté. Elle avait eu beau lui répéter qu'il serait en sécurité et que Josh veillerait sur lui, il n'avait rien voulu savoir. Il entendait rester auprès d'elle, de crainte que les « flics » l'emmènent.

À présent, il était figé sur son fauteuil, sa petite main nichée dans celle de Samantha, les yeux rivés sur le juge. Il n'avait pas jeté un seul regard du côté de sa mère, comme s'il ne s'était pas aperçu de sa présence.

L'avocat de la défense appela la mère de Timmie à la barre. Alors qu'elle dévidait d'une petite voix plaintive l'interminable et monotone litanie de ses malheurs, Samantha réprima un frisson. Elle aurait fort à faire contre cette créature si menue, si faible, au visage si doux. Son témoignage ne fut qu'un long mea culpa. Elle avait changé, affirma-t-elle. En prison, elle s'était plongée dans la lecture de livres de psychologie. Elle saurait désormais prendre soin de son enfant chéri... Dès l'instant où elle fut dans le box des témoins, Timmie baissa les paupières. Il ne leva le regard que lorsqu'elle eut regagné sa place. Norman Warren dit qu'il la rappellerait à la barre plus tard, après quoi le défilé des témoins reprit.

Un psychiatre, cité par la défense, décrivit la mère de Timmie comme une jeune personne chaleureuse mais dépressive, affligée d'une sensibilité à fleur de peau, due à une enfance malheureuse. Selon lui, les mauvais traitements qu'elle avait infligés à son fils n'avaient pas été intentionnels. Le manque d'argent, les épreuves cruelles qu'elle avait traversées avaient aggravé sa mélancolie. À présent, elle allait mieux. Le fait qu'elle ait trouvé un emploi de femme de ménage dans un hôtel prouvait sa bonne foi. Pendant le contre-interrogatoire, Norman Warren tenta de le confondre en laissant entendre qu'un hôtel représentait en fait une aubaine pour l'exercice d'un certain métier dont sa patiente avait tiré ses ressources pendant longtemps — mais l'avocat de la défense bondit et le juge lui donna raison, avant de renvoyer le témoin à sa place.

Un médecin vint ensuite certifier que la mère de Timmie était complètement désintoxiquée. Deux éducateurs abondèrent dans le même sens. Enfin, un prêtre apparut. Il la connaissait depuis onze ans, dit-il, et avait baptisé Timmie. La place de celui-ci était auprès de sa vraie mère, qui l'adorait, acheva-t-il, puis le juge suspendit la séance.

Samantha n'avait pas lâché la main de Timmie. Elle avait la gorge sèche, le cœur serré. Peu à peu, la certitude qu'elle se battait pour une cause perdue s'était imposée à son esprit. Rien de moins sûr, objecta Norman, pendant le déjeuner. Il n'avait pas dit son dernier mot. Mais s'il comptait mettre la mère de Timmie sur la sellette, il se garderait bien, en revanche, de s'attaquer au prêtre.

— Pourquoi ?

— Le juge est catholique. Je ne veux pas m'aventurer sur son terrain. C'est trop risqué.

L'audience reprit à quatorze heures. Jusqu'alors, Norman Warren n'avait pas ménagé ses efforts. Il avait interrogé chaque témoin, point par point, s'efforçant de démontrer que leurs déclarations n'étaient pas objectives, qu'elles étaient dictées par l'amitié, l'affection, ou la compassion. Il s'était montré tour à tour caustique, dubitatif, voire ironique, jusqu'à leur faire perdre pied. Mais ce n'était que broutilles en comparaison de ce qu'il réservait à la mère de Timmie. À peine avait-il ouvert la bouche qu'elle fondit en larmes. Il était difficile de dépeindre cette poupée fragile sous les traits d'une marâtre. Pourtant, il le fallait. Elle sanglota tout au long du résumé accablant que Norman fit de sa vie : la découverte de la drogue à douze ans, les piqûres d'héroïne à treize, la première arrestation pour prostitution à quinze, la grossesse à seize, les cinq avortements qui avaient suivi, les emprisonnements, les innombrables cures de désintoxication, les rechutes.

— Objection, votre honneur ! lança l'avocat de la défense. Les médecins sont formels. Ma cliente n'est plus droguée. Sa dernière cure s'est déroulée dans le cadre du programme de l'État de Californie. Si mon éminent collègue sous-entend qu'elle n'est pas sortie d'affaire, c'est tout le programme qu'il remet en cause.

— Objection retenue. Greffier, veuillez rayer les dernières affirmations de la demanderesse du registre.

Samantha avait prié Josh de faire sortir Timmie. Pendant près d'une heure, la mère du petit garçon sanglota. « Mon bébé », ne cessait-elle de répéter, « mon pauvre bébé. » Elle oubliait qu'il avait contracté la poliomyélite parce qu'elle avait omis de le faire vacciner. Elle n'avait pas l'air de se rappeler, non plus, qu'elle avait failli l'assommer à coups de parapluie.

Appelé à la barre par Warren, Martin Pfizer témoigna en faveur de Samantha. Mais sa façon de s'exprimer, trop sèche, trop terre à terre, ne suscita aucune émotion. Le médecin de Samantha lut ensuite plusieurs lettres élogieuses sur le centre de rééducation. Ensuite, ce fut au tour de Sam elle-même de venir déposer. Naturellement, elle s'abstint de toute démonstration d'amour hystérique. Et le fait qu'elle soit divorcée, sans projet de remariage, paraplégique de surcroît, joua en sa défaveur. Le juge devait la prendre pour une sorte de dame patronnesse s'adonnant à des œuvres de bienfaisance, se dit-elle en regagnant sa place.

La dernière partie de l'audience fut aussi la plus dure. L'ultime témoin était Timmie lui-même. Le juge avait demandé à sa mère de cesser de sangloter pendant que l'enfant parlerait, sous peine d'expulsion. Elle continua pourtant à renifler bruyamment. Une expression de pure terreur se lisait sur le petit visage pâle de Timmie. Est-ce que le juge l'avait remarquée ? se demanda Samantha, la gorge nouée. Les deux avocats s'étaient approchés. Les questions fusèrent de toutes parts. Tout y passa : sa vie avec sa mère et sa vie avec Samantha, son régime alimentaire, son logement, les cadeaux que Samantha lui avait offerts. Soudain on lui demanda, à brûle-pourpoint :

— Timmie, as-tu peur de ta maman ?

Il se tassa dans son fauteuil, les doigts agrippés à son ourson, tremblant comme une feuille.

— Non, réussit-il à bafouiller.

— Est-ce qu'elle te bat ?

Comme il ne répondait pas, la question fut reposée.

— Non, souffla-t-il dans un murmure rauque.

Samantha ferma les yeux. Il n'oserait jamais dire la vérité en présence de sa mère, elle le savait. C'était trop pénible, trop douloureux. Une demi-heure plus tard, le juge leva l'audience. Il demanda poliment à tout le monde de revenir le lendemain matin. Il pensait que, dans l'intérêt de l'enfant, il devait rendre sa décision au plus vite.

Sur le chemin du retour, Timmie, épuisé, s'endormit dans les bras de Samantha. Il avait eu un mouvement de recul quand sa mère avait tenté de l'approcher, au moment où ils s'apprêtaient à quitter le tribunal. Samantha réalisa plus tard quel courage il lui avait fallu pour assister au procès. Maintenant, il avait tout à redouter de sa mère. Tout, y compris sa vengeance. Samantha le serra dans ses bras. Comment pourrait-elle le rendre à cette femme? Cela la tuerait, sans aucun doute.

Ce soir-là, elle resta longtemps allongée dans sa chambre, les yeux grands ouverts. Comment le garder, malgré tout? Elle pensa un instant au chalet près du lac, puis écarta cette idée. Ils seraient vite découverts.

C'était sans espoir.

Il ne lui restait plus qu'à faire confiance à la justice.

37

Samantha se réveilla avant l'aube.

Elle avait dormi en tout et pour tout une heure et demie. Elle s'installa sur son fauteuil, et le dirigea vers la chambre de Timmie. Il ne dormait pas non plus.

— Bonjour, mon chéri.

Elle lui effleura le bout du nez d'un baiser, tendit la main vers ses appareils orthopédiques.

— Je ne veux pas aller avec elle.

— Pensons d'abord au petit déjeuner.

Elle s'efforçait de paraître insouciante, mais il se pendit à son cou, en larmes. La journée commençait dans l'angoisse. Ils mangèrent sans appétit, seuls dans la grande cuisine rustique. Aujourd'hui, ils n'avaient pas eu le cœur de se rendre à la salle commune. Les autres enfants ignoraient tout de ce qui se passait. Mais ils avaient dû pressentir le drame, car ils montèrent dans le bus de ramassage scolaire dans un calme absolu. Seuls quelques éducateurs, mis au courant par Samantha, savaient combien ce jour était important. Et lorsqu'elle partit en voiture pour Los Angeles, en compagnie de Josh et de Timmie, ils suivirent longtemps le nuage de poussière sur la route, une prière muette sur les lèvres.

Norman Warren les attendait, comme la veille, devant la salle d'audience. Il leur adressa un sourire qui se voulait rassurant, tapota gentiment l'avant-bras de la jeune femme.

— Ayez confiance, Sam.

Elle avait revêtu un pantalon et un chandail de cachemire gris perle, tandis que Timmie portait le même costume bleu marine, avec, aujourd'hui, une chemise à carreaux blancs et rouges.

Le juge réclama le silence, après quoi il demanda que l'on fasse entrer Timmie. Il s'adressa alors au petit garçon. Ayant étudié chaque pièce du dossier, expliqua-t-il, il avait surtout songé à son bonheur — un bonheur qu'il espérait durable — avant de prendre la décision qui, selon lui, s'imposait. Il lui dédia ensuite un sourire paternel et le pria d'aller se placer au centre de la pièce. Affolé, Timmie hésitait, mais le juge déclara qu'il s'agissait d'une formalité, tout à fait normale, puisque le garçonnet représentait l'enjeu même de ce procès... Mais Timmie se tourna vers Samantha d'un air perdu, sans bouger. Souriante, elle fit un signe affirmatif de la tête, et il s'exécuta. Le juge reporta alors son attention sur Samantha. Il commença par la complimenter sur son entreprise. D'après les témoignages qu'il avait recueillis au ranch et auprès des parents d'élèves, elle était une personne d'une grande bonté, une femme admirable. Nul doute que son désir d'adopter Timmie partait d'une bonne intention, nul doute également qu'avec elle le petit garçon aurait une vie matérielle certainement très agréable. Mais le spirituel comptait davantage... Le juge pensait, tout comme le père Renney d'ailleurs, que la mère de Timmie avait enfin trouvé le droit chemin et que, en conséquence, la place de son fils était auprès d'elle. Après tout, elle l'avait mis au monde...

— Et maintenant vous pouvez venir chercher votre fils, dit-il à l'adresse de la jeune femme en blouse rose, puis, avec un vigoureux coup de marteau, qui transperça les tympans de Samantha : La cour a statué en faveur de la mère naturelle.

C'était fini ! Samantha porta les mains à sa bouche pour étouffer un cri. L'autre femme s'était élancée vers l'enfant au risque de renverser son fauteuil roulant. Ses « oh, mon bébé... oh, mon tout-petit » perçaient le brouhaha et masquaient les pleurs de Timmie. Celui-ci se débattait sauvagement pour faire tourner les roues du fauteuil, mais l'avocat de sa mère le harponna prestement.

— Sam ! Sam !

Ce fut un cri déchirant. Samantha voulut se précipiter, mais Josh et Norman retinrent son fauteuil.

— Arrêtez, lâchez-moi, il faut que je le voie.

— Non, Sam, vous n'avez pas le droit. Calmez-vous.

Elle essayait par tous les moyens de le rejoindre, mais Josh avait bloqué les roues.

— Laissez-moi au moins l'embrasser !

Les larmes baignaient son visage. Timmie, entraîné par sa mère hors de la salle d'audience, jeta un dernier appel au secours en tournant vers Samantha son petit visage ravagé par le chagrin.

— Sam ! Saaaam !

— Je t'aime, Timmie ! hurla-t-elle.

Mais il avait déjà disparu. Les sanglots la submergèrent.

— Madame Taylor, je suis navré, dit Norman Warren. Nous pouvons toujours faire appel.

— À quoi bon ? murmura-t-elle. Il a suffisamment souffert...

Norman fit signe à Josh, qui se mit à pousser le fauteuil. Samantha se mura dans le mutisme. Elle avait échoué. Et l'implacable mécanisme qu'elle avait mis en place l'avait broyée.

38

Les jours suivants, Samantha garda la chambre. Elle se sentait vide et avait perdu le goût de tout. Norman passa chercher les affaires de Timmie, afin de les remettre à l'assistant social, mais elle refusa de le recevoir. À deux reprises, l'avocat sonna à la porte de la grande maison. En vain. Samantha ne voulait parler à personne. Elle pleurait le dernier amour de sa vie.

— Se remettra-t-elle ? s'inquiéta Norman, à qui Josh avait finalement ouvert.

Le vieux cow-boy eut un vague hochement de tête.

— Espérons-le. Elle est solide, mais sa vie n'a été qu'une suite de drames. Celui-ci est sans doute de trop. Vous ne pouvez vous imaginer combien elle aimait ce petit.

— Je l'imagine très bien, au contraire.

En quittant le palais de justice, il avait pleuré, lui aussi, pour la première fois de sa longue carrière. Il s'était engouffré dans sa Mercedes, avait écrasé l'accélérateur, s'était rué sur l'autoroute à cent cinquante à l'heure.

— Josh, je dois la voir. Il faut que nous fassions appel. Baisser les bras est absurde. Ce jugement est une erreur grossière. On ne confie pas un gosse à une droguée, prostituée de surcroît, sous prétexte qu'elle est sa mère naturelle. Nous irons devant la Cour suprême, si c'est nécessaire.

— Je le lui dirai, dit Josh. Quand je la verrai.

— Pourvu qu'elle ne fasse pas de bêtise, s'alarma soudain l'homme de loi.

Josh parut peser le pour et le contre.

— Ce n'est pas son genre, répondit-il finalement. Sam est une battante.

Il ne savait pas qu'elle avait déjà attenté à ses jours une fois, alors qu'elle se trouvait à l'hôpital, à New York. Comme il ignorait qu'à ce moment même elle souhaitait mourir, et que seul l'espoir irrationnel de récupérer Timmie la maintenait en vie. Pendant deux jours et deux nuits, elle resta au lit, sans absorber la moindre nourriture. Elle sombrait dans une somnolence agitée d'où elle émergeait pour fondre en larmes jusqu'à ce que, épuisée, elle s'endorme de nouveau. À un moment donné, elle entendit frapper à la porte d'entrée. Puis, un bruit de verre brisé la fit sursauter.

— Qui est-ce ? cria-t-elle, soudain terrorisée à l'idée qu'un cambrioleur s'était introduit dans la maison.

Les appliques du couloir s'allumèrent et la silhouette de Jeff s'encadra dans l'embrasure de la porte. Un mince filet de sang barrait la paume de sa main.

— Jeff ! que faites-vous là ?

Le jeune homme devint cramoisi.

— Je suis venu vous voir. Il n'y a jamais de lumière à vos fenêtres, Sam, et vous refusez de parler à vos amis. J'ai dû casser la vitre, je vous demande pardon. Mais je me faisais du souci pour vous…

Elle fit un terrible effort pour lui sourire mais les larmes furent les plus fortes. Il se précipita vers le lit et la prit dans ses bras. Une étrange sensation l'envahit alors qu'elle s'épanchait sur son épaule… Une sorte d'impression de « déjà vu », comme si elle avait déjà vécu cet instant. Déroutée, elle le repoussa gentiment.

— Merci, Jeff, murmura-t-elle en s'essuyant les yeux avec un mouchoir en papier.

Il s'était assis au bord du lit et la regardait. Le désespoir l'avait embellie, pensa-t-il. Ainsi abandonnée sur l'oreiller, le visage auréolé par sa magnifique chevelure, elle était belle à damner un saint. Il refoula une furieuse envie de l'embrasser et, de nouveau, ses joues s'empourprèrent. Alors, elle rit à travers ses larmes, ce qui acheva de l'intimider.

— Qu'est-ce qui est si drôle ?

— Vous êtes rouge comme une tomate !

— Ah, merci... On m'a déjà traité de « poil de carotte », mais jamais encore de tomate... (Un gentil sourire éclaira son visage semé de taches de rousseur.) Ça va un peu mieux ?

— Non ! (Ses lèvres se mirent à trembler, un nouveau flot de larmes brûla ses paupières.) Je ne cesse de penser à Timmie. J'espère qu'il n'est pas trop malheureux.

— Votre avocat voudrait faire appel. Il a dit à Josh qu'il irait jusqu'à la Cour suprême.

— Ah oui ? ricana-t-elle, amère. Il rêve ! On n'a pas l'ombre d'une chance de réussir. « Célibataire et infirme ! », ce sont les mots mêmes du verdict... Célibataire passe encore, mais infirme ! Les prostituées et les droguées sont meilleures mères que les infirmes, c'est bien connu !

— Qui a pu débiter une ânerie pareille ?

— Le juge.

— Au diable, le juge !

Son irrévérence toute juvénile arracha un rire à Samantha, qui sentit soudain un relent de bière.

— Vous avez bu ! accusa-t-elle.

Une fois de plus, il rougit jusqu'aux oreilles.

— Deux demis seulement. Il m'en faut plus pour m'enivrer.

— Comment se fait-il ?

— Oh, il m'en faut au moins cinq ou six.
— Vous n'avez rien compris, rit-elle. Comment se fait-il que vous ayez pris deux demis ?
Elle avait interdit au personnel d'abuser des boissons alcoolisées au ranch.
— Parce que c'est le réveillon ! s'écria Jeff.
— Vraiment ? s'étonna-t-elle. (Puis, en comptant les jours qui s'étaient écoulés depuis l'audience :) Mais oui, c'est exact. Allez-vous faire la fête ?
— Je suis invité au Bar Three, une ferme où j'ai travaillé autrefois. Je vous en ai déjà parlé...
— Je ne crois pas. Vous avez travaillé dans tant d'endroits différents... Vous ne sortez pas seul, je présume ?
Cette fois-ci, la figure du garçon vira à l'écarlate.
— Non. J'emmène Mary Jo.
— La fille de Josh ?
— Exactement.
— Et quelle a été la réaction de notre cow-boy ?
Jeff sourit.
— Il menace de m'étrangler si je la fais boire. Elle a pourtant dix-neuf ans, elle est majeure.
— À votre place, je me méfierais. Josh tient toujours ses promesses... (Son sourire disparut.) Comment va-t-il ?
— Il est inquiet pour vous. Nous le sommes tous, d'ailleurs. Votre avocat est venu hier.
— Chercher les affaires de Timmie, je sais. A-t-il pris aussi ses cadeaux de Noël ? demanda-t-elle d'une voix brisée. N'a-t-il rien oublié ?
— Non, n'ayez crainte.
La voyant au bord des larmes, il l'attira contre lui, se mit à la bercer avec douceur. S'il s'était écouté, il lui aurait avoué qu'il en était tombé éperdument amoureux dès que son regard s'était posé sur elle. Mais il n'en fit rien. Elle était de neuf ans son aînée et ne semblait pas intéressée par les hommes. Un jour, peut-être, si elle changeait d'avis... Il l'enlaça plus fort, plein d'un espoir insensé, mais les larmes

de Samantha tarirent et, une fois de plus, elle se dégagea de son étreinte.

— Merci, dit-elle, émue par sa sollicitude. Maintenant, allez-vous-en si vous tenez à passer le réveillon du nouvel an avec Mary Jo.

— Et si je préfère le passer avec vous ?

— Mais non, voyons ! s'exclama-t-elle.

Elle le regarda avec étonnement. Il était sérieux. Seigneur, il était si jeune... Il avait toute la vie devant lui, une vie pleine de gaieté et de filles comme Mary Jo. Il n'avait nul besoin de s'encombrer d'une infirme. Elle eut l'impression d'avoir cent ans. Sa solitude n'en fut que plus insupportable. Elle tendit la main vers lui, puis la laissa retomber.

— Allez donc fêter le nouvel an, dit-elle en s'asseyant dans son lit et en s'obligeant à sourire.

— Et vous ?

— Je prendrai un bain, grignoterai un morceau et me remettrai au lit. Il sera temps, demain, de repartir à zéro.

— Content de vous l'entendre dire. J'ai eu peur pour vous.

— Vous n'auriez pas dû. Avec le temps, on devient plus sage.

— Plus belle aussi.

Ils s'engageaient sur une pente glissante, songea-t-elle, affolée par l'étrange attirance qu'il exerçait sur elle. Elle lui prit gentiment la main.

— Allez-vous-en, maintenant.

— Je ne veux pas partir, Sam. Je veux rester avec vous.

— Non, Jeff.

— Et qui va m'en empêcher ?

— Moi.

— Ah, je vois. C'est ce vieux préjugé qui interdit aux propriétaires de ranch de frayer avec leurs employés.

Son expression boudeuse la fit sourire.

— Vous vous trompez, jeune homme. Ma vie est derrière moi. Pas la vôtre.

— C'est vous qui vous trompez. Si vous saviez depuis combien de temps je vous aime... Samantha, je...

Elle le fit taire en posant un doigt sur sa bouche.

— Je ne veux pas le savoir. Le nouvel an, on dit parfois des choses que l'on devrait taire. Oublions-les. Je tiens trop à notre amitié, Jeff, ne la gâchez pas. Sans votre soutien, et celui de Josh, je n'aurais pas tenu le coup... J'ai trop besoin de vous.

Il se pencha pour lui effleurer le front d'un baiser. En se redressant, il la regarda intensément.

— Un mot de vous, et je reste.

— Non. Allez-vous-en, vite, je vous en prie.

Il se remit debout, pivota sur ses talons. Sur le seuil, il se retourna un instant. Un dernier regard les unit. Elle entendit le bruit de ses pas s'éloigner dans le couloir. Puis la porte d'entrée claqua et le silence retomba sur la demeure.

39

— Sam!... Sam!...

Des cris. Des coups à la porte d'entrée... Il était six heures du matin à la pendule de la cuisine, et on était le 1er janvier. Samantha se préparait du café quand elle entendit le vacarme. Elle reconnut la voix de Josh. Si cela continuait, il allait finir par défoncer sa porte. Elle alla ouvrir et Josh apparut sous le porche, dans sa grosse veste de cuir, éclairé par la clarté diffuse d'une aube naissante.

Samantha l'accueillit par un « bonne année » joyeux mais le vieux régisseur ne réagit pas. Il avait les yeux rouges, les paupières bouffies.

— Entrez... asseyez-vous.

Il s'exécuta comme un somnambule, s'effondra sur le canapé fleuri du salon.

— Que se passe-t-il ?

Il enfouit son visage entre ses mains.

— Ce sont les gosses. Jeff et Mary Jo. Ils sont allés à une surprise-partie hier soir. Ils étaient saouls comme des Polonais quand ils ont repris la voiture.

Il marqua une pause pendant laquelle le cœur de Samantha se mit à battre à toute allure. Aucun mot ne put franchir ses lèvres, elle n'osa poser aucune question, mais la réponse vint tout de même.

— Ils sont rentrés dans un arbre. Mary Jo a plusieurs fractures aux jambes et aux bras et le visage abîmé... Jeff est mort. Il a été tué sur le coup.

Samantha ferma les yeux. Revit le visage du jeune homme. Souriant. Suppliant... Si elle avait accepté de le garder auprès d'elle hier soir, il serait toujours en vie. Oh, ç'aurait été une grave erreur que de séduire un garçon de vingt-quatre ans. Mais face à la mort, cette erreur-là n'aurait finalement pas été si grande...

— Oh, mon Dieu, quelle horreur ! s'écria-t-elle en rouvrant les yeux et en saisissant la main de Josh. Est-ce que Mary Jo s'en sortira ?

Il fit signe que oui, en reniflant.

— Ça ira, je crois, mais j'ai tant de peine pour Jeff. Je m'étais attaché à lui.

Il était au ranch depuis un an seulement, mais tout le monde avait l'impression de le connaître depuis toujours.

— Connaissez-vous l'adresse de M. et Mme Pickett ?

— Non. (Josh se moucha dans un mouchoir rouge qu'il remit dans sa poche en soupirant.) Il va falloir chercher dans ses papiers, je suppose. Je sais qu'il a perdu sa mère mais, pour le reste, je n'ai aucune idée. Il ne parlait pour ainsi dire jamais de sa famille. Les gosses et le ranch l'absorbaient... et vous aussi, Sam.

Elle prit sa respiration.
— Bon, allons passer en revue ses affaires. Où est-il à présent ?
— J'ai demandé qu'il soit transporté à la morgue de l'hôpital. Sa famille voudra peut-être venir chercher le corps.
— Espérons que nous trouverons quelque chose. Sinon... Que ferons-nous dans le cas contraire, Josh ?
Elle n'avait pas encore été confrontée à ce genre de problème.
— Nous pouvons l'enterrer ici, près des tombes de miss Caroline et de Bill... ou au cimetière en ville.
— Oui, ici, murmura-t-elle.
Il serait bien à l'ombre douce des saules, au milieu de la propriété qu'il avait tant aimée, à entendre le gazouillis des oiseaux, les rires des enfants, la cavalcade des chevaux. L'espace d'une seconde, elle le revit debout dans le chambranle de sa chambre, puis assis sur le bord du lit, les yeux brillants de désir, les bras tendus vers elle. Afin de balayer l'image troublante, elle décrocha sa veste fourrée du portemanteau, puis dirigea son fauteuil vers la porte d'entrée.
— Qu'est-il arrivé ?
Josh se penchait vers le carreau brisé.
— C'est Jeff. Hier soir, avant de partir, il m'a rendu visite. Je n'ai pas voulu ouvrir et il a cassé la vitre... Il voulait savoir comment j'allais, cela partait d'un bon sentiment.
— Le pauvre garçon. Cela faisait deux jours qu'il avait les yeux fixés sur cette maison.
En silence dans le petit matin gris, ils prirent la direction des logements du personnel, suivirent l'allée tapissée de graviers, bordée de marronniers et de bouleaux. Les roues du fauteuil rebondissaient sur le chemin caillouteux, et Josh dut le pousser jusqu'au pavillon de Jeff. Le lit était défait, quelques vêtements gisaient sur les sièges. Sur la table de nuit il y avait un verre d'eau et un livre ouvert. Mais Jeff ne

passa pas sa tête rousse aux boucles ébouriffées par le battant entrebâillé, son sifflotement ne retentit pas. La mort l'avait fauché sur la route, à l'orée de la nouvelle année.

Le visage décomposé de chagrin, Josh s'installa au bureau et se mit à vider le contenu des tiroirs. Lettres d'amis, souvenirs de travail, portraits de filles, photos diverses, programmes de rodéos... Les doigts rugueux du vieux cow-boy extirpèrent un portefeuille de cuir de sous la masse des papiers. Il contenait une carte de sécurité sociale, une police d'assurance, deux billets de loterie, un bout de papier où était inscrit : « En cas d'accident, prévenir mon père, Tate Jordan, ranch Grady », suivi d'un numéro de boîte postale dans le Montana... Bouche bée, abasourdi, Josh lut et relut ces quelques mots. Comme à travers un voile qui se déchire, la mémoire lui revint d'un seul coup : le Bar Three, le fait que le fils de Tate portait le nom de son père adoptif... Son regard croisa celui de Samantha, qui fronça les sourcils. Sans un mot, il lui tendit le bout de papier, puis il sortit respirer une bouffée d'air frais.

40

Samantha fixa le papier sans pouvoir en détacher les yeux. Pendant un long moment, elle fut incapable de comprendre, c'était comme si la phrase toute simple qu'elle lisait et relisait avait été rédigée dans un langage étranger. Et puis, tout à coup, son cœur s'emballa. Que le destin était cruel... Hier soir, le fils de Tate Jordan avait voulu faire l'amour avec elle. Et, parce qu'elle avait refusé, il était mort... Les doigts de Samantha se crispèrent sur la feuille de papier. Personne, absolument personne n'échappait à la fatalité. L'adresse de Tate était là, dans la paume de sa main, alors qu'elle avait renoncé à sa quête. Elle plia le feuillet, le glissa dans sa poche, dirigea son fauteuil vers la porte. Josh attendait dehors, appuyé contre un arbre, dans la lueur rose vif du soleil levant.

— Eh bien ?

— Il faut le contacter.

— Vous vous en chargez ?

— Non, vous ! Cela fait partie de votre travail de contremaître.

— Avez-vous donc peur d'annoncer une mauvaise nouvelle ?

— Je l'aurais fait s'il s'était agi de quelqu'un d'autre. Mais lui, je ne veux pas lui parler.

Voilà trois ans, il l'avait quittée sans un mot d'explication.

— Peut-être devriez-vous vous forcer.

— Peut-être. Mais je ne me forcerai pas.

— D'accord, soupira le vieux cow-boy. D'accord.

Josh téléphona au ranch Grady. Tate Jordan n'était pas là. Il devait assister à une vente de bétail dans le Wyoming et ne rentrerait pas avant une semaine. Il n'y avait aucun moyen de le joindre.

Jeff fut enterré au ranch, près de Bill et de Caroline, au terme d'une émouvante cérémonie. La mort faisait partie de la nature, avait expliqué Sam aux enfants. Le ministre du culte prononça une prière. Puis, les gosses formèrent une procession — une longue file de petits cavaliers. Chacun portait une gerbe de fleurs blanches, et ils chantaient les chansons préférées de leur ami disparu. Sur le chemin du retour Samantha contempla les enfants à cheval, dans le flamboiement rouge du couchant et, la gorge sèche, elle crut apercevoir Jeff chevauchant à leur côté. Mais son alezan galopait sans cavalier, selon les rites de l'Ouest, et de nouvelles larmes lui montèrent aux yeux.

Ce soir-là, elle écrivit à Tate. Les mots justes surgirent sous la pointe de son stylo. Elle avait perdu un enfant, elle aussi, son petit Timmie. Elle n'arrivait pas à oublier, elle ne l'oublierait jamais. Elle avait connu ce déchirement, cette perte irréversible. Elle omit délibérément d'évoquer son infirmité. Cela, non, elle ne voulait pas qu'il le sache.

«... Trois ans ne semblent pas bien longs, poursuivit-elle après lui avoir annoncé avec douceur et simplicité la mauvaise nouvelle, et pourtant tant de changements sont survenus! Caroline et Bill nous ont quittés. Ils reposent près du lac, à l'endroit où nous avons accompagné Jeff, aujourd'hui. Nous sommes tous plongés dans la consternation et la tristesse, car c'était un jeune homme extraordinaire, un ami cher, dont nous ressentons cruellement la perte. Les enfants l'adoraient, et alors que nous revenions, j'ai eu l'impression qu'il était toujours avec nous. J'espère, Tate, que tu auras le même sentiment... Tu ne dois pas être au courant mais, à sa mort, Caroline Lord m'a légué son ranch. J'en ai fait, avec l'aide précieuse de Josh, un centre de rééducation pour enfants handicapés. Je leur apprends, entre autres, l'équitation. Et je pense que Caroline m'aurait entièrement approuvée. Peut-être même m'a-t-elle laissé cet héritage pour que cette œuvre soit accomplie.

«J'ai engagé Jeff un peu avant l'ouverture. Il a été vraiment merveilleux avec nos petits pensionnaires. Tu peux être fier de lui. Je t'enverrai des photos du ranch, qui n'a plus grand-chose à voir avec le ranch Lord que tu as connu. Alors, tu comprendras mieux ce que Jeff faisait parmi nous. Je m'associe à ton deuil, cher Tate, et partage ton chagrin. Je te fais expédier les affaires de ton fils, afin de t'épargner ce pénible voyage. Si quelque chose manquait, n'hésite pas à le réclamer, Josh sera heureux de pouvoir te rendre service.»

Elle signa: «Bien amicalement, Samantha Taylor.»

Elle n'avait pas fait la moindre allusion à leur

idylle ancienne. Le lendemain, elle fit empaqueter les effets appartenant à Jeff et les renvoya à son père. Elle passa la soirée à feuilleter les albums du ranch, tria les clichés où apparaissait Jeff, et apporta les négatifs chez un photographe en ville pour les faire tirer. La semaine suivante, lorsqu'elle reçut le paquet, elle inspecta soigneusement les photos, s'assurant qu'elle ne figurait sur aucune d'elles, avant de les glisser dans une enveloppe sur laquelle elle traça l'adresse de Tate Jordan.

Une page de sa vie était tournée. Elle avait finalement retrouvé Tate mais au lieu de lui dévoiler qu'elle l'aimait encore, elle avait opté pour le silence. Les mêmes raisons qui l'avaient incitée à repousser Jeff, cette nuit fatidique, lui intimaient à présent de rester à l'écart. Alors qu'elle se glissait dans son lit, elle se demanda comment elle aurait réagi si elle n'avait pas été infirme. N'aurait-elle pas, alors, voulu reconquérir le cœur de l'homme qu'elle avait chéri si profondément ? Mais, bien portante, elle aurait probablement vendu le ranch et n'aurait jamais rencontré Jeff...

La sonnerie du téléphone la tira de son sommeil. Elle décrocha le poste qui trônait sur sa table de chevet.

— Allô, Sam ? fit la voix de Norman Warren dans l'écouteur — une voix plus animée qu'à l'accoutumée, lui sembla-t-il.

— Oui... murmura-t-elle, encore à moitié endormie, qu'y a-t-il ?

Elle avait décidé de ne pas faire appel et l'avait signifié sans détour à son avocat. Elle ne voulait pas soumettre Timmie à une nouvelle épreuve, peut-être inutile. Elle en avait discuté à deux reprises avec Martin Pfizer. L'assistant social s'était rangé à son opinion. Timmie, qu'il avait rencontré deux ou trois fois, semblait abattu. L'enfant avait toutes les peines du monde à se réadapter à son ancienne vie, et ne cessait de réclamer Samantha. Il aurait été cruel de le bercer d'illusions. D'après Pfizer, sa mère menait à présent une vie décente. Pourtant, quand Samantha voulut savoir si elle continuait à le maltraiter, il était resté évasif...

— ... que vous veniez à Los Angeles, disait son correspondant.

— Norman, n'insistez pas. Je ne ferai pas appel.

— Je comprends, mais il s'agit d'autre chose.

— C'est-à-dire ? fit-elle, méfiante.

— Vous n'avez pas signé certains papiers.

— Envoyez-les-moi.

— Je ne peux pas.

— Alors, apportez-les-moi, jeta-t-elle d'un ton las.

Des papiers à signer, songeait-elle obscurément, un dimanche ! Elle réalisa soudain que quelque chose ne tournait pas rond et se redressa dans son lit.

— Pourquoi m'appelez-vous un dimanche, Norman ?

— Je n'ai pas eu le temps la semaine dernière. Je sais que cela vous ennuie, que vous êtes une femme très occupée. Mais certaines formalités ne peuvent plus être différées. Venez, Sam, faites-le pour moi.

Le cœur de la jeune femme s'était mis à cogner dans sa poitrine.

— C'est à propos de Timmie ? articula-t-elle, tremblante. A-t-il eu un problème ? Est-il blessé ou... battu ?

— Non, non, rien de tel, la rassura-t-il vite — trop vite peut-être. Je voudrais juste en finir avec ces paperasses une fois pour toutes.

Le regard de Sam dériva vers la pendulette qui indiquait sept heures du matin.

— Norman, vous êtes dingue ! soupira-t-elle, excédée. Los Angeles est à trois heures de route.

— C'est Josh qui conduira.

Elle finit par sourire.

— S'il veut bien ! C'est son jour de congé, figurez-vous. Où devons-nous vous rencontrer ? À votre bureau ? Et quels sont ces fameux papiers ?

— Oh, juste un formulaire stipulant que vous ne ferez pas appel.
— Pourquoi diable ne me l'envoyez-vous pas par la poste ?
— Je suis trop fauché pour acheter un timbre.
Un rire échappa à Samantha.
— Vous êtes fou !
— Je sais. À quelle heure serez-vous ici ?
Elle étouffa un bâillement.
— Je ne sais pas... après le déjeuner ?
— Pourquoi pas plus tôt ?
— Voulez-vous me voir arriver en chemise de nuit, par hasard ?
— Ce serait un plaisir. Onze heures, alors ?
— Oh, Seigneur, gémit-elle. Va pour onze heures. J'espère que nous ne nous éterniserons pas. J'ai une foule de choses à faire au ranch.
— À tout à l'heure.
Il raccrocha. Josh, qu'elle appela immédiatement, eut la même réaction.
— Pourquoi ne vous a-t-il pas posté ce fichu formulaire ?
— Je n'en sais rien. Écoutez, puisqu'il faut en finir, j'aime autant que ce soit aujourd'hui. La semaine prochaine, je ne saurai plus où donner de la tête.
Ils attendaient onze nouveaux pensionnaires.
— Je viendrai vous chercher dans une demi-heure.
— Mettons une heure.
Il fut ponctuel. Samantha passa de son fauteuil au siège avant du break et boucla sa ceinture de sécurité. Elle avait enfilé des jeans, un pull-over rouge vif qui s'harmonisait parfaitement avec ses bottes neuves. Un ruban, rouge également, ornait son abondante chevelure couleur de blé.
— Vous êtes belle comme un cœur de la Saint-Valentin, sourit Josh.
— Je me sens plus proche de la citrouille de Halloween, lui répliqua-t-elle, pince-sans-rire. C'est de la folie, d'aller à Los Angeles !

Norman Warren, impénétrable, arpentait le trottoir, devant le building qui abritait son bureau. Il alla au-devant du break. Il lui manquait des papiers, déclara-t-il, il fallait faire un détour par le palais de justice.

— Le palais de justice ? Un dimanche ? Norman, vous avez bu ! s'exclama Samantha, scandalisée.

— Faites-moi confiance, grommela-t-il en grimpant sur la banquette arrière, sous l'œil dubitatif de Josh.

Il fallait traverser toute la ville.

Une fois sur place, Norman parut retrouver son assurance. Soudain, il eut l'air de savoir exactement ce qu'il faisait. Il montra un laissez-passer au gardien, et celui-ci cria « Septième étage ! » au préposé qui faisait marcher le seul ascenseur en service le dimanche. Ils s'engouffrèrent dans la cabine dans un silence total, émergèrent sur un palier mal éclairé, longèrent un dédale de couloirs sombres... à gauche, à droite, de nouveau à gauche et soudain une pièce inondée de lumière s'offrit à leur vue. À l'intérieur de la pièce il y avait une matrone en uniforme et un policier. Et dans un coin... sur un fauteuil roulant... vêtu d'un costume bleu marine affreusement taché...

— Oh, Timmie !

Le petit garçon serrait son ourson en peluche à moitié éventré. Il pleurait. Samantha se précipita vers lui, et l'étreignit.

— Mon chéri, tout ira bien, n'aie pas peur...

Elle le sentait trembler comme une feuille dans ses bras.

Le garderait-elle une heure ? Un jour ? Une semaine ? Sa mère était-elle de nouveau en prison ?

— Ma maman est morte, murmura-t-il, comme si le sens de ses propres paroles lui échappait.

Elle vit les cernes autour de ses yeux, l'énorme bleu sur son cou.

— Que s'est-il passé ? Qu'est-ce que cela veut dire ? demanda-t-elle, horrifiée par le spectacle qu'il présentait, tout autant que par ce qu'il venait de dire.

Norman vint poser la main sur son avant-bras.

— Une overdose, murmura-t-il, il y a deux jours. Les policiers ont découvert Timmie hier soir, dans l'appartement.

— Avec elle ? réussit-elle à articuler laborieusement.

— Non. Elle était ailleurs. Timmie était seul à la maison. (Il sourit à celle qu'il considérait à présent comme une amie chère.) Les policiers ont averti le juge, avant de mettre Timmie à l'orphelinat. Il leur a dit de l'emmener ici. Puis il m'a contacté. Il sera là d'une minute à l'autre et il apportera tous les papiers nécessaires à l'adoption.

— Aujourd'hui ? Tout de suite ? C'est possible ?

— Oui. Mais Timmie ne sera pas placé dans un foyer d'accueil en attendant d'être adopté, puisqu'il a déjà trouvé sa maman. Il est à vous, Sam.

Il lança un coup d'œil ému au petit garçon dans le fauteuil roulant, puis se tourna à nouveau vers la jeune femme.

— Vous l'avez enfin, votre fils.

Cela faisait quinze jours qu'ils avaient été séparés dans la salle du tribunal... Sam attira Timmie sur ses genoux et le tint enlacé longtemps. Ses rires se mêlaient à des pleurs. Elle le couvrit de baisers, en caressant ses cheveux blonds. Timmie noua ses petites mains crasseuses autour du cou de Samantha, puis il murmura les mots qu'elle avait attendus toute sa vie.

— Je t'aime... maman...

Le juge arriva peu après, avec le dossier d'adoption. Il signa des papiers sur lesquels Samantha apposa également son paraphe, sous les regards émus de Josh et de Norman. Au moment du départ, Timmie salua le juge, tout sourire, en agitant son ours en peluche.

— Au revoir, monsieur, au revoir et merci, s'exclama-t-il.

Le magistrat lui adressa un signe de la main. Quand la porte de l'ascenseur se referma, il se rendit compte qu'il pleurait.

41

— ... dire bonjour à Daisy... et jouer avec mon train et ma voiture de pompiers... puis...

— Prendre un bain, acheva Sam à la place de Timmie. Le rire de Josh résonna dans le break. C'était la première fois qu'il semblait joyeux, depuis l'accident qui avait coûté la vie à Jeff. Timmie avait demandé de ses nouvelles, bien sûr, et ils lui avaient appris son décès à contrecœur. Le petit garçon avait pleuré, tête basse, puis avait levé le regard vers le ciel en murmurant :

— Comme maman.

Ce fut tout ce qu'il dit sur elle et Samantha ne chercha pas à en savoir plus. Selon Norman, Timmie avait vécu l'enfer au cours de ces quinze derniers jours. Seul l'amour profond de Samantha pourrait le libérer de son triste passé. Et maintenant, alors qu'elle le tenait dans ses bras, et que la voiture filait en direction du ranch, ils riaient, tous les deux, du rire insouciant des gens heureux. Elle lui annonça qu'ils attendaient de nouveaux arrivants au centre.

— Oh, ce sera chouette, s'écria-t-il, enchanté.

— Devine ce que tu feras dans quelques semaines.

— Quoi ?

— Tu iras à l'école.

La petite frimousse se renfrogna.

— Pourquoi ?

— Parce qu'il le faut, mon chéri.

— Pourquoi il le faut? Je n'y allais pas avant, rétorqua-t-il d'une voix geignarde.

— Eh bien, tu étais un cas spécial, avant.

— Et maintenant? Je ne peux plus être «spécial»? Il la scrutait de ses yeux bleus pleins d'espoir. Sam le serra un peu plus fort contre elle. Tous les trois avaient pris place dans la vaste camionnette sur le siège avant, Josh au volant, Sam à la place du passager, Timmie au milieu.

— Tu seras toujours spécial, mon lapin. Cependant, nous mènerons dorénavant une vie régulière. Le temps où l'on craignait ton départ est terminé. Tu peux donc aller à l'école comme les autres enfants.

— Je veux rester à la maison avec toi.

— Coupons la poire en deux: tu restes avec moi pendant un certain temps, tu vas à l'école ensuite, d'accord? Tu n'as pas envie d'être aussi intelligent que Josh et moi?

Il éclata de rire.

— Tu n'es pas intelligente... tu es ma maman!

— Oh, merci!

Elle se pencha pour effleurer de ses lèvres les cheveux blonds et soyeux de Timmie. *Son* petit garçon. Le cadeau fabuleux que lui avait donné le ciel...

Au ranch, après le bain, il voulut voir les autres gamins, et les chevaux. L'après-midi, ils grignotèrent des cookies. Le soir, elle lui lut une de ses histoires préférées. Elle le borda, alors qu'il sombrait dans un sommeil paisible. Samantha sourit tendrement à l'enfant endormi. Grâce à Dieu, il lui était revenu. De toute façon, elle avait l'impression qu'ils ne s'étaient jamais quittés.

Il s'écoula deux longues semaines avant que Samantha ait l'occasion de passer une journée entière à son bureau. Timmie avait finalement accepté d'aller à l'école et les nouveaux venaient d'être installés. Il y avait une montagne de courrier, lettres de parents, missives de médecins, dont certaines en provenance de la côte Est, signe que la réputation du ranch avait dépassé les Rocheuses. C'est en levant les yeux de la dernière lettre vers la fenêtre qu'elle l'aperçut. Il était toujours aussi grand, aussi séduisant, avec ses cheveux aile-de-corbeau, ses épaules carrées et son visage taillé à la serpe, sous l'ombre du chapeau au large bord. Il avait la même démarche chaloupée, sur ses bottes de cuir. On eût dit qu'il n'était jamais parti, qu'il s'était simplement détaché de la clôture où il était appuyé depuis des siècles pour venir en direction du bureau. Oui, le même, se dit-elle, en remarquant cependant ses tempes grisonnantes. Elle le vit se pencher vers un enfant, comme il l'avait fait lorsqu'il avait joué le Père Noël. L'instant d'après, remise de sa surprise, elle écrasa le bouton de l'interphone. Affolée.

— Trouvez Josh, intima-t-elle à sa secrétaire.

Peu après, la porte s'ouvrit sur la silhouette râblée de son vieil ami.

— Josh, je viens de voir Tate Jordan.

— Où ça? s'étonna-t-il, les sourcils froncés. Vous en êtes sûre?

Cela faisait trois ans, tout de même. Il avait dû changer. Peut-être avait-elle rêvé.

— Certaine. Il était là, dans la cour où il a parlé à l'un des enfants. Allez voir ce qu'il veut et débarrassez-vous de lui. Mais, s'il demande à me parler, dites-lui que je ne suis pas là.

— Pensez-vous que ce soit juste? Son fils est quand même enterré dans la propriété. Peut-être est-il venu s'incliner sur sa tombe.

Samantha prit une profonde inspiration. Un début de migraine lui vrillait les tempes. Une sorte de panique sournoise s'insinuait peu à peu en elle.

— Très bien. Conduisez-le sur la tombe de Jeff, et qu'il parte ensuite. Il n'y a aucune raison qu'il reste une minute de plus. Nous lui avons renvoyé les affaires de son fils. Il n'a plus rien à voir ici.

— Si, vous. Peut-être souhaite-t-il vous voir.

— Eh bien, moi, je n'en ai aucune envie ! Et ne me parlez surtout pas de ce qui est juste ou injuste. Il ne s'est pas montré *juste*, lui, il y a trois ans ! Je ne lui dois rien.

Josh la regarda d'un air désapprobateur.

— Vous vous devez quelque chose à vous, murmura-t-il.

Elle se retint pour ne pas l'envoyer sur les roses. Lorsqu'il fut sorti, elle resta là, figée. « Mais qu'il s'en aille, qu'il reparte au diable, qu'il me laisse tranquille. » Il n'avait pas le droit de briser l'équilibre qu'elle avait enfin trouvé au prix de tant d'efforts, après tant d'épreuves. Josh reparut une demi-heure plus tard. Il la découvrit au même endroit, dans la pénombre, le store baissé.

— Je lui ai prêté un cheval et il s'est rendu sur la tombe de Jeff.

— Il est parti ? Parfait ! Je rentre à la maison. Envoyez-moi Timmie, dès qu'il sera là.

À son retour, le petit garçon se précipita à sa leçon d'équitation, et elle dut rester seule, sans savoir si Tate était reparti ou pas. Tate ! Étrange aussi, de le sentir si proche sans pouvoir le voir, lui parler, lui tendre la main. Étrange aussi, cette frayeur qui la serrait à la gorge, l'empêchant presque de respirer. Mais de quoi avait-elle peur au juste ? De ce qu'il pourrait lui dire ? Ou d'elle-même ? En le revoyant, elle risquait de se rendre compte qu'elle n'éprouvait plus qu'indifférence à son égard... Était-ce cela qui l'effrayait à ce point ? Il l'avait quittée trois ans plus tôt. Faute d'une explication, la blessure était restée ouverte. Et maintenant qu'il était revenu... qu'avaient-ils encore à se dire ? Rien, en somme. Rien que des banalités.

Josh sonna à sa porte à la nuit tombante.

— Sam, il est parti.

— Tant mieux. Merci, Josh.

Ils échangèrent un regard grave.

— C'est un homme d'une grande bonté, vous savez. Nous avons bavardé longuement. La mort de son fils l'a bouleversé. Il m'a promis d'aller voir Mary Jo à l'hôpital. Écoutez, Sam...

D'instinct, elle devina la suite, mais coupa court en levant la main.

— Non, je vous en prie. (Puis, d'une voix radoucie :) Est-il au courant... pour moi ?

— Il n'a rien dit en tout cas. Il m'a demandé si vous étiez là, je lui ai répondu que non. Je crois qu'il a compris que vous ne désiriez pas le rencontrer, car il n'a pas insisté. Lorsqu'on quitte une femme, on ne s'attend pas à être accueilli à bras ouverts trois ans après. Il m'a demandé de vous remercier et c'est tout. Il a été très touché par l'emplacement de la tombe, ajouta Josh, les yeux tournés vers les collines. Nous avons parlé d'un tas de choses. Le ranch, Bill King, Caroline... La vie change, que voulez-vous.

Le vieux cow-boy s'interrompit. La mélancolie creusait d'ombre sa face burinée. Elle ne lui demanda pas la cause de sa tristesse. Elle savait bien quelle nostalgie recelait l'évocation du passé.

— En partant d'ici, il a été droit dans le Montana, reprit Josh. Il a commencé par se chercher un job dans un ranch. Il a mis de l'argent de côté, a pris un emprunt à la banque, bref, il a pu s'acheter un bout de terrain... « Te voilà propriétaire de ranch, mon vieux », lui ai-je dit. Je le taquinais, bien sûr. Il m'a répondu qu'il voulait laisser quelque chose à son fils. Et maintenant que celui-ci est mort, eh bien, Tate a tout vendu.

L'anxiété gagnait Samantha.

— Qu'a-t-il l'intention de faire à présent ?

« Pourvu qu'il ne reste pas dans le voisinage ! » pria-t-elle en silence.

— Il retourne dans le Montana demain, répliqua Josh, qui avait compris la raison de sa peur. Je le verrai ce soir, ajouta-t-il. Si d'ici là vous changez d'avis...

— Non, jeta-t-elle d'un ton sec, non!

Timmie fit irruption, très excité par sa journée. Samantha remercia Josh avant de se diriger vers la cuisine, afin de préparer le dîner. Toute la soirée elle fut nerveuse, distraite, distante même. Quand elle eut couché l'enfant, elle alla se terrer dans sa chambre, toutes lumières éteintes, comme un animal aux abois se terre dans un refuge. Elle aurait voulu le chasser de son esprit mais c'était trop tard. Et à son angoisse se mêlait une nouvelle question. N'avait-elle pas eu tort de refuser de le rencontrer? Pour la première fois depuis son retour au ranch, elle eut envie de revoir le décor de leurs rendez-vous clandestins, le lac couronné de brume, le soir, le chalet blanc avec ses volets refermés à jamais sur leur secret, le verger éclairé par le clair de lune. Mais à quoi bon, se dit-elle en frissonnant. Tate...

Le lendemain matin, ses traits portaient la trace d'une nuit sans sommeil. Elle était pâle en entrant dans la chambre de Timmie. Inquiet, le petit garçon lui demanda si elle était malade. Elle fit de son mieux pour le rassurer, l'accompagna jusqu'à l'arrêt du bus de ramassage scolaire, après quoi elle fit un détour par les écuries. Elle dirigea son fauteuil vers la stalle de Black Beauty. Elle l'avait gardé pour des raisons sentimentales et ne le montait que très rarement. D'ordinaire, pour accompagner ses «poussins» lors de leurs promenades équestres, elle préférait prendre la docile Pretty Girl. Mais aujourd'hui, en contemplant le splendide étalon noir, elle sut qu'elle n'était pas venue devant son box pour rien. Elle demanda à l'un des palefreniers de le préparer. Peu après, il la hissait sur la selle, lui sanglait les jambes. Une minute après, elle traversait la cour à cheval.

Elle prit le trot, pensive. Le temps était venu d'affronter la réalité, du moins ce qu'était devenue la réalité: la femme que Tate Jordan avait aimée trois ans plus tôt n'existait plus. Le trot se mua en galop et, les yeux fixés sur les collines verdoyantes, elle se demanda si elle serait capable d'aimer à nouveau. Peut-être qu'un jour, elle parviendrait à chérir quelqu'un avec tendresse. L'un de ses éducateurs, un médecin, ou un avocat comme Norman... Mais comme ils paraissaient ternes, comparés à Tate! L'incongruité de cette conclusion fit éclore un sourire perplexe sur ses lèvres. Dans son esprit flottaient des lambeaux d'images. Celles de leurs chevauchées à travers champs, de leurs interminables journées de travail, des merveilleuses nuits passées dans ses bras. Sans s'en rendre compte, elle avait contourné le bois, franchi une clairière, et soudain, il fut là, devant elle. Le chalet tout simple, au bord du lac miroitant. Elle tira sur les rênes pour immobiliser sa monture. Elle n'irait pas plus loin. Ce décor appartenait à une autre vie. Elle fit tourner bride au cheval, qui se lança à nouveau dans la prairie. Peu après, elle fit une nouvelle halte au minuscule cimetière du ranch. Pendant un moment, elle contempla, en larmes, les pierres tombales si blanches au milieu de l'herbe verte. Tout à coup, Black Beauty hennit, et fit un écart en grattant le sol du sabot. Samantha releva la tête et l'aperçut. Il arrivait sur un appaloosa, sans doute pour s'incliner une dernière fois sur la sépulture de son garçon. Il pleurait, lui aussi... Rester? partir? Le regard émeraude la sondait. Finalement, elle dit:

— Bonjour, Tate.

— Je te cherchais, afin de te dire merci.

Comme par le passé, il la dominait de toute sa stature, bien que l'étalon fût plus grand que le cheval qu'il montait. Mais une expression d'une extrême douceur atténuait quelque peu la force virile qui semblait émaner de toute sa personne.

— Tu n'as pas à me remercier, répondit-elle. Je n'ai rien fait de particulier. Nous aimions tous beaucoup Jeff.

— C'était un brave garçon... Mon Dieu, pourquoi

a-t-il fallu qu'il prenne le volant ce soir-là ? J'ai vu Mary Jo à l'hôpital, enchaîna-t-il, puis un sourire fugitif brilla un instant sur ses lèvres. Elle a grandi.

— Ça fait trois ans, Tate.

D'un coup d'éperons, il amena son appaloosa vers elle.

— Samantha ?

Il prononçait son prénom pour la première fois, mais elle s'efforça de ne pas faire attention à sa voix suggestive.

— Tu veux bien faire un tour avec moi ?

Il allait sûrement l'entraîner du côté du chalet. La jeune femme secoua la tête. Elle n'avait guère envie de replonger dans les eaux troubles du passé. Un gouffre de trois ans s'était creusé entre eux, un abîme que plus rien ne pouvait combler. Son regard s'abaissa vers ses jambes inertes, solidement attachées par les sangles. Elle sut alors qu'il n'y avait pas d'alternative.

— Il faut que je rentre. J'ai à faire au ranch.

Il n'avait rien remarqué, trop absorbé par le magnétisme de son visage.

— C'est devenu un endroit extraordinaire. Qu'est-ce qui t'a incitée à créer un centre pour enfants handicapés ?

— Je te l'ai dit dans ma lettre. C'était le vœu de Caroline.

— Mais pourquoi t'avoir choisie toi ?

Il ne savait pas ! se dit-elle, soulagée.

— Pourquoi pas ?

— Mais tu n'es pas repartie pour New York ? Je l'aurais parié, pourtant.

« Vraiment ? songea-t-elle amèrement. Est-ce la raison pour laquelle tu m'as quittée ? »

— J'y suis retournée en effet. Oh, pas pour longtemps. Je suis revenue ici après la mort de Caro, dit-elle en regardant les collines. Elle me manque toujours.

— À moi aussi, murmura-t-il. (Puis, d'une voix

plus forte :) Viens donc avec moi, juste quelques instants. Je ne remettrai peut-être plus jamais les pieds ici.

Ses yeux l'imploraient. Elle n'eut pas le courage de refuser. Elle le suivit, tandis qu'il prenait la direction du lac.

— Descendons une minute, proposa-t-il.

— Non ! répondit-elle avec fermeté.

— Nous n'irons pas dans le chalet. L'as-tu vidé ?

— Je n'ai rien touché encore.

Il hocha lentement la tête.

— Samantha, je voudrais te parler. Il y a un tas de choses que je ne t'ai pas dites.

— Ne te justifie pas. Le temps a passé. Cela n'a plus d'importance.

— Peut-être pas pour toi, admit-il. Pour moi, si. Je ne t'infligerai pas un long discours. Je voulais juste que tu saches une chose : j'ai eu tort.

— Tort ?

— Oui, tort de t'avoir quittée. Tort d'avoir pris la fuite. D'ailleurs je m'étais disputé avec Jeff à ce sujet... pas à propos de toi, bien sûr, mais du fait que je fuyais le ranch. Selon lui, je me suis toujours ingénié à décamper devant les choses vraiment importantes. « Tu pourrais devenir contremaître, me disait-il, propriétaire de ranch, quelqu'un. »

J'ai erré pendant six mois, après quoi j'ai pu acheter un terrain dans le Montana. Cela s'est avéré un excellent investissement. Je voulais prouver à mon fils qu'il avait tort de mal me juger... J'aurai au moins appris une chose, ajouta-t-il après un silence. Peu importe qu'on soit pauvre ou riche, cow-boy ou propriétaire terrien, du moment que l'on est honnête, sincère et généreux. (Il balança le menton vers le chalet en bois blanc.) Eux se sont aimés et aujourd'hui ils sont enterrés côte à côte. Qui se soucie de savoir s'ils étaient mari et femme ? Ou si Bill King s'est évertué à garder leur amour secret ? Mon Dieu, quelle perte de temps, en fin de compte !

Elle lui sourit.

— Je suis contente de t'entendre parler ainsi.

— Je m'en veux terriblement de t'avoir fait souffrir. C'était plus fort que moi, je crois... Es-tu restée longtemps ici, après mon départ?

— Je t'ai cherché partout pendant deux mois. Ensuite, Caroline m'a mise à la porte.

— Elle a eu raison. Je n'en valais pas la peine... à l'époque.

Il sourit, et elle le regarda, plutôt amusée.

— Je suppose que tu as une meilleure opinion de toi aujourd'hui.

— Que veux-tu, j'ai tout de même accédé à la propriété.

Ils s'esclaffèrent d'un même rire. Comme autrefois, elle éprouvait une sensation de bien-être en sa compagnie. Tate s'abîma dans la contemplation de la petite maison au bord du lac.

— Te souviens-tu de notre première visite ici?

Ils s'aventuraient sur une pente glissante. Elle ébaucha un geste de réticence.

— Oui, bien sûr, mais ça fait si longtemps.

— Évidemment, ça fait si longtemps que tu n'es plus qu'une vieille dame, plaisanta-t-il, mais elle demeura sérieuse.

— Oui, exactement.

— Je pensais que tu te remarierais.

— Eh bien, tu t'es trompé, une fois de plus.

Il la regarda, interloqué par la dureté inattendue de ses yeux, si doux d'habitude.

— Pourquoi? T'ai-je fait si mal? Je t'en prie, Sam, descends de ce cheval, allons nous promener, supplia-t-il, la main tendue vers elle.

— Non, Tate, je dois rentrer.

— Mais pourquoi?

— N'insiste pas.

— Laisse-moi t'expliquer...

— Non, c'est trop tard... *trop tard*!

Sans le vouloir, elle avait jeté à ses jambes un coup

d'œil désespéré. Cette fois-ci, il remarqua la direction de son regard. Les sourcils froncés, il s'apprêtait à lui poser une question, lorsque, brusquement, elle fit partir son cheval au galop.

— Sam, attends!

Elle cravacha sa monture, qui fila comme une flèche. En l'observant, alors qu'elle s'éloignait, il eut la réponse. Comme s'il venait de découvrir la pièce manquante d'un puzzle, il comprit tout, d'un seul coup... Pourquoi elle avait créé le centre de rééducation, pourquoi elle était revenue en Californie, pourquoi elle ne s'était jamais remariée... et pourquoi elle ne cessait de répéter qu'il était trop tard. Il la suivit d'un regard acéré, remarquant l'aspect étrange de la selle, et les jambes qui se balançaient, inertes, puis les pieds, trop serrés dans les étriers.

— Sam! hurla-t-il.

Samantha ne se retourna pas. Elle s'était lancée dans une fuite éperdue. Elle pensait que jamais Tate ne la rattraperait. Mais il avait éperonné son appaloosa et le talonnait à bride abattue. Bientôt, il chevaucha à côté d'elle, la dépassa. Saisissant les rênes de l'étalon, il l'immobilisa.

— Arrête! souffla-t-il, j'ai quelque chose à te demander.

Elle le fusilla d'un regard noir, hors d'haleine, les pommettes embrasées.

— Laisse-moi, pour l'amour du ciel!

— Non, je veux savoir la vérité. Sinon je te fais descendre de ce fichu cheval que j'ai toujours détesté.

— Essaie! cria-t-elle, folle de rage, en s'efforçant de dégager les rênes.

— Que se passerait-il alors?

— Je me relèverais et je rentrerais à pied à la maison.

Pendant une fraction de seconde, ils se toisèrent.

— Vraiment, Sam?

Il feignit de la pousser, mais elle fit faire un écart à sa monture.

— Je t'en prie. Arrête, maintenant.

— Pourquoi me le cacher plus longtemps? demanda-t-il. (Son visage exprima une incommensurable douleur.) Je t'aime, ne le comprends-tu donc pas? Je n'ai jamais cessé de t'aimer, pas une minute depuis que je suis parti du ranch. J'ai payé cher mon inconséquence, si tu savais... Je suis parti parce que je t'aimais, pour te permettre de m'oublier et de retourner parmi les tiens. J'ai pensé à toi le jour, j'ai rêvé de toi la nuit, pendant trois longues années. Et te revoilà, enfin, plus belle encore que dans mon souvenir. Mais tu ne me laisses pas t'approcher. Pour quelle raison? Y a-t-il un autre homme dans ta vie? Si c'est le cas, tu n'entendras plus parler de moi. Mais je ne le crois pas... Ce que je crois, c'est que tu es aussi folle que je l'étais il y a trois ans. Je t'ai fuie parce que je n'étais qu'un simple cow-boy. Tu me fuis sous prétexte que tu ne peux plus marcher. Car c'est bien ça, n'est-ce pas, Samantha?

Ses derniers mots s'étaient perdus dans une sorte de cri rauque. Des larmes avivaient l'éclat vert de ses prunelles. Elle le regarda, déchirée entre la colère et le désespoir, après quoi elle acquiesça de la tête, d'une manière presque imperceptible. Il avait relâché les rênes. Elle les reprit en main, repartit vers le ranch. Arrivée à une certaine distance, elle cria pardessus son épaule:

— Tu as raison, Tate. Tu as toujours eu raison. Il y a des choses qui nous séparent... Eh bien, il faut une fin à tout. La boucle est bouclée. Après cette explication un peu tardive, tu peux t'en aller.

Il enfonça les éperons dans les flancs de l'appaloosa, qui rejoignit le puissant étalon noir.

— Non, je ne partirai pas, déclara-t-il d'un ton déterminé. Pas cette fois. Si tu ne veux pas de moi je m'inclinerai, mais je ne m'en irai pas à cause de tes jambes. Je me fiche éperdument que tu puisses marcher, courir ou sauter à la corde! Je t'aime! J'aime ton corps, ton esprit, ton âme. J'aime tout ce que tu as donné à mon fils et à ces enfants. Jeff m'a souvent écrit combien sa patronne était merveilleuse. Je ne savais pas que c'était toi. J'ai cru que Caroline avait vendu le domaine... Samantha, je t'en supplie, laisse-moi rester auprès de toi.

— Il n'en est pas question, rétorqua-t-elle, le visage dur. Je ne veux pas de ta pitié. Je refuse ton aide. J'ai tout ce qu'il me faut, merci, tous mes petits protégés. Et mon fils.

Il se souvint qu'elle ne pouvait pas avoir d'enfant.

— Ton fils ? Tu m'expliqueras plus tard... parce que je ne partirai pas, Samantha. Je ne te quitterai pas.

Elle cingla l'encolure de l'étalon, qui fit volte-face avant de bondir comme le vent à l'assaut de la forêt. Tate la suivit. Elle sentait sa présence sur ses talons. Samantha serra les dents. Arrivée au bout de la propriété, elle s'arrêta.

— Pourquoi fais-tu cela, Tate ?

— Parce que je t'aime... Comment est-ce arrivé ?

Elle le lui raconta. Il l'écouta, la main en visière, comme pour se protéger du soleil trop ardent. Elle lui narra comment elle l'avait cherché dans tous les ranchs, son désespoir de ne l'avoir pas retrouvé, la campagne publicitaire, les films, Démon, la chevauchée fatidique, puis la chute.

— Sam, pourquoi ?

— J'étais incapable de vivre sans toi. Je t'aimais tant... avoua-t-elle, enfin radoucie.

— Moi aussi, murmura-t-il d'une voix empreinte de regrets, il ne s'est pas passé un jour sans que je ne pense à toi.

— C'était pareil pour moi.

— Combien de temps es-tu restée à l'hôpital ?

— Dix mois. (Elle haussa les épaules.) Cela m'est bien égal à présent. Je me suis parfaitement bien adaptée à mon nouvel état. À ceci près que je refuse de l'imposer à quelqu'un d'autre.

— Y a-t-il quelqu'un dans ta vie ?

— Non, et il n'y aura plus jamais personne.

Il approcha son cheval de l'étalon.

— Erreur, jolie madame !

Il se pencha vers elle. Sans prévenir, ses lèvres cherchèrent les siennes. Il l'enlaça et l'attira vers lui, la pressant contre sa poitrine, entortillant ses doigts dans ses cheveux.

— Palomino... oh, mon Palomino, chuchota-t-il tout contre la bouche de Samantha, qui tressaillit, je ne te quitterai plus, mon amour, plus jamais.

Cette voix enjôleuse... Samantha crut remonter le temps. Elle laissa filtrer un regard surpris à travers ses longs cils. Elle ne rêvait pas. Tate Jordan était revenu. Il était là, tout près d'elle, et la tenait dans ses bras.

Maintenant, elle pouvait le lui dire, elle aussi.

— Moi aussi je t'aime, Tate. Je n'ai jamais cessé de t'aimer.

Un nouveau baiser, plus enflammé, plus impétueux, les unit. Il lui prit la main, alors. Côte à côte, ils cheminèrent vers le ranch. Josh attendait dans la cour. Lorsqu'il les aperçut, il s'éclipsa discrètement vers l'écurie. Samantha s'arrêta. Sans la quitter des yeux, Tate mit pied à terre. Comme s'il devinait la frayeur de la jeune femme, il murmura :

— Je t'aime, Palomino... (Puis, à mi-voix, afin que personne d'autre ne puisse l'entendre à un kilomètre à la ronde :) Souviens-toi, Samantha. Dorénavant, il n'y aura pas un jour, une nuit, une heure, une minute où je ne serai pas avec toi.

Très lentement, elle se mit à défaire, l'une après l'autre, les sangles qui attachaient ses jambes. Son regard se coulait dans celui de Tate. Pouvait-elle lui faire confiance, après ce long calvaire de trois ans ? Était-il réel ? N'allait-il pas la quitter une nouvelle fois, sans un mot d'explication ?

— Aie confiance, dit-il comme s'il avait lu dans ses pensées.

Elle se tenait très droite sur son étalon. Il n'y avait

rien de brisé, rien d'abîmé, rien de bizarre en elle. Elle n'avait rien d'une invalide.

— Sam ?

Les trois années d'attente disparurent soudain, comme l'ombre se dilue dans la lumière du soleil. Elle se pencha sur la selle, appuya les mains sur les épaules de Tate.

— Aide-moi à descendre.

Des mots simples. Tranquilles. Il la prit dans ses bras. Josh apparut à ce moment-là. Il poussait le fauteuil roulant. Après une infime hésitation, Tate la posa sur le fauteuil. Il redoutait de lire la souffrance dans son regard. Il n'y vit qu'une tendresse infinie.

— Viens, Tate, dit-elle en faisant tourner les roues.

C'était toujours sa Samantha. Fière et forte. Et si belle !

— Où allons-nous ? s'enquit-il.

Elle leva vers lui un visage lisse et serein.

— À la maison, dit-elle. Je te présenterai Timmie.

Lorsqu'ils arrivèrent, elle le précéda sur la rampe, ouvrit la porte, se retourna vers lui. Ils restèrent ainsi un long moment, les yeux dans les yeux, se remémorant un autre temps, une autre vie enfin retrouvée. Avec un sourire, il entra dans le vestibule. Elle le suivit. La porte se referma derrière eux.

Du même auteur
aux Presses de la Cité :

Album de famille
La Fin de l'été
Il était une fois l'amour
Au nom du cœur
Secrets
Une autre vie
La Maison des jours heureux
La Ronde des souvenirs
Traversées
Les Promesses de la passion
La Vagabonde
Loving
La Belle Vie
Un parfait inconnu
Kaléidoscope
Zoya
Star
Cher Daddy
Souvenirs du Vietnam
Coups de cœur
Un si grand amour
Joyaux
Naissances
Disparu
Le Cadeau
Accident
Plein Ciel
L'Anneau de Cassandra
Cinq Jours à Paris

Composition réalisée par INTERLIGNE

IMPRIMÉ EN FRANCE PAR BRODARD ET TAUPIN
Usine de La Flèche (Sarthe).
Librairie Générale Française - 43, quai de Grenelle - 75015 Paris.

ISBN : 2-253-14164-X

31/4164/5